W9-DIW-494

COLLECTION FOLIO

Karine Tuil

L'insouciance

Gallimard

Ce livre est une fiction. S'il s'inspire parfois de faits réels ou d'événements liés à l'actualité, il ne prétend pas en être une représentation fidèle ni en respecter la chronologie.

Karine Tuil est notamment l'auteur de *L'invention de nos vies*. Son dixième roman, *L'insouciance*, paru aux Éditions Gallimard, est en cours de traduction dans de nombreux pays.

Aux Blessés

Liberté, égalité, fraternité, *prônez toutes ces valeurs, mais tôt ou tard, vous verrez apparaître le problème de l'identité.*

Aimé CÉSAIRE,
Nègre je suis, nègre je resterai.
Entretiens avec Françoise Vergès

L'histoire de la vie, c'est l'histoire de la violence invaincue, insurmontée.

Vassili GROSSMAN,
Tout passe

Je sentais inconsciemment que, pour moi, l'amour serait ce massacre.

Cesare PAVESE,
Le métier de vivre

La sélection, cette épreuve. Ils étaient trois, quatre mille, peut-être plus, à briguer un poste de courtier au sein de l'entreprise Cantor Fitzgerald, l'une des plus grandes banques d'investissement américaines. Seuls deux d'entre eux avaient été retenus à l'issue d'une série d'entretiens qui avait duré six mois : l'un français, l'autre américain. Ils avaient reçu un appel, dans la matinée – « Vous avez été choisis... Nous sommes heureux de », etc. Les plus Compétents. Les Meilleurs. L'Élite. Ils allaient travailler respectivement aux cent troisième et cent quatrième étage de la tour nord du World Trade Center. Ceux qui n'avaient pas été retenus avaient reçu une lettre brève et formelle par la poste : « Cantor Fitzgerald vous remercie... Nous sommes au regret de... Malgré vos qualités... Bonne chance chez l'un de nos confrères. » Ils étaient alors passés par différentes phases : déception - sentiment d'injustice - amertume - colère – le cycle expiatoire de l'échec. Les Élus prirent leurs fonctions dans un état d'exaltation hallucinatoire. Un an après, le 11 septembre 2001, aux alentours de neuf heures du matin, deux avions détournés et pilotés par des terroristes appartenant au groupe islamiste Al-Qaïda percutèrent les tours du World Trade Center dans un embrasement de métal. À 10 h 23, l'Américain se défenestra du cent troisième étage pour échapper aux gaz toxiques. À 10 h 28, le Français mourut dans l'effondrement des tours. Présenté trois ans plus tard, le rapport final de la Commission nationale sur les attaques terroristes s'ouvrait sur ces mots : « Mardi 11 septembre 2001, la température est clémente et le ciel sans nuages sur la côte Est des États-Unis. »

« Sur mon ordre, l'armée des États-Unis a commencé des frappes contre les camps terroristes d'Al-Qaïda et contre les installations militaires du régime taliban en Afghanistan. Ces actions soigneusement ciblées visent à arrêter l'utilisation de l'Afghanistan comme base d'opérations terroristes et à attaquer les capacités militaires du régime des talibans. Nous sommes rejoints dans cette opération par notre allié royal, la Grande-Bretagne. Des amis proches comme le Canada, l'Australie, l'Allemagne et la France ont aussi déployé des forces sur le terrain (...).

Nous demandons beaucoup à ceux qui portent l'uniforme. Nous leur demandons de quitter ceux qu'ils aiment, de parcourir de grandes distances, de risquer d'être blessés, et même d'être prêts à faire l'ultime sacrifice de leurs vies. »

George W. BUSH, extrait d'un discours
prononcé à la Maison-Blanche
le 7 octobre 2001.

RETOUR D'AFGHANISTAN

1

Ce n'est pas une décharge de chevrotine, ça ne vous tue pas, peut-être, mais ça déforme, ça détruit, lentement, froidement, comme une substance toxique et irradiante, mutant vers quoi ? Un être supérieur, cuirassé, stoïque, rien ne l'ébranle, rien ne l'affecte, un de ceux qui résistent, un dur, blindage métallique, les yeux décavés à trop contenir l'effroi, il ne montrera rien, ne dira rien, impassible, *non, ça va, ça va aller*, pas de plaintes, pas comme Ceux-qui-tombent, Ceux-qui-lâchent, Ceux-qui-cèdent-à-la-peur, dédorant leurs propres portraits : *on n'est pas à la hauteur, on n'est pas capables* ; c'est brutal, violent, ça déchire la surface, abrasion définitive, certains disent un-coup-sur-la-tête, une accélération suivie d'une projection accidentelle, un choc frontal, une fragmentation – c'est ça l'épreuve, la vraie, touchez, vous êtes à vif, c'est l'expérience de la douleur et personne n'y est préparé, personne. Ça surgit à tout moment, ça surprend, c'est traître ; vous avez des ambitions, des rêves, des projets – la trilogie de la construction personnelle –, vous aimez, êtes aimé peut-être, concomitamment, quelle chance, profitez-en, ça ne durera pas, soudain la roue tourne, c'est votre tour, et vos protestations n'y changeront rien, avancez en rangs serrés, entrez dans la zone de turbulences, entrez dans la cage, il y a de l'animalité dans l'épreuve, vous renoncez à votre urbanité, au caporalisme agressif, vous renoncez à la tyrannie des apparences, à l'effervescence, l'adolescence – l'incandescence, c'était hier –, plus rien n'a d'importance passé la reddition, la vie, c'est ça, un apprentissage de la perte, mais Romain Roller avait l'habitude, la peur, il avait fini par l'apprivoiser, il avait été formé pour ça, et à l'âge où ses amis vivaient de petits boulots, devenaient vigiles, chauffeurs, entraîneurs sportifs, à l'âge où, de l'autre côté du périphérique, des ambitieux préparaient leur avenir professionnel comme une capitalisation à long terme, Romain Roller avait rejoint l'armée, le groupement des commandos de montagne affilié à un bataillon de chasseurs alpins pour finir par obtenir le grade de lieutenant, et tout ça pour se retrouver où ? Au Kosovo, à Mitrovica, où il avait vu des victimes brûlées, s'échappant de leurs maisons incendiées par l'explosion de cocktails Molotov, se jetant par les fenêtres, tentant de survivre par tous les moyens car personne ne veut mourir, c'est tout ce qu'il avait appris à la guerre, rien d'autre... En Côte d'Ivoire, à Bouaké, où un campement de soldats français en mission pacifique avait été bombardé par un avion de l'armée du président ivoirien, causant la mort de neuf soldats français et d'un Américain... En Centrafrique, où des cadavres gisaient, putréfiés, dépecés à coups de machettes, des mouches grosses comme des olives voltigeant autour dans un bourdonnement de scie électrique, des familles entières – hommes, femmes, enfants – victimes de guerres ethniques, et après ça, vous pensez être blindé, vous êtes encore capable de vous endormir sans somnifère, sans alcool, sans être réveillé en pleine nuit par des images de charniers, vous avez des envies, du désir, vous sortez, vous parlez, oui mais jusqu'à quand, jusqu'à quand ? *Car vous aurez beau tâter toute la misère du monde, tant que vous n'avez pas connu l'Afghanistan, vous n'avez rien vu...*

L'enfer afghan... Écrasé par la nature, sa complexité, ses cavités secrètes, sa rusticité, tout ce que votre ennemi maîtrise et qu'il vous faudra apprivoiser car il connaît la région mieux que vous ne la cernerez jamais : les vastes pentes vallonnées percées de ravins avec, en toile de fond, les sommets crayeux de l'Hindou Kouch ; les nuits piquées d'étoiles, un paysage de carte postale ; la zone verte hérissée de vergers touffus, rameux, sa verdure exubérante dans laquelle vous vous enfoncez en priant pour qu'un tir ne vienne pas vous trouer la tête, et ça ne manque pas, les tirs tombent, les roquettes fusent, vous ne voyez rien, votre adversaire se carapate, tapi quelque part, tranquille, tout ce qu'il veut, c'est *bouffer de la viande*, ce pays, c'est une bombe, vous comprenez ? Et tout le monde a le doigt posé sur le détonateur : le taliban embusqué qui attend que vous vous pointiez ; le guetteur posté devant votre base et qui demande à vous parler dans un sabir qui ajoute à la panique ; l'enfant qui s'avance vers vous avec un regard à vous fendre l'armure, sans que vous soyez capable de savoir s'il a un flingue chargé dans son short ou s'il veut juste un bonbon ; l'agriculteur qui ramasse ses prunes sucrées et juteuses et vous en propose une, hum, ça vous tente, et là vous ne savez pas quoi faire. La refuser ? C'est l'humilier ; dans un pays régi par le code d'honneur, c'est en faire un futur insurgé. L'accepter ? C'est peut-être prendre le risque de recevoir une autre prune, en plomb celle-là, mais la perspective de passer trente-cinq fois sur le billard vous fait trembler, vous refusez ;

l'Afghan qui est au téléphone en pleine rue au passage d'un convoi allié, qui appelle-t-il ? Son portable est peut-être un activateur de bombes à distance, et comment faire la différence, de là où vous êtes, vous ne discernez rien, et quelle décision prendre : le regarder sans réagir ? Le descendre en pleine rue ? Votre combat est *légitime, moral, légal*. Le soldat de l'armée afghane que vous êtes censé former, ce type doux et affable auquel vos hommes apprennent sans relâche à manier une kalach, êtes-vous sûr qu'il n'est pas un insurgé infiltré ? Qu'il ne va pas retourner son arme contre vous au cours d'une mission ou vous tuer pendant votre sommeil ? Êtes-vous certain qu'il ne va pas vous planter une hache dans la tête comme Roller avait vu un homme le faire au cours d'une réunion de chefs afghans – BANG ! Un coup dans le crâne d'un Canadien de vingt-cinq ans, sa cervelle a éclaté *sur eux* ! Durant le trajet de retour à la base, personne ne parle, chacun fait le mort, non, ils ne voient pas – ils ne veulent pas voir – que des lambeaux de chair maculent leurs vestes et leurs cheveux ; non, ils ne voient pas – ils ne veulent pas voir – que le plus solide d'entre eux tremble comme s'il était placé sur une plaque vibratile, et Roller rappelle les ordres de mission, c'est ça le sang-froid, c'est ça la maîtrise, il leur rappelle qu'ils ne doivent pas parler de ce qui s'est passé à leurs épouses, leurs amis, leurs parents, et le soir, au téléphone ou devant l'écran de l'ordinateur, à la question : *comment te sens-tu ?* vous répondrez : *bien. Très bien. Super bien*.

Mentez-leur. Mentez-leur quand ils vous demandent si vous vous avez le moral, si vous supportez la chaleur, la pression, votre gilet pare-balles, le poids de votre matériel. Mentez-leur quand ils exigent de savoir pourquoi vous portez un pansement à la main. Mentez-leur quand ils vous assaillent de questions – *tu as bien reçu les barres de céréales que je t'ai envoyées* ? Et vous répondrez : *oui, oui, je les ai adorées,* alors que ça fait trois jours que vous n'avez rien pu avaler. Après, vous craquez, vous crachez, oui, mais sous la douche, seul, quand les fragments de chair du Canadien bouchent le siphon, quand une part de vous-même est en train de se diluer comme un corps plongé dans un solvant puissant.

Le traducteur qui vous propose ses services ne serait-il pas un espion téléguidé par les talibans, un otage qui agirait sous leur contrainte ? Le piège facile à tendre, ils menacent de tuer sa famille s'il ne coopère pas, ils savent où elle habite, ils ont le nom de son père et de sa sœur, *tu sais ce qu'on pourrait faire à ta sœur,* oui, il le sait, ils lui tireront une balle dans le dos ou ils la brûleront à l'acide, un jet dans la gueule, défigurée pour l'exemple, alors oui, sans aucun doute, le traducteur qui est dans votre camp au début de la mission peut tout à fait passer dans le camp ennemi deux mois plus tard parce qu'il a peur, oui, dites-vous bien que la peur gouverne tout, là-bas ; et il y a ce cadavre placé au milieu de la route, peut-être bourré d'explosifs, il y a cette petite chèvre qui progresse à votre suite avec sa clochette autour du cou, il y a ce kamikaze qui surgit au milieu d'une zone que vous êtes en train de sécuriser, il se précipite vers vous comme si vous étiez la plus belle fille du monde, *il a eu le coup de foudre, le salaud,* mais c'est vous qui finirez électrocuté… Vous aurez beau être exposé à l'épouvante et au stress, à la répugnance tragique de la haine, vous ne serez jamais préparé à ressentir l'angoisse de tomber sur un engin explosif improvisé, on appelle ça un IED et, en Afghanistan, c'est l'ennemi public numéro un – pire qu'un faiseur de veuves –, si vous marchez ou roulez dessus, vous vous retrouvez au mieux amputé des mains, des bras ou d'une partie du crâne, oui, et même comme ça vous pourrez survivre, mais seul, à l'hôpital militaire où tout le monde finira par vous oublier et où vous préférerez crever, parce qu'au moins votre veuve percevra une pension et pourra refaire sa vie avec un autre, un type normal, pas un soldat qui lui reviendra en kit après une mission de six mois, et vous savez quel nom ont donné les insurgés à cette mise à mort ? Planter des fleurs… Le romantisme taliban…

Vous ne serez jamais préparé à la guerre des lâches, cachés à cent mètres de vous, derrière des habitations aux murs chaulés, piégés eux aussi, détonateur à la main… Vous ne serez jamais préparé à l'effroi de devoir balancer des roquettes sur des maisons pleines de gosses, de vieillards et de mères de famille parce que vos ennemis s'y sont cachés pour vous tirer comme des lapins, persuadés que vous ne répliquerez pas, ils connaissent vos règlements et se moquent de votre morale – épargner les civils, ne tirer qu'en cas d'attaque frontale –, vous poussant à la faute et au crime, car vous les pulvériserez, vous répétant que vous n'avez pas d'autre choix, alors que si, vous en avez un autre, vous tirer vite fait de cet enfer et rentrer chez vous où les gars de votre âge vont en boîte, bossent, baisent, belotent, bringuent, briguent des postes sans danger, et qui vous dit que ce ne sont pas vos femmes qu'ils prennent pendant que vous combattez pour qu'ils puissent continuer à aller en boîte, bosser, baiser, beloter, briguer des postes sans danger, bringuer sans se soucier de la menace terroriste, c'est bien pour ça que vous êtes venu, non ? L'éradiquer, cette menace…

Vous ne serez jamais préparé à la culpabilité d'avoir accordé l'ordre de tirer sur une cible suspecte parce que *c'est la procédure*, et de découvrir que c'était une femme enceinte qui cherchait de l'aide, dix-huit ans pas plus, comment savoir si elle ne dissimulait pas une bombe sous sa burqa. Et pourquoi lui auriez-vous fait confiance ? C'était elle ou vos hommes – quelle importance puisqu'*il l'a tuée*, exécutant Votre volonté, obéissant à Votre ordre –, sa mère vous maudira, vous et vos enfants, jusqu'à la cinquième génération et formera les enfants qui lui restent à vous haïr, et ils vous poursuivront jusque chez vous, et ils vous détruiront par le feu et les bombes, la terreur et la menace, l'épée et le glaive, comme dans un récit biblique, ils se vengeront… Vous ne serez jamais préparé à la peur qui vous troue le ventre au moment où vous apercevez un fil qui dépasse et il faudra bien en faire quelque chose parce que si vous ne faites rien, un enfant finira par le défouir pour se fabriquer une marionnette et alors c'est lui qui finira désarticulé ; vous appellerez le démineur, mais, même habitué à toutes ces missions, vous n'êtes jamais sûr qu'il ne va pas déflagrer sous vos yeux pendant que sa femme est en train de tester un nouveau gel douche ambre-huile d'argan, mandarine-orange, des mélanges aphrodisiaques, tout ce qui pourrait l'exciter à son retour… Vous ne serez jamais préparé à voir la mort en face, vous la croisez partout dans le bazar de Tagab, dans chaque échoppe, une vraie poudrière, vous entrez et vous ne savez pas si des hommes ne vont pas vous encercler en quelques secondes, si la marmite en aluminium remplie d'huile brûlante dans laquelle crépitent des beignets ne va pas exploser sur votre passage, si la vieille femme qui égruge ses amandes ne va pas cracher sur vous parce que vous ne serez jamais le bienvenu, parce que vous avez bombardé sa maison, humilié sa fille, détruit son champ, elle a ses raisons et vous ne les connaîtrez jamais car vous n'avez pas le droit de lui parler, *les hommes ne parlent pas aux femmes* ; vous ne savez pas si la foule entière ne va pas se masser autour de vous pour vous prendre en étau et vous écraser, ce sera la panique, vous aurez beau avoir été formé au contrôle de foule et avoir testé votre capacité à réagir en différents points du globe, vous perdrez vos moyens, ils voudront votre tête, ils vous piétineront jusqu'à ce qu'on ne puisse plus distinguer votre visage d'une bouillie informe, et un type, là-haut, filmera et balancera votre mise à mort sur YouTube... Vous ne serez jamais préparé à voir l'un de vos meilleurs amis déchiqueté sous vos yeux parce qu'il a marché sur une mine pendant une opération, ses jambes ont été arrachées, il hurle qu'il veut de la morphine ça pisse le sang, faut le garrotter, *la morphine ! Bordel de merde ! Où est la civière ? Qui a la radio ?* Vous ne serez jamais préparé à supporter le souffle – 530 km/h – ni le bruit de l'explosion et vous êtes peut-être devenu sourd car vous n'entendez même plus les hurlements de votre soldat qui est en train de mourir dans vos bras, entrailles à l'air, un hobereau qui voltige au-dessus de vos têtes... Vous ne serez jamais préparé au choc, il y a cinq secondes encore, il se tenait là, devant vous, valide, il vous parlait ; la veille, il riait et bang, il ne reste plus rien qu'un tronc humain surmonté d'une tête en sang et un nuage de débris poussiéreux... Vous ne serez jamais préparé à chercher ses membres au milieu de la rocaille, fouir la terre rêche à vous en arracher les ongles, vous ne les retrouvez pas, la nuit va tomber, et pourtant vous ne pensez qu'à ça, le ramener entier, vous y pensez pour ne pas chialer mais au fond du seau vous chialez quand même car vous ne serez jamais préparé à mentir en lui faisant croire que tout va bien, que tout va s'arranger alors que vous *savez* qu'il va mourir dans l'hélico, à l'hôpital de Kaboul ou être handicapé à vie, dépendant de l'aide militaire, de l'État, de sa compagne, et peut-être même qu'elle le quittera parce qu'elle veut vivre... Vous ne serez jamais préparé à tomber dans une embuscade, supporter les tirs ennemis pendant plus de vingt-quatre heures et voir vos hommes tomber sans pouvoir rien faire d'autre que hurler parce que l'hélicoptère de secours ne se posera pas, il ne prendra pas le risque d'exploser en vol, ou parce que les avions américains ne peuvent pas viser vos ennemis, ils sont en face, vous êtes au corps à corps, ça vous tuerait, et ça vous tue quand même, cette passivité, lentement, ça prend plus de temps, comme de l'arsenic... Vous ne serez pas préparé à supporter la vue des corps gonflés et noircis par la chaleur et la putréfaction, en quelques heures à peine, les corps des soldats de votre section, ces corps sculptés par les heures de musculation, d'entraînement, les exploits sportifs – des chasseurs alpins ! Des types qui avaient escaladé le mont Blanc sans faiblir ! – déjà décomposés, mais non, pas lui, José Vilar, vingt-deux ans, vous aviez promis à sa mère de le ramener vivant, pas lui, Vincent Debord, vingt-quatre ans, le seul qui vous battait à Call of Duty, et personne ne vous battra plus jamais, il devait se marier à son retour de mission, il vous avait demandé d'être témoin à son mariage et vous le serez à sa mort, vous raccompagnerez son cercueil jusqu'au tarmac, et que direz-vous à sa copine quand elle appellera ce soir pour lui parler, lui répéter qu'elle l'aime et qu'elle a envie de lui ? Vous ne serez pas préparé au ramassage des corps en pleine nuit, du sang plein les mains, vous les portez sur le dos, et il faut faire vite, avant que les insurgés reviennent, et il faut le faire, parce qu'on n'abandonne pas ses hommes à l'ennemi… Vous ne serez jamais préparé à l'odeur du sang, ces relents de fer et de métal froid qui vous donnent envie de vomir… Vous ne serez jamais préparé aux effluves de cendres, *c'est quoi ? De la chair grillée*. Et vous crachez, plié en deux, à vous en arracher les boyaux… Vous ne serez jamais préparé à mentir sur les dernières minutes de ces soldats – ordre de la hiérarchie, vous direz qu'ils sont morts héroïquement au front, qu'ils se sont battus jusqu'à la fin, qu'ils étaient beaux et fiers – beaux et fiers, *c'est ça,* parce que personne ne verra leurs visages défigurés, *par souci de protéger les familles*, vous ne direz pas que vous avez découvert leurs trois corps alignés après le départ des talibans, vous ne direz pas qu'ils présentaient des traces de torture – lacérations, perforations, à coups de canif ou de tournevis –, vous ne direz pas qu'ils avaient été égorgés, vous ne direz pas que des effets personnels leur avaient été volés, ni même que les talibans ont paradé avec les uniformes français de *nos* morts, de *nos* soldats, vous ne direz rien, optant pour les discours obreptices, au nom de la protection des familles et du secret d'État, l'État qui vous a envoyés dans ce bourbier, vous n'avez pas vingt-sept ans, vous n'avez pas assez vécu et aimé pour mourir, et vous pensez à votre mère, vous avez envie de crier son nom, qu'elle vienne vous chercher et vous sortir de là… Vous ne serez jamais préparé à annoncer la mort de vos hommes, et pourtant tôt ou tard vous le ferez, vous appellerez un de vos supérieurs, resté bien au chaud à la base, la connexion Internet sera coupée, aucun soldat ne pourra plus contacter sa famille, afin qu'aucun d'entre eux ne puisse donner les noms des victimes, décision de l'état-major, quelqu'un le fera à leur place, sera envoyé par des types en bout de bande pour le faire, il sonnera à la porte des familles qui ouvriront en pensant : *ça y est : la vie est finie* ; et Romain Roller pensait aussi qu'elle l'était quand ils sont arrivés à Paphos, sur l'île de Chypre, dans cet hôtel cinq étoiles où ils devaient passer trois jours pour *se remettre*, disaient-ils, avant de rentrer chez eux, sas de fin de mission prévu par le gouvernement pour les préparer au retour à la vie *normale* – au programme : détente, cours de sophrologie, entraînements sportifs, séances de réflexion collective, rencontres avec des psychologues – mais c'était trop tard, Roller était déjà abîmé quand il s'est retrouvé dans cette chambre de luxe avec vue sur mer en pensant qu'il n'était pas à sa place et qu'il devait retourner là-bas chercher les membres de son ami, le sergent-chef Farid Djitli qui crevait peut-être, intubé à l'hôpital militaire Percy pendant qu'ils se gavaient de papayes fraîches et de dattes « fondantes comme du miel », répétait suavement une serveuse aux yeux de braise, qui crevait pendant qu'ils nageaient dans la piscine d'eau de mer à température idéale sous les regards des filles qui passaient par là, le corps corseté dans des deux-pièces qui ne dissimulaient rien, qui crevait pendant que ses hommes ne pensaient qu'à séduire ces filles qui les mataient encore quand ils couraient le long de la plage, pectoraux huilés, bronzés, des athlètes, des surhommes, qui crevait pendant qu'ils se faisaient masser par des minettes aux yeux noirs, espérant plus, qui crevait pendant qu'ils jouaient aux cartes, qui crevait pendant que Roller hésitait entre le hammam et le sauna, les crevettes et le crabe, l'ananas frais ou le fondant au chocolat noir, le massage thaïlandais ou californien, qui crevait pendant qu'ils participaient à un karaoké dans la salle de spectacle de l'hôtel, qui crevait pendant que Roller fredonnait un vieux tube de Michael Jackson en dodelinant de la tête, faisant glisser ses pieds sur le sol, qui crevait pendant qu'ils tiraient sur des joints dans la chambre en se racontant toutes les choses formidables qu'ils feraient à leur retour : sortir, rire, faire l'amour, vivre.

Qui crevait.

2

La corruption généalogique, la représentation clanique de l'ascendance avec ses codes, ses privilèges, ses incarnations prestigieuses – Vély, c'est ça, un nom qui dit l'appartenance, le voilà, François Vély, cinquante et un ans, PDG de l'un des plus grands groupes de téléphonie mobile, dixième fortune française, debout, au centre de la salle, dans les somptueux salons de l'Automobile Club de France, au dîner du Siècle, ce centre névralgique du pouvoir, *haut lieu de la sociabilité des élites* où se réunissent un mercredi par mois les hommes et les femmes les plus influents du pays, les hommes surtout, quinze pour cent seulement des membres de ce club très privé sont des femmes : personnalités du monde politico-économique, fonctionnaires, chefs d'entreprise, patrons de presse, médecins, avocats – Ceux-qui-comptent. Il est en pleine discussion avec une célèbre architecte parisienne, la petite cinquantaine, attentive, concentrée, séduite. La puissance d'attraction du pouvoir – du pouvoir et de l'argent –, le charme en sus, tout pour lui, tout pour plaire, beauté coruscante, ça éblouit, irradie jusqu'à son entourage : un visage aux traits fins, des yeux bleu de minuit, surmontés de longs cils mélaniques, drus, brillants, comme gainés de mascara, un peu féminins ; grand, brun, élancé, d'une minceur extrême – il surveille son alimentation avec une rigueur monacale : pas de sucre, pas de graisse, pas de pain, pas de féculents le soir, pas de sel et jamais, jamais d'alcool, du yoga deux fois par semaine avec un professeur particulier, le prix à payer pour conserver cette silhouette longiligne, cette démarche souple et nerveuse – un corps de sportif, sculpté par des heures de natation à Porto-Vecchio, Southampton, la piscine du Ritz, et même – il lui arrive d'être infidèle – celle du Club Interallié, en été surtout, où le Tout-Paris s'expose au soleil sous une crème indice cinquante. La grâce, la classe, un as de la représentation sociale, formé à bonne école. L'intelligence, il l'a. Il a étudié l'ingénierie à Polytechnique et la littérature, sa grande passion après l'art contemporain, à Princeton avec Joyce Carol Oates – elle a été son professeur de création littéraire au Lewis Center for the Arts. L'éducation, le goût du beau, la connaissance, la culture, l'entregent, l'aptitude à la séduction, oui, bien sûr, il les a. L'argent ? Il en a mais n'en parle jamais. Il faut lire la presse pour savoir qu'il perçoit une rémunération annuelle de six millions d'euros et qu'il habite un hôtel particulier à Paris, dans le XVIe arrondissement, villa Montmorency, un lotissement ultra-sécurisé où vivent quelques privilégiés : héritiers, stars du show-biz ou de l'Internet, chefs d'entreprise, cent vingt maisons construites sur un terrain où le mètre carré ne se négocie pas à moins de vingt mille euros.

Le sens social ? Personne n'en a autant que lui. Le pouvoir d'entrer où il veut, quand il veut, la maîtrise de soi, l'inclination naturelle à la domination, un sens inné de la valorisation sociale, il connaît ça, il est d'une urbanité un peu mondaine, c'est sûr, que trahissent les inflexions de sa voix et cette élégance codifiée à l'extrême : costumes à la coupe cintrée, souliers Berluti aux tons sombres – une préciosité qui marque la distance, mais charmant pourtant, accessible, attentif à votre bien-être, toujours un mot aimable pour le personnel... À ses côtés vous avez le sentiment d'être la huitième merveille du monde, vous vous pavanez, présomptueux, avec l'arrogance de Ceux-qui-ont-été-choisis, alors que c'est lui, la merveille, les faits ne manqueront pas de vous le rappeler – être un Vély, ça suffit à impressionner, et sans arrogance, sans effets ; le pouvoir, il l'a, et depuis sa naissance ; son père, Paul Vély, né Paul-Élie Lévy, est un ancien ministre de la République française, qui a montré un courage exemplaire pendant la guerre en résistant face à l'ennemi dans le maquis de l'Yonne, avant d'être arrêté et déporté en tant que juif à Buchenwald au début de l'année 1944, infatigable militant humanitaire, fils de Mordekhaï Lévy, antiquaire originaire de Troyes : le symbole de la complexité identitaire. Au lendemain de la guerre, Paul Lévy avait modifié l'ordre des lettres de son nom et retiré son prénom biblique par souci d'intégration à la société française, d'assimilation – de réinvention, peut-être, et alors ? *Ma seule identité est politique,* aimait répéter Lévy/Vély. Paul Vély, la grande conscience de gauche, l'intellectuel engagé, ça, c'était important, ça le définissait bien plus qu'une identité qu'on lui avait plaquée comme un masque dont il n'avait jamais supporté le contact – trop abrasif –, et c'est pourquoi, quelques années à peine après la naissance de son fils, il avait accepté que l'enfant fût baptisé et élevé dans la religion chrétienne, comme sa femme, Susan, une Américaine issue de la grande bourgeoisie catholique, le souhaitait. C'était une grande rousse à la peau marbrée qu'il avait rencontrée lors d'un voyage d'étudiants et dont les parents, des industriels texans, des républicains ultraconservateurs, fondamentalistes chrétiens, avaient vanté devant lui les mérites de la peine de mort – de la peine de mort ! Lui qui avait été l'un de ses plus farouches opposants ! Il n'était resté marié que cinq ans, mais même après le divorce, il n'avait pas renoué avec sa judaïté. Il avait hésité un temps à se convertir au christianisme puis avait renoncé moins par fidélité à la foi de ses ancêtres que par une méfiance instinctive envers tout ce qui relevait du religieux – l'aliénation, non. Pendant ses années de mariage, il s'était malgré tout plié aux rites que sa femme lui avait imposés : les fêtes de Pâques, les fêtes de Noël, le repos dominical avec passage à l'église, allant parfois jusqu'à s'inventer une enfance chez les jésuites, des ancêtres bretons (« mon nom correspond au bailli, le représentant du Seigneur dans le village », aimait-il raconter). « Les juifs ont de l'imagination et la déploient volontiers pour échapper au judaïsme », fit un jour remarquer Pierre Mendès France, qu'il avait bien connu, et Paul Vély plus qu'un autre, qui avait non seulement modifié ses papiers officiels mais aussi façonné la légende familiale au gré de ses désirs, façon de se réinventer complètement comme l'avaient fait, après la guerre, d'autres familles françaises issues de la grande bourgeoisie juive assimilée. Un homme ambigu, un peu duplice, complexe, attaché à l'idéal républicain, qui recevait chaque week-end toute l'intelligentsia médiatique et politique dans sa grande résidence secondaire au cœur de la vallée de Chevreuse, un domaine de vingt hectares avec un jardin à l'anglaise composé de variétés choisies non pas en fonction de leur beauté mais de la musicalité de leur nom : aches noueuses, espargoute, aconit tue-loup, dame-d'onze-heures, anémone sanguinaire, camomille allemande, épilobe hi mauve royale, ortie blanche, rhinanthe à crête coq, c'est poétique, singulier, magnétique – à leu *image*. « On dirait le jardin des Finzi-Contini, avait fait remarquer à Paul Vély l'un de ses invités un jour de juin, vous avez lu le livre de Bassani, vous avez vu le film ? L'histoire de cette grande et fascinante famille juive décimée par la guerre... Quelle tristesse ! » ; Paul Vély avait balayé cette remarque d'un revers de la main – la malédiction des origines, il l'avait fuie ; le commentateur deviendrait persona non grata... Et puis, il y avait le court de tennis au fond du parc avec son coin ombragé où, dès le printemps, on sirotait la *meilleure* citronnade du monde, et, à l'intérieur de la bâtisse en pierre, une spacieuse bibliothèque, on y trouvait des éditions originales essentiellement, en libre-service, entrez et servez-vous. Paul Vély avait coutume de dire à son fils : « Si tu ne souhaites pas être déçu par tes amis, ne les choisis qu'en fonction du contenu de leur bibliothèque », façon de l'inscrire dans une tradition intellectuelle – on est ce que l'on lit –, et ça l'avait un peu désolé, cet humaniste lettré, de voir son fils unique, François, faire des premiers choix professionnels qu'il qualifia de « désastreux ». Car après ses études menées entre les États-Unis (où il avait vécu jusqu'à l'âge de seize ans avec sa mère) et la France, au terme desquelles il avait intégré les plus grandes écoles, François avait travaillé à New York chez Szpilman, une importante société américaine de télécommunications, avant de racheter des entreprises de minitel rose et des peep-shows puis de créer des sites de vidéos pornographiques sur Internet : Allosexy, Sexy.com, c'était lui. Ce n'est que quelques années plus tard qu'il s'était lancé dans la téléphonie mobile. Et enfin, à la quarantaine, espérant retrouver une respectabilité, il avait participé au rachat de l'un des plus grands quotidiens d'information. Ses atouts ? Une vision très personnelle des affaires, une intelligence instinctive, un sens aigu des relations humaines mais aussi une capacité à se mettre en scène qui aurait pu agacer si elle n'avait été portée par un charisme exceptionnel. Avec l'aide de conseillers en communication d'entreprise, il avait bâti une stratégie de conquête par l'image et était devenu en quelques années ce très médiatique patron du CAC 40. *Brillant, stratège, influent, iconoclaste,* disaient de lui ceux qui le côtoyaient, tempérant parfois : *aime trop la lumière*. Un homme doué pour la conquête, en affaires comme dans sa vie privée, un de ces joueurs qui n'aiment jamais autant les femmes que lorsqu'elles sont liées à un autre, un concurrent direct, si possible, un adversaire à leur mesure, c'est plus excitant. Dans son milieu, elles étaient nombreuses, les femmes qui envisageaient le mariage comme un processus d'élévation sociale, n'hésitant pas à passer d'un homme de pouvoir à un autre, il suffisait d'évoluer dans un certain cercle d'influence, la loi de l'endogamie ordinaire fonctionnait particulièrement bien au niveau des élites, et ce fut ainsi qu'à trente et un ans, après un premier mariage raté avec la fille d'un aristocrate londonien, union qui avait duré à peine un an, il avait séduit sans mal l'épouse de son plus grand concurrent, Martin Penn, cinquante-cinq ans, patron d'une autre marque de téléphonie mobile. Sa femme ? Katherine Kramer, de cinq ans son aînée, une comédienne australienne dont tout le monde a oublié le nom aujourd'hui, une superbe blonde aux faux airs de Jean Seberg qui lui avait donné trois enfants – un garçon, Thibault, vingt ans, et deux filles, Domitille, dix-sept ans, et Alicia, quinze ans – avant de lui déclarer la guerre à l'heure du divorce, l'éternelle histoire de la conjugalité ordinaire à laquelle personne ne survit, mais ça viendra plus tard, pour le moment c'est l'exposition sociale plein sud, la réunion des élites, François discutant avec deux grands patrons, parlant photographie – c'est un collectionneur –, politique fiscale, on promet de se revoir, sortez les cartes de visite, on est là pour ça, quand un homme, un avocat d'affaires, s'avance vers lui – petit, trapu, un nez camus, des cheveux gris coupés court – (et la première pensée de Vély est : qui l'a invité au Siècle ? Pourvu qu'il ne soit pas à ma table), pose sa main sur son épaule et dit devant *tout le monde* : « J'espère que vous allez mieux depuis le drame », et il ne sait pas ce qui est le plus insupportable : cette familiarité excessive ou ces manifestations de compassion publique qui le renvoient à une tragédie qu'il aimerait oublier. Cela faisait plus de six mois que François n'avait pas participé à un dîner et ce soir-là, on lui avait fait « l'honneur » d'être chef de table, il lancerait les sujets de conversations, créerait des liens entre les personnes présentes, c'était le but après tout : renforcer son réseau. François ne montre aucune gêne, porte son verre à ses lèvres, un « très bien, merci » à peine murmuré, on passe à autre chose. Il s'attendait à cela, cette intrusion scandaleuse, le rappel de l'horreur, cet homme ridicule n'était pas le premier à lui dire cette phrase : *J'espère que vous allez mieux depuis le drame* – compassion factice puisque dans deux minutes il engouffrerait un sablé fourré à la truffe dans sa bouche énorme. C'était, chaque fois qu'il l'entendait, la même douleur, comme s'il était traversé par un courant électrique de forte intensité. Il se demande pourquoi il est venu cette fois. Sans doute pour leur prouver qu'il allait bien, qu'il était vaillant, courageux, invincible à quelques semaines de la fusion entre le groupe Vély et Szpilman, la société américaine de télécommunications où il avait officié, à ses débuts, en tant que directeur financier, une opération d'une ampleur exceptionnelle sur laquelle il travaillait depuis plusieurs années. Il n'avait jamais manqué aucun dîner jusque-là – l'entre-soi qui réchauffe. « On ne choisit pas le Siècle, c'est lui qui vous choisit », avait-on coutume de dire à ceux qui tentaient de manœuvrer en coulisses pour forcer l'entrée : il fallait être parrainé, puis accepté par le conseil d'administration, prouver son excellence et son goût du secret, il était interdit de révéler ce qui se disait au cours de ces dîners. François était sûr d'y faire des rencontres importantes : les clients, on les gagnait aussi dans les salons feutrés avec vue sur la place de la Concorde, une approche informelle qui se concrétiserait quelques jours plus tard au cours d'un petit-déjeuner organisé à quelques mètres de là, dans la somptueuse salle de l'hôtel Crillon ou dans des bureaux aux adresses prestigieuses. Dehors, ça pouvait gueuler, on n'entendait rien, on avait pris soin de poser aux fenêtres les meilleurs doubles vitrages. On ne percevait même pas les cris des touristes et des provinciaux perchés sur la grande roue de la fête foraine dont les lumières irradiaient jusqu'aux fenêtres du bâtiment.

François prend place à sa table, présente chaque convive et lance un sujet sur la guerre en Afghanistan – quelques jours plus tôt, on avait appris la mort de plusieurs soldats français dans la vallée de Kapisa. Au cours de l'échange, sa voisine de table, une ministre issue de la même promotion que lui à Polytechnique, parle avec beaucoup d'émotion d'un soldat de vingt ans mort au front dont elle avait lu le portrait dans *Le Figaro*. « Tu te souviens en prépa, demande-t-elle à François, verre de vin à la main, on avait eu la guerre comme sujet cette année-là. » Oui, il s'en souvenait très bien, ils avaient étudié trois œuvres que la ministre énonce aussitôt : « De mémoire, il y avait *Le Feu* d'Henri Barbusse, *De la guerre* de Clausewitz, mais la troisième... » François lève son verre : « Eschyle ! *Les Perses* ! *Il me submerge, ce malheur : Que dire, et que demander de telles souffrances ! Rien.* » On l'applaudit. Puis les serveurs apportent les entrées – un carpaccio de bar mariné aux agrumes, accompagné de légumes croquants dont on vante la fraîcheur. Longtemps, il avait été cet homme privilégié. Un homme pareil, vous ne pouviez pas vous empêcher de l'envier, de le regarder et de dire : *merde, pourquoi lui* ? Il a tout eu, dès la naissance. Tout lui a été donné. Les épreuves ? Quelles épreuves ? Il a été préservé de tout. Il a bien connu quelques moments difficiles : une occlusion intestinale à douze ans qui avait nécessité quelques jours d'hospitalisation dans une suite de l'hôpital américain, la mort de sa grand-mère maternelle qu'il adorait quand il avait quinze ans, ça l'avait vraiment affecté, une humiliation publique infligée par un professeur qui l'avait traité de « fils de » le jour où il avait demandé de décaler un examen parce que son père allait être élevé au rang de grand officier de la Légion d'honneur à l'Élysée. Peut-être aussi quelques histoires inavouables : une fille qui avait résisté à ses avances parce qu'elle préférait les femmes et une boîte de nuit dont l'accès lui avait été refusé malgré ses menaces et son insistance – mais le videur avait été renvoyé le soir même et l'affront avait été lavé. À près de cinquante ans, il avait connu tout ce que la vie offre de meilleur à ceux qu'elle a élus. Et puis un jour, au cours d'une soirée organisée par un grand magazine économique, il avait rencontré la journaliste et romancière Marion Decker. Et sa vie avait déflagré.

3

La rage, la rage et l'ambition politique, tout ce qui avait fait d'Osman Diboula ce politicien intuitif, précoce, entravé par le souci de plaire, peut-être, mais quelle énergie, cet homme que le Président avait intégré à son équipe de conseillers, ce cénacle qu'on ne pénétrait qu'après avoir prouvé sa résistance morale et sa fidélité. Son incroyable pouvoir de captation, sa facilité à se placer au centre des choses, une de ces personnalités magnétiques dont le charme opère dès l'échange de regards ; il a une autorité naturelle, un corps mince, corseté dans des costumes aux tons sombres, des manières un peu précieuses, une élégance désinvolte qui masque la force de prédation, rivaliser, rivaliser ; désir de vaincre, goût pour le combat, un de ceux qui n'hésitent pas à empoigner la corde sociale au risque de s'entailler la peau pour se hisser – cette corde avec laquelle certains, et ce ne sont pas toujours les plus fragiles, finissent par se pendre –, grimper en utilisant toutes ses forces, en valorisant ses atouts, et il en avait ! Il avait su devenir en quelques années un personnage incontournable, homme de l'ombre dont l'omniprésence dans l'entourage du Président cristallisait les tensions et les préjugés les plus tenaces ; ils n'étaient pas nombreux, ceux qui avaient accueilli avec bienveillance sa nomination au poste de conseiller à la Jeunesse : il n'était pas de *leur monde*. Il n'avait pas emprunté la voie classique, Sciences-Po, l'ENA – son absence de diplômes, on la lui avait assez reprochée. Contrairement à ses confrères, il avait acquis ses compétences sur le terrain, à Clichy-sous-Bois, et non sur les bancs des établissements prestigieux ou dans les couloirs de quelque ministère : titulaire du BAFA, il avait été animateur social dans les centres de loisirs de la ville et un militant associatif très engagé dans l'éducation et la rénovation urbaine, un homme prometteur, doté d'un vrai sens politique, un idéaliste peut-être, soucieux de changement, désigné porte-parole des familles lors des émeutes de 2005 qui avaient enflammé la petite commune de Clichy-sous-Bois – sa carrière politique avait vraiment commencé à cette époque, dans le chaos d'une ville enfiévrée quand, quelques heures après la mort accidentelle par électrocution de deux jeunes adolescents, Bouna Traoré et Zyed Benna, âgés respectivement de quinze et dix-sept ans, qui s'étaient cachés dans un groupe électrique au terme d'une course-poursuite avec la police, la ville s'était embrasée. L'état d'urgence avait été déclaré ; la presse internationale s'en était fait l'écho en diffusant des images de guérilla urbaine, et Osman Diboula s'était imposé comme un interlocuteur privilégié : il connaissait les familles des victimes, les adolescents qui avaient provoqué les émeutes, écœurés par les versions officielles, il était né à Clichy-sous-Bois, il y avait grandi, il y avait travaillé. Après les tensions, il avait créé un collectif – Banlieue 34 – autour du slogan suivant : « Ceux qui pensent que c'est impossible sont priés de ne pas déranger ceux qui essayent. » Il avait imaginé des sorties de crise, présenté les quartiers en difficulté sous un autre jour, plus social, et dénoncé publiquement la stigmatisation dont les populations étaient l'objet, les clichés qui nourrissaient la violence et l'incompréhension, la surenchère médiatique, ces journalistes qui ne sortaient leurs caméras que pour filmer le chaos à travers la fenêtre de leur voiture comme s'ils faisaient un safari, les altercations avec la police et le systématisme des contrôles d'identité, les « intellectuels » qui parlaient de « la banlieue » sur les plateaux télévisés sans y être jamais allés, *pas une fois,* après avoir passé une heure entre les mains expertes d'une maquilleuse, le visage et les mains enduits de fond de teint, *est-ce que j'ai été bon ?* – l'info spectacle.

Clichy-sous-Bois, c'était leur habitat. Leur univers. Ce cadre n'était *pas idéal, loin de là,* mais ils attendaient tous des *solutions politiques, pas des démonstrations de force.* Le discours avait fédéré et connu un écho au-delà des frontières : les Américains eux-mêmes avaient envoyé un de leurs émissaires pour brosser le portrait de « ce nouveau prophète des ghettos » désigné « futur leader issu des minorités visibles ». Ce mot, « visible », l'avait toujours heurté. Il était visible parce qu'il était noir ? Lui avait plutôt le sentiment d'être transparent. « Visible » avait une connotation négative, cela signifiait qu'on le remarquait ; dans le paysage blanc, il créait une gêne. Pour être dans la norme, il faudrait être invisible, c'est-à-dire blanc. À l'époque, il parlait de son expérience, de ce qu'il ressentait, il n'avait pas lu beaucoup de livres, ce n'est que plus tard qu'il avait eu des mentors, une femme, notamment, plus âgée que lui, qui l'avait pris sous son aile et aidé à acquérir la formation culturelle qui lui manquait. Cette femme, Laurence Corsini, était une ancienne élue de centre droit qui s'était retirée de la vie politique pour se lancer dans la communication d'entreprise, une de ces personnalités charismatiques dont la force d'attraction tenait autant à son autorité qu'à un sens inné des relations humaines. Ils s'étaient rencontrés au cours d'un débat politique à la télévision au lendemain des émeutes. C'est elle qui, dès 2006, l'avait convaincu de rejoindre l'équipe du candidat de droite et de participer aux réunions du mercredi au cours desquelles un groupe de réflexion préparait la future campagne présidentielle. Corsini avait été impressionnée par les talents d'orateur et par la vision politique de Diboula. Il y avait chez ce jeune Français, cadet des trois enfants d'un couple d'Ivoiriens qui étaient arrivés en banlieue parisienne au milieu des années 60, une force, une sincérité, mais aussi une intensité dans l'expression de sa colère – intensité qui n'excluait pas l'analyse et la réflexion – qui détonnait dans le paysage politique français. Son père était employé municipal, affecté au service de l'état civil ; sa mère, assistante maternelle. Elle accueillait parfois jusqu'à cinq enfants entre huit heures du matin et minuit, elle était connue dans le quartier pour la flexibilité de ses horaires, beaucoup de femmes travaillaient de nuit, notamment les femmes de ménage qui ne prenaient leurs fonctions dans les grands bureaux ou magasins de la capitale qu'en début de soirée quand les employés quittaient leur poste. Osman Diboula avait toujours connu son appartement rempli d'enfants, ce qui lui permettait d'affirmer qu'il n'avait pas pu poursuivre ses études car il n'avait pas eu les conditions pour le faire, et, après avoir obtenu son baccalauréat de justesse et suivi pendant un an des cours de psychologie à l'université de Villetaneuse, il s'était engagé à temps plein en tant que médiateur social. Il aimait dire qu'il avait gravi un à un les échelons par la seule force de son travail et de sa volonté mais au sein des cabinets ministériels, au milieu de ces hommes et femmes dont les CV n'affichaient pas moins que bac + 5, il contrait presque quotidiennement les arguments captieux de ceux qui ne voyaient en lui qu'un instrument de la politique égalitariste... Il savait ce qu'on disait de lui, il l'avait lu, entendu, deviné, on le lui avait rapporté : *il est la caution « banlieue » du gouvernement, il a été placé là parce qu'il est noir, les minorités visibles, on en a besoin, un pur produit de la discrimination positive, le Noir de service. À part être noir, quel est l'atout politique d'Osman Diboula ?* « On en est encore là ? » pensait-il. Il avait lu Fanon, Césaire, Senghor, Glissant, Baldwin, Wright, Morrison, oui, assez tard, mais ça l'avait transformé. Il avait lu Malcolm X, le discours du 3 avril 1964, les larmes aux yeux : « Je ne vais pas m'asseoir à votre table, vous regarder manger devant mon assiette vide, et dire que je dîne avec vous. Être assis à une table ne fait pas de vous un convive sauf si vous mangez une partie du plat. » On sous-entendait que la couleur de sa peau avait été un argument en sa faveur au moment de sa nomination par le Président au nom de *la diversité*. Non seulement il refusait d'y croire – il avait fait partie de l'équipe de campagne du Président – mais il analysait ces arguments comme autant de préjugés racistes : pourquoi les élites resteraient-elles exclusivement blanches ? Au nom de quel principe de séparation, de quelle politique sectaire serait-il contraint à rester sur le banc de touche, attendant son tour – qui ne viendrait peut-être jamais – alors même qu'il avait des idées et des convictions fortes ? Qui mieux que lui saurait faire bouger les lignes en banlieue, dans ces zones enclavées où aucun homme politique ne s'aventurait plus sans être escorté par une équipe de la BAC épaulée par les hommes du RAID ? Il s'était si souvent senti infériorisé parce qu'il n'avait pas la culture politique et historique de ses confrères. Il se souvenait du jour où le Président lui avait demandé ce qu'il pensait de « Gramsci », il avait l'intention de le citer au cours de l'une de ses interventions : *le pouvoir se gagne par les idées*, et Osman avait approuvé « un choix excellent » alors qu'il ne savait pas qui était Gramsci. De retour dans son bureau, il avait tapé son nom sur Wikipédia : *Écrivain et théoricien politique italien. Membre fondateur du parti communiste italien. Emprisonné par les fascistes en 1926.* Le contenu de la notice l'avait passionné. Gramsci avait écrit des *Cahiers de prison*, trente au total, pendant sa captivité de 1926 à 1937 – ces carnets, la plupart des collègues d'Osman les avaient lus et pouvaient vous en citer des extraits. Une autre fois, au cours d'un dîner avec d'autres conseillers du Président, la conversation s'était cristallisée autour de la figure d'un homme politique français inconnu de lui : Waldeck Rochet ; il s'était précipité aux toilettes pour vérifier sur Internet : *Homme politique français... Dirigeant national paysan... Secrétaire général du parti communiste en 1964.* Une fois, il avait brillé sans effort : il avait évoqué devant une armada de conseillers ébahis le parcours de Jacques Fonlupt-Espéraber, homme politique français, avocat de Pierre Mendès France, un résistant qui fut l'un des représentants du mouvement Combat. En réalité, il n'avait jamais entendu ce nom avant de le découvrir dans le cabinet des avocats qui avaient représenté les familles de Zyed Benna et Bouna Traoré – une salle de réunion portait le nom de l'ancien bâtonnier. Ses lacunes historiques, culturelles, politiques étaient nombreuses. Au milieu de ces gens qui avaient été formés au berceau, qui avaient réussi les épreuves d'histoire les plus pointues, présenté le concours général, connaissaient le déroulement des cinq Républiques et étaient capables de vous citer de mémoire des extraits de la Constitution algérienne, il était déphasé. S'il n'avait jamais donné suite aux invitations des Américains qui l'avaient contacté après les émeutes de 2005, ce n'était pas par antiaméricanisme comme il le laissait parfois penser mais parce qu'il ne parlait pas l'anglais. La plupart des conseillers avec lesquels il travaillait le parlaient couramment, l'écrivaient, le lisaient, et c'est sans doute porté par un désir de légitimation qu'il cherchait à se démarquer en travaillant plus que les autres, acquiesçant à toutes les requêtes présidentielles, se rendant *tout le temps* disponible quand les autres conseillers, sous la pression d'une famille exaspérée par les exigences d'une fonction qu'ils voulaient conserver à tout prix, demandaient un congé, une pause, quelques heures de répit, lui, non, jamais. Le jour où il était parti au cours du déjeuner organisé pour le soixante-cinquième anniversaire de sa mère... Le jour où il avait dû répondre à une question de politique intérieure alors qu'il était sous la douche... Le jour où il était sorti de son lit, à trois heures du matin et avec trente-neuf de fièvre parce qu'une réunion d'urgence avait été décidée... À ses proches qui lui demandaient comment il supportait une vie aussi aliénante, il répondait qu'il adorait cette existence shootée à l'adrénaline la plus pure : « On a le sentiment d'être au cœur de l'actualité, au centre de tout, là où se prennent les décisions qui changeront la société, et même le monde. Le jour où cela m'ennuiera de quitter précipitamment un déjeuner familial pour rejoindre le Président, j'arrêterai tout. » Ça le grisait. Graviter dans l'entourage présidentiel, déambuler au milieu des ors de l'Élysée quand il avait été habitué à fouler les terrains vagues de sa cité, ce ne serait donc pas une ambition légitime ? Il se souvenait de son émotion le jour où il s'était retrouvé pour la première fois dans la cour d'honneur de l'Élysée. Il avait tout donné à l'exercice du pouvoir et un jour, il en avait été exclu. Limogé de l'Élysée du jour au lendemain. Au revoir et merci. Il avait fait tout ça pour quoi ? Pour finalement se retrouver où ? À la case départ, pensait-il, au dîner du Club XXIe siècle, ce cercle d'influence qui regroupait des élites issues de la diversité créé pour promouvoir l'égalité des chances, aider les personnalités les plus brillantes issues des minorités à devenir enfin visibles dans les sphères de pouvoir – un clin d'œil au club le Siècle que beaucoup rêvaient de rejoindre un jour : « Tous les ministres veulent être membres du Siècle, avait dit un des créateurs du Club XXIe siècle, alors que chez nous, les membres veulent être ministres. » Osman s'était résolu à y aller, sur les conseils d'un ami membre, dans l'espoir de tisser de nouveaux liens, cela faisait plus de deux ans qu'il n'avait plus donné signe de vie, trop accaparé par ses fonctions. Ce soir-là, un ancien ministre était invité à parler de son expérience, à présenter ses pistes de réflexion pour une meilleure représentation des minorités en politique, mais il avait eu le sentiment d'écouter un candidat en campagne : démagogie et fausse connivence doublées d'un paternalisme un peu suspect. Il n'avait pas apprécié non plus le discours positif de l'un des responsables – un fonctionnaire d'origine maghrébine – qui vantait l'intégration, louait la République et répétait qu'ils étaient tous la preuve que le succès était possible quand on était issu de la diversité, celui-là même qui, en privé, invoquait la discrimination raciale à chaque fois qu'une promotion lui était refusée. Osman avait envie de se lever et de dire : « Oui, c'est possible, mais jusqu'à un certain niveau. Pas au-delà. » Le jeune fonctionnaire évoqua alors le slogan en vogue en 1984 lors de la deuxième Marche pour l'égalité et contre le racisme : « La France, c'est comme une mobylette, pour avancer, il lui faut du mélange. » Devant ces jeunes chefs d'entreprise, ces diplômés, Osman avait eu un sentiment de malaise. Ils étaient maghrébins, noirs, asiatiques, immigrés ou fils et filles d'immigrés, regroupement ethnique qui disait la stigmatisation – les Exclus de la France Blanche Influente. Oh, ils avaient brillamment réussi, ils réussiraient encore, accéderaient à de plus hautes fonctions, mais toujours avec un sentiment d'imposture, d'illégitimité instillé par les autres. Origines. Quotas. Discrimination positive. Il avait écouté sans réagir et puis, soudain, il y avait eu un petit esclandre ; il avait interrompu l'intervention du ministre quand ce dernier avait employé le mot « beurgeoisie » qui désignait, disait-il, « cette nouvelle élite d'origine maghrébine » : « Pourquoi ne pas dire bourgeoisie ? l'interpella Osman, la bourgeoisie, ce ne serait pas pour les Arabes ? Pardon, je vous choque ? Les mots ont leur importance. Dans "beurgeoisie", il y a le mot "beur" qui n'est, comme vous le savez tous, que le mot "arabe" à l'envers. On parle verlan dans les sphères de pouvoir ? Non. Dans les cités, oui. Voilà où votre terme nous renvoie. Dans le ghetto. » Le ministre avait aussitôt réagi : « Ce n'est pas ce que j'ai voulu dire. » L'un des convives était venu à la rescousse du ministre : « Beur, black, ce sont des termes usuels, qui sont entrés dans la langue française, voilà tout... », mais Osman avait continué : « Arabe n'est pas un gros mot... Je n'ai aucun problème à dire que je suis noir. Je n'aime pas l'édulcoration du langage... Souvenez-vous des paroles de Camus : *Mal nommer les choses, c'est ajouter du mal-*

heur au monde. » Il sentait bien que sa grandiloquence le rendait un peu ridicule mais après tout, qui ne l'était pas ? « Pas plus tard que la semaine dernière, un grand quotidien français de gauche a titré : "Une émeute de Blacks aux États-Unis". Je ne suis pas un Black, désolé, je sais, c'est moins radical, très américain, Black, ça fait rêver, on imagine tout de suite un type sympa qui, avec un peu de chance, va se mettre à danser ou à chanter… Je suis noir. Vous aurez beau faire, lutter contre les préjugés et les discriminations, l'assignation identitaire sera toujours votre croix. Le ghetto mental, il faut du courage pour l'affronter. » Son intervention fut suivie d'un grand silence. Le ministre répondit à quelques questions puis resta à sa place, près des responsables du club. Osman avait préféré partir. Il ne se reconnaissait pas dans la meute des ambitieux. L'élite sociale diversifiée se reproduirait sans lui.

4

Les reconstitutions fantasmées de l'horreur avaient commencé dès la première nuit, à Paphos, dans la chambre d'hôtel, vue mer, tableau champêtre accroché au mur pour calmer leurs nerfs, apaiser leurs projections intérieures – et quel contraste entre ce paysage pour lune de miel, mer étale qu'illuminaient les rayons diffractés d'un phare, et les visions d'effroi qui se succédaient dans la tête de Romain comme sous l'effet d'un rétroprojecteur impossible à déconnecter, quel contraste entre le silence de la nuit et le sifflement des balles qui déchirait son cerveau, bruits de détonations, cris des blessés, soufflement de l'explosion, ça le déchiquetait de l'intérieur même s'il n'avait pas été touché en apparence, même s'il ne portait pas de blessures visibles. Le corps refusait de s'abandonner, le cerveau était occupé, lumière braquée sur la conscience, et tout ce que Romain voyait, c'étaient des immondices et des armes, du sang et du sable : l'absolue défaite de l'homme. Il revivait chaque détail de l'embuscade, se reprochant de ne pas avoir su protéger ses hommes, impossible de fermer l'œil, les insomnies résistaient à tous les anxiolytiques et Romain écoutait du rap, un rap dur, il n'y avait plus que ça pour recouvrir son angoisse, cette rage sociale, ces types qui voulaient tout détruire, car c'était bien pour ça qu'il s'était engagé dans l'armée, marcher sur les traces de son père, un ancien para, mort en 1983 dans un attentat au Liban, faisant de sa mère une veuve, à vingt-quatre ans, Sophie Roller, cantinière dans un collège, le chaos. Romain venait d'avoir deux ans, ils vivaient alors dans un petit village au cœur des Alpes, où il était né, où il avait grandi, la belle vie au pied des montagnes. Mais trois ans après la mort de son mari, la mère de Romain avait fait la connaissance d'un professeur d'éducation physique et sportive de dix ans son aîné dans l'établissement où elle travaillait, un grand brun au corps long comme une tige d'acier, il fallait un père pour Romain, celui-là ferait l'affaire ; il les avait accueillis chez lui, avait élevé Romain comme son propre fils, rien à dire, et ils avaient vécu comme ça pendant dix ans, jusqu'à la rupture avec sa mère qu'il avait quittée du jour au lendemain pour une autre femme, plus jeune, impossible de savoir où il l'avait rencontrée, l'abandonnant, lui, par ricochet – retour à la précarité, retour à la dépendance. La mère avait trouvé un poste de cantinière dans un collège de banlieue, en région parisienne, et ils avaient été logés dans une HLM de Clichy-sous-Bois, fallait bien les agglutiner quelque part, c'était ça ou l'installation chez les grands-parents maternels dans un petit village du Nord de la France, sa mère avait dit : plutôt crever ; oh ils crevaient quand même en périphérie de la capitale mais ça laissait espérer quelque chose, ils faisaient du lèche-vitrines, ils attendaient leur tour. Pour sa mère, tout valait mieux que de retourner vivre chez ses parents qu'elle avait fuis, à dix-huit ans, pour s'installer en Maurienne. Quelles perspectives ? La privation ? Les comptes quotidiens ? Le poison de l'exclusion ? Et que pouvaient-ils espérer après ça à part végéter dans un F3 avec vue sur un chêne décapité, un F3 qu'il faudrait peut-être partager à terme avec une ou deux familles placées là par des marchands de sommeil de mèche avec le gratin local ? Qu'est-ce qu'ils visaient les autres, ceux qui trafiquaient, braquaient, roulaient leur bosse à l'ombre des tours sinon la grande vie, l'intégration capitaliste, le fric, l'idéal consumériste ? Qu'est-ce qu'ils espéraient sinon se tirer vite fait d'ici ? Après le départ de son beau-père, les choses avaient mal tourné pour Roller, jusqu'au renvoi de l'établissement où il était scolarisé – histoire banale de la petite délinquance adolescente. Mais lui avait eu la chance d'être suivi par des psychologues et des éducateurs sociaux, il s'était calmé, un peu seulement, la violence débordait toujours, et c'est pourquoi il avait finalement choisi de s'engager dans l'armée à sa majorité, avec trois amis : Farid Djitli et Xavier Carel, qui étaient partis avec lui en Afghanistan, et Issa Touré qui avait été recalé – la chance, pensait-il maintenant, la chance, il n'avait pas traversé l'enfer avec eux. Romain était devenu soldat comme son père et son grand-père avant lui, contre la volonté de sa mère, terrifiée à l'idée que son fils finisse comme son mari, déçue qu'il ne poursuive pas d'études supérieures : « Tous tes professeurs avaient remarqué ta précocité intellectuelle, tous ! Mais tu as toujours été une tête brûlée, un casse-cou, totalement imprévisible, indomptable, je n'ai jamais pu te tenir. » *Mais qui te le demande ?* Le combat, l'action, le sport (l'alpinisme et le rugby, surtout, qu'il pratiquait depuis l'enfance et qui lui avait donné ce corps musclé, un peu massif, qui contrastait avec ce visage aux traits dessinés : nez aquilin, lèvres fines, yeux marron qui tirait sur le vert), l'engagement, la lutte armée, les sensations fortes, il aimait ça. Il n'avait jamais pu s'adapter à la régularité angoissante du rythme scolaire, jamais pu envisager une de ces existences routinières où chaque jour ressemblait au précédent. L'aventure, c'était de mettre en jeu sa vie sur la table. Il avait fait son travail pendant neuf ans sans le moindre état d'âme et voilà que tout à coup, à Paphos, il avait atteint sa limite. Ils étaient partis sacrifier leurs vies au nom de quelle utopie hallucinatoire ? Combattre l'obscurantisme ? Le terrorisme islamique ? Sécuriser les zones ? Reconstruire un pays gangrené par la corruption, le trafic de drogues ? *Tu parles !* Ils y avaient été envoyés pour *crever, crever et c'est tout*, par des types qui étaient capables de vous résumer en trois phrases cent pages du rapport le plus complexe – la théorisation, c'est leur domaine, la conceptualisation, c'est leur force –, des spécialistes qui avaient lu Tocqueville, Sun Tzu, David Galula, connaissaient la date de chaque événement historique, parlaient plus de trois langues, mais étaient bien incapables de se situer ailleurs que sur l'échelle sociale ; non, plus rien ne le calmait à part peut-être la perspective de retrouver son fils de trois ans, Tommy, et le serrer dans ses bras. Il était moins enthousiaste à l'idée de revoir sa femme, Agnès, après ces longs mois au cours desquels il avait parfois l'impression de l'avoir oubliée, quand la nécessité de rester ancré dans le réel afghan s'imposait avec violence et qu'il lui fallait alors rompre les liens avec la France, sa famille, tout ce qui le rattachait à l'émotion et qu'il devait fuir pour ne pas s'affaiblir.

La chaleur, l'angoisse, la résurgence de l'horreur, impossible de fermer l'œil et, à trois heures du matin, Romain sortit de sa chambre, Xavier dormait depuis longtemps. Le sergent Xavier Carel, fils de militaire aussi, un de ceux qui revendiquaient un nationalisme fort et pleuraient la déliquescence française. Romain se dirigea vers le bar de l'hôtel, le réceptionniste somnolait derrière son guichet, rien à craindre, et pourtant, il se crispa, arc-bouté vers l'avant, en position de défense, comme s'il s'attendait à ce que quelqu'un surgît et ouvrît le feu, sur le qui-vive, tout le temps, et c'est pourquoi il sortit son couteau en entendant un bruit sourd en provenance du bar de l'hôtel, fermé à cette heure de la nuit. Il entra, sentit une présence derrière son dos, se retourna, plaqua la personne au sol, son couteau dans la main, mais ce n'était qu'une jeune femme qui criait : « Vous êtes dingue ! C'est moi ! » – Marion Decker, la fille qui les avait accompagnés pendant huit jours sur les six mois qu'avait duré leur mission, vingt-huit ans environ, elle était journaliste et avait publié un roman, il s'en souvenait ; le chef d'état-major l'avait présentée en disant qu'elle allait les accompagner de temps à autre dans le but de faire un reportage et principalement de suivre les sergents Farid Djitli et Vincent Debord, mais il ne s'en était pas approché une seule fois. Une fille lumineuse, un peu vénéneuse, cheveux blonds coupés au carré, des yeux bleu marine, de taille moyenne et mince, sans l'être trop, elle avait un corps plein, des seins volumineux et une cambrure marquée, elle dégageait quelque chose – mais quoi ? Une forme d'expressivité, d'urgence, elle était directe. « Vous êtes totalement dingue ! Deux secondes de plus et vous alliez me tuer ! — Désolé. — Oui, c'est ça, désolé… Rangez votre couteau maintenant ! » Elle dit ces mots sur un ton un peu autoritaire et ça le séduisit instinctivement, cette agressivité, cette tension qui émanait d'elle. Il lui proposa une cigarette qu'elle accepta. Dix minutes plus tard, ils étaient en train de fouiller le bar à la recherche d'une bouteille d'alcool – en vain. Ils sortirent, marchèrent jusqu'à la mer. À quelques mètres du bord, ils s'allongèrent sur le sable et parlèrent pendant une heure, peut-être deux, de politique essentiellement, mais aussi de cinéma, de littérature, elle surtout, elle avait lu des dizaines de livres de guerre, vu beaucoup de films, elle en parlait avec emphase, d'une manière presque démonstrative, comme si les œuvres pouvaient aider à cerner les réalités de la guerre *alors qu'elle reste incompréhensible quoi qu'on fasse*. C'était une de ces nuits chaudes, égarées dans un ciel constellé d'étoiles, l'air était doux, ils fumaient. L'énigme de l'intime. Ils ne se connaissaient pas et pourtant ils se sentaient déjà proches. Ils échangèrent quelques mots sur l'intérêt du sas de décompression, le bilan de la mission, l'envie de rentrer quand elle évoqua le drame de Farid Djitli, elle l'avait accompagné lors de son transfert à l'hôpital de Kaboul, elle était là quand son rapatriement avait été organisé. Avait-il vraiment envie de parler de *ça* au milieu de la nuit ? Avait-il envie de savoir ? N'y avait-il donc pas d'autre sujet ? « L'économie biélorusse, par exemple, ou l'avenir politique du Soudan ? », elle souriait mais on sentait bien que c'était plus fort qu'elle, fallait que ça sorte, elle ne l'écoutait plus, elle racontait la panique, le moment où elle avait vu les médecins militaires, les infirmiers tenter de le sortir de l'hélicoptère, la morphine ne faisait plus d'effet, et c'était l'horreur, il fallait le plonger dans un coma artificiel, et vite, il était conscient, il avait mal, il le disait, il pouvait mourir, il le disait aussi, « Appelez ma compagne », elle parlait sans discontinuer, il n'arrivait plus à se concentrer ni à détacher son regard du sien, il avait vu ses hommes mourir, Farid avait été grièvement blessé, c'est lui qui l'avait incité à faire l'armée avec lui, il était pris de panique, elle dut le sentir puisque tout à coup elle cessa de parler et prit sa main dans la sienne ; il était calme à présent, il lâcha ses doigts, saisit sa nuque un peu brutalement, et l'embrassa comme si c'était une question de vie ou de mort alors qu'ils ne risquaient rien à Paphos, ils allaient rentrer, retrouver leurs habitudes... Ce n'était pas un acte érotique, ce n'était pas une pulsion sexuelle, mais une réaction de défense, oui, il se défendait contre lui-même car cette nuit-là, c'était ça ou la tête sous l'eau, ça ou la camisole chimique, une réaction auto-immune, ce baiser, et sans doute qu'elle l'avait interprété ainsi car elle ne l'avait pas repoussé, l'embrassant avec intensité, exigeant qu'il se taise quand il lui dit qu'il était désolé, en se détachant d'elle, « Je suis désolé, je ne sais pas ce qui m'a pris », et quelques minutes plus tard, ils étaient dans la chambre de Marion en train de faire l'amour.

Le sexe – et pas la mort, la peur de la mort, de la blessure irréversible. Le sexe – et pas la connivence intellectuelle, l'appartenance sociale, la connivence clanique –, la puissance du sexe avec elle, une expérience si intense qu'il avait voulu rester après l'amour, mais elle avait exigé qu'il parte en se dirigeant vers la salle de bains, nue, silhouette souple et déliée. Elle avait un corps ferme et très musclé, comme celui d'une sportive de haut niveau. Il resta allongé à fumer, il sentait la culpabilité monter en lui, bile éruptive qu'il tentait d'évacuer, et, dans le même temps, une force nouvelle, une forme de réappropriation, de mise à distance de tout ce qui le corrompait. Il entendit un bruit étrange en provenance de la salle de bains, des cris étouffés ; elle pleurait ? Il se leva, s'approcha de la paroi. Oui, il percevait des sanglots. Il ouvrit la porte sans frapper. Elle était penchée au-dessus du lavabo, le visage noyé de larmes, l'eau coulait abondamment du robinet, elle s'en aspergeait les yeux. « Qu'est-ce qu'il y a ? » demanda-t-il en s'approchant d'elle. Il prit son visage entre ses mains mais elle se détourna, passa ses doigts sur ses paupières comme le font les enfants quand ils expriment le besoin d'être consolés. « Ce n'est rien. » Il caressa ses joues en lui demandant pourquoi elle pleurait : « Marion, qu'est-ce qu'il y a ? Dis-moi... — Laisse-moi et va-t'en. » Il n'avait pas envie de partir, pas encore, pas maintenant. Il se plaqua contre elle, enserra sa taille et, soulevant ses cheveux, il commença à l'embrasser dans la nuque en lui répétant *ça va aller, ça va aller*, la léchant presque tant il était attiré par son odeur, par tout son être, il avait encore envie d'elle. Il sentait ses fesses fermes à travers son pantalon, elle l'excitait, tout semblait érotisé en elle, il n'avait jamais connu un désir aussi fort. « Tu regrettes ce qui s'est passé, c'est ça ? On ne l'a pas prémédité, ça s'est fait presque malgré nous. » Il appuya sa main droite sur ses reins pour la faire plier légèrement tout en gardant sa main gauche sur son ventre, il sentait qu'elle se détendait, elle commença à gémir, il ouvrit son pantalon et la prit contre le lavabo, plus fort, plus vite, elle cria au moment où il se retira d'elle. Elle resta quelques secondes penchée en avant puis elle se retourna, son rimmel coulait sur ses joues, il y avait une telle détresse dans ses yeux qu'il repoussa sa tête pour ne plus croiser son regard, plaqua ses mains sur ses hanches mais elle se dégagea de son étreinte en criant qu'il valait mieux qu'il se tienne à l'écart d'elle parce qu'elle était « infréquentable et dangereuse ». Puis elle ajouta : « Je porte malheur... » Il n'avait pas pris sa remarque au sérieux, ça ne l'avait pas effrayé, au contraire ; cette théâtralité, cette tension, ce goût du drame avaient quelque chose de très érotique. Cinq minutes plus tard, il était allongé dans son lit, sa tête sous l'oreiller. Pour la première fois en quarante-huit heures, il trouva le sommeil.

5

L'impressionner, l'épater, la séduire, deux ans après leur rencontre, François Vély en est encore là, cette tentative de corruption sentimentale, c'est pathétique, et alors ? Tout est là, bien en place, qui dit la puissance : le voyage en jet privé pour surprendre Marion, la suite dans un palace de l'île de Chypre, les cadeaux cachés dans la valise de grande marque gravée à ses initiales : des manchettes en or d'un créateur japonais, des dessous en soie en provenance de la plus belle boutique de lingerie de Paris et des carnets noirs, ses préférés, qu'il se faisait livrer d'une librairie vénitienne depuis qu'elle les avait découverts à l'occasion d'un week-end surprise ; tout est là qui dit la persistance de l'amour et du désir – la stratégie de reconquête. La veille, au téléphone, Marion lui avait pourtant demandé de ne pas la rejoindre, elle souhaitait rentrer en France avec les soldats du régiment, les interroger encore, « faire son travail », mais il ne l'avait pas écoutée et, allongé sur le fauteuil en cuir de son avion privé, il préparait sa défense, anticipait ses reproches, il était venu « pour la protéger », alors qu'il n'y avait rien qui pût la préserver d'elle-même. Cette tentative de subordination, de domination par la tendresse

– l'horreur –, cette affectivité feinte, artificielle, qu'il était incapable d'exprimer en temps normal, qu'il réprimait même, non qu'elle lui fût étrangère, mais il l'assimilait à une faiblesse du cœur, un réflexe de classe moyenne, le sentimentalisme des petites gens – cette sincérité un peu vulgaire, on la lui avait épargnée ; à aucun moment de sa vie ses parents ne l'avaient affublé de l'un de ces surnoms affectueux et un peu ridicules, chéri-bébé-amour, nommé par son prénom, toujours, et il ne se souvenait pas d'un geste de tendresse : pas de baiser, de caresse, de mot tendre, un regard suffisait, qui disait la confiance peut-être, l'exigence surtout. Marion lui reprochait sa froideur, une forme d'indifférence qui trahissait moins une pauvreté affective qu'une mise à distance sociale – une posture dont il n'avait sans doute même pas conscience. Il était né comme ça, éduqué dans le camp des privilégiés, un camp où l'échec n'était pas une option possible. Ce qui avait longtemps déjoué les codes sociaux, c'était la prégnance du désir ; sans ce magnétisme érotique, il ne l'aurait même pas regardée, allons, une fille issue d'un *milieu simple*, une fille qui n'était pas formatée comme lui, qui n'avait pas fréquenté les mêmes écoles, foulé les mêmes impasses préservées, une de celles qui exhibaient une franchise décomplexée, l'impulsivité des gens que l'éducation n'a pas corsetés – on dit ce qu'on pense, débarrassé de tout vernis social –, revendiquait un discours qui l'indifférait. Il préférait les castes, les masques, les apparences trompeuses, les silences de ceux qui ne montrent rien et retiennent tout. Question de génération, d'éducation, de milieu, peut-être, question de caractère : elle était sauvage, frondeuse, directe, instable – si imprévisible ! – quand il affichait un calme de façade – l'assurance de ceux à qui l'on n'a jamais dit non. Les tensions, entre eux, ces disputes homériques, l'absence de compromis : le conflit générait du conflit. Pas un jour sans qu'elle l'interpellât ; il détestait cela : pourquoi exprimer ce qu'il était possible de suggérer ? Il ne laissait rien paraître ; sa carapace adamantine, il eût fallu l'abattre à coups de hache. Il faisait des efforts, *je suis là, bien sûr que je t'aime :* la pression corruptrice – sans espoir de succès, il pouvait bien colmater les brèches, ça fuyait de partout, ils seraient bientôt noyés.

Ils s'étaient rencontrés deux ans auparavant lors d'une soirée organisée par un grand magazine économique, il s'y était rendu avec son plus proche collaborateur, Étienne Léger, un polytechnicien comme lui, qu'il avait rencontré en maths spé sur les bancs du lycée parisien Louis-le-Grand (*la double étoile, la meilleure !*). François discutait avec le directeur de la rédaction quand Marion s'était jointe à eux. Le journaliste s'était rapidement éclipsé ; ils ne s'étaient plus quittés de la soirée. Rien à faire qu'à se laisser séduire : « Vous pensez qu'on va se revoir ? — Peut-être. — Comment faire pour que vous acceptiez ? » – les minauderies habituelles, tout ce qui sociabilise le désir, ce qui le rend acceptable avant sa concrétisation, bride sa sauvagerie structurelle, et il avait insisté pour qu'elle lui accordât un rendez-vous quelques jours après cette rencontre. Il la voit et il la veut. L'instinct de prédation. Le désir de possession jamais rassasié.

L'attraction sexuelle, rien d'autre ne peut encore captiver un homme comme lui ; des gens brillants, il en a rencontré : des hommes et des femmes hyperdoués, tous ceux qu'il avait côtoyés dans les écoles qu'il avait fréquentées, sur les campus d'été des grandes universités américaines ou anglaises, des vacances scolaires sélectives à six mille dollars la semaine où se retrouvait chaque année la fine fleur de l'intelligentsia internationale, à Southampton, chez sa mère, ou dans la vallée de Chevreuse chez son père, au printemps, dans le jardin inondé de soleil ; des créatifs, des artistes, des originaux, des subtils, des poètes, des avant-gardistes, des visionnaires, des fous, des puissants, des politiciens, des hommes d'affaires – des génies de l'Internet, des patrons du CAC 40 – des femmes à la beauté solaire ou froide, des chercheurs, tous les Influents du monde, mais des êtres qu'il pourrait aimer et désirer, très peu. Marion Decker l'avait immédiatement séduit par son étrangeté, qui tenait moins à son physique qu'à sa manière d'être – en retrait, hostile : elle vous rejetait comme un corps étranger. Quand la plupart des gens cherchaient à le séduire, elle n'avait pas peur de lui déplaire. Elle souriait peu, ne flattait personne. Elle avait le don de l'esquive, et pour un homme qui était autant sollicité ce sens de la fuite avait quelque chose d'irrésistible. Il sentait qu'elle lui échapperait toujours malgré la puissance, l'argent, le pouvoir, et cette insaisissabilité relevait moins de leur clivage social que de son propre mystère – mystère en partie lié à son histoire, dont il ne savait dire si elle était conforme à la réalité ou le résultat d'une imagination trop féconde : le récit de sa vie était *incroyable*. Il y avait de la violence en elle, un goût pour la marginalité qui s'était dessiné pendant l'enfance et l'adolescence quand, placée de famille d'accueil en famille d'accueil, elle avait dû s'adapter à l'instabilité maternelle, une période qu'elle avait évoquée dans un premier roman remarqué, *Revenir intact*, un texte âpre, qui lui avait permis de transformer une vie dure en matière littéraire, une de ces existences qui ne semblent être que le résultat de la malchance ou d'une inclination à la destruction, sans imaginer que cette mise en abyme la propulserait sur le devant de la scène. C'était un livre sur le déterminisme et la honte des origines, la violence sociale et la pauvreté, un de ces textes subversifs où la fiction masque mal la réalité la plus crue. Que pouvait-elle encore cacher qu'elle n'avait raconté en détail et de manière précise, avec le détachement de ceux qui ont survécu au pire ? Cette transparence, cette œuvre autofictionnelle qui s'autorisait tout avaient subjugué Vély (« J'ai conscience d'avoir écrit un livre d'une exceptionnelle violence », avait dit Marion à François comme pour anticiper d'éventuels reproches). La vie errante, l'enfance chahutée auprès d'une mère engagée dans les mouvements anarchistes de l'ultragauche radicale, les réunions dans des squats, les logements de fortune, la vie quotidienne rythmée par les déménagements, les visites des huissiers, les coupures d'eau et d'électricité, l'engagement politique, les discussions métaphysiques et philosophiques qui duraient parfois toute la nuit et auxquelles Marion était contrainte d'assister. Le père ? Un ouvrier, marié et père de famille que la mère de Marion avait rencontré à l'usine où elle était venue travailler avec d'autres intellectuels regroupés au sein d'un mouvement militant qu'ils avaient nommé « L'Établi » à la fin des années 60. Marion était née de cette liaison clandestine qui avait duré douze ans mais, à sa naissance, le père avait refusé de reconnaître l'enfant. Elle avait quinze ans quand elle apprit la véritable identité de son père – et sa mort, en même temps, d'un accident de travail. Et du jour au lendemain, sa mère s'était évanouie dans la nature. Marion fut placée dans diverses familles avant d'intégrer celle d'un ancien enseignant qui l'avait formée puis encouragée à suivre des études de lettres à la Sorbonne, un père de substitution qui l'avait aidée et portée jusqu'à la fin de son cycle d'étude, elle était pourtant majeure, il ne lui devait rien. Après une maîtrise, elle avait soutenu un mémoire sur « La parenté et les rapports de domination », puis avait travaillé au sein de différents journaux – des magazines politiques essentiellement, pour lesquels elle avait réalisé quelques reportages en zones de guerre. Et enfin elle avait écrit ce livre dont François n'avait appris l'existence que le jour de leur rencontre et c'est ainsi que dès le lendemain, il se l'était procuré et en avait commencé la lecture. En exergue de son texte, elle avait noté une phrase de l'écrivain suisse Jacques Chessex : *La littérature, c'est la guerre*. Marion Decker réglait ses comptes avec son enfance – c'était sanglant.

« Pour comprendre, j'ai besoin d'écrire », avait confié Marion à François. Le pouvoir de captation du texte, personne n'y échappe et surtout pas François Vély. Les écrivains et, d'une manière générale, les artistes, l'avaient toujours fasciné. Il était persuadé qu'il y avait du trouble et de la perversité en eux, un goût pour la prédation, la prestidigitation, qu'ils masquaient souvent derrière des apparences lisses ; cette duplicité qu'autorisait l'art lui paraissait subversive, quand, dans le milieu des affaires, on tolérait si mal les caractériels, les versatiles, le manque de fiabilité : il fallait inspirer *confiance*. Après avoir lu son livre, il avait demandé à la revoir et c'est ainsi que leur histoire avait commencé. Elle avait à peine vingt-six ans, lui quarante-neuf. Il était marié, elle non, et en deux mois il avait tout quitté pour elle, ce qui avait fait dire à celles qui avaient échoué dans l'entreprise de conquête de cet homme puissant : *elle doit bien avoir quelque chose en plus*

– l'idée d'un pouvoir sexuel occulte alimentait les fantasmes. Non, elle n'était pas particulièrement impressionnante, elle n'avait pas la beauté hiératique de sa deuxième femme, Katherine, elle pouvait même être inquiétante, mais elle parvenait à créer, par sa seule présence, une tension érotique palpable. Dans le milieu journalistique et littéraire, on ne lui connaissait pourtant aucune liaison. En riant, il lui avait avoué : « Tu me rends fou, tu me tiens totalement, c'est quoi ton secret à part tes seins magnifiques ? » François se souvenait des paroles qu'Étienne avait prononcées le jour où il lui avait parlé d'elle, de son amour, de cette passion incroyable dont il n'était jamais tout à fait certain de la réciprocité. « Elle est jeune, voilà ce qui t'a attiré. Elle est jeune et tu finis par croire que tu l'es aussi. Le regard qu'elle pose sur toi t'en donne l'illusion. Mais tu as vingt ans de plus qu'elle, ne l'oublie jamais. Que sais-tu de cette fille ? Elle a eu une enfance et une adolescence très difficiles, elle vient d'un milieu défavorisé, ce qui, en soi, justifierait qu'elle cherche à harponner l'un des meilleurs partis de France. Elle a écrit un livre qui a eu un certain succès, succès qui tient plus selon moi à son habileté à se mettre en scène et à son physique qu'à ses qualités littéraires ; elle est magnétique, mystérieuse, elle accroche la lumière, quoi d'autre ? Elle a écrit quelques reportages dans des zones de conflit, pas de quoi lui attribuer le prix Albert-Londres. La réalité, c'est que tu ne sais rien d'elle. Ce n'est peut-être qu'une opportuniste de plus, le fric, voilà ce qui l'intéresse… C'est peut-être une espionne lâchée par la concurrence… Elle va te séduire et elle va te tenir, voilà la vérité ! Le sexe, c'est le pouvoir, et il en faudrait très peu pour te faire tomber, il en faudrait très peu pour que tu pulvérises ta vie bien rangée. Tu t'es ficelé seul, avec des tiges de fer, aucun risque de rupture, c'est ce que tu crois, attends un peu... Enfin, tu ne sais pas comment ça se passe ? Tu es l'un des plus grands chefs d'entreprise et tu découvres l'espionnage économique ? Tes concurrents se renseignent sur toi, ils te surveillent, utilisent toutes les potentialités d'Internet : ils savent ce que tu achètes, ce que tu lis et qui sont tes amis, tes contacts, tes réseaux. Ils savent comment t'approcher. Tu aimes la littérature ? Le chocolat noir ? Les femmes qui portent du rouge ? Tu fréquentes le bar de l'hôtel Meurice à Paris, celui du Carlyle à New York ? Et un jour, tu rencontres une femme *par hasard*, elle a un exemplaire de l'un de tes livres préférés dans la main, ça t'intrigue, ça te plaît, elle porte du rouge, tu lui parles, elle te fait rire et tu es totalement séduit. Tu penses que tu peux résister ? Tu ne résisteras pas, et tu sais pourquoi ? Parce que tu n'as pas baisé avec ta femme depuis six mois, ça aussi, ils le savent... Et c'est comme ça qu'ils te tiennent. Des Mata Hari, dans le milieu des affaires, on en trouve des dizaines, crois-moi, des filles formées pour séduire ; elles ont l'intelligence, la beauté, elles ont les codes. » Ces discours misogynes empreints de méfiance, ces recommandations alarmistes, il les entendait systématiquement en réunion, entre amis, au téléphone ; à un tel niveau de pouvoir économique, vous deviez d'emblée vous situer dans une position de suspicion envers l'autre, il le savait, cela signifiait imposer diverses règles de prudence : demander à ses interlocuteurs de retirer la batterie de leur portable avant une réunion, crypter ses messages, ne rien dire de compromettant par téléphone, courriel ou SMS, l'important était proféré en face à face et dans des lieux balisés, ne jamais accorder sa confiance trop facilement, les engouements affectifs soudains étaient proscrits : « Tu as de la chance, lui répétait son père depuis l'enfance, tu es avantagé, l'argent impressionne mais il fausse aussi les rapports, déforme les jugements, ne l'oublie jamais, sois *toujours* sur tes gardes », mais ce jour-là, quand il avait rencontré cette fille, c'était lui qui s'était placé en position de conquête, il la *désirait* et, plus que tout, il voulait lui plaire. Oui, d'accord, elle portait une robe rouge, elle lui avait parlé de littérature et d'art contemporain, et alors ? Tout cela ne suffisait pas à faire d'elle une personne suspecte. « Tu ne l'as pas rencontrée par hasard, avait ajouté Étienne, son collaborateur. Comment est-elle arrivée à cette soirée, tu as demandé au directeur de la rédaction ? » Le jour même, il avait téléphoné pour obtenir l'information : « Son nom ne figure pas dans nos fichiers, elle a dû accompagner une personne invitée. — Tu vois ? C'est elle qui a cherché un moyen de t'atteindre. Si j'étais toi, je me méfierais. » Il s'était même tellement méfié qu'il avait engagé un détective privé quand il avait senti qu'il s'attachait à elle et l'homme, après plusieurs semaines d'enquête – semaines pendant lesquelles il n'avait cessé de la voir et de s'enfoncer dans une affectivité qui l'angoissait –, lui avait transmis des informations que Marion lui avait déjà divulguées : elle était sans nouvelles de sa mère, elle avait grandi dans un milieu pauvre, *ce n'est pas un crime, ça ne fait pas de moi une coupable*. Ce qu'il avait à savoir sur elle se trouvait dans son roman ; à quelques détails près, elle était son propre biographe. En réalité, loin de l'inquiéter, ces zones d'ombre l'excitaient. Une femme aussi complexe, il ne la posséderait jamais totalement. Il a tout, et voilà qu'à près de cinquante ans, il veut plus. Il veut autre chose. Il a aimé sa deuxième femme, elle lui a donné trois beaux enfants, mais voilà, c'est fini. Depuis quelques années déjà, leur vie conjugale était un désastre. Katherine, cette grande comédienne, n'avait pas supporté l'épreuve de vieillir, la raréfaction de propositions de travail, l'absence même d'auditions, le sentiment de ne plus être désirable, d'être disqualifiée, mise hors-jeu – tout ce qui l'avait amenée à transformer son visage et son corps sans qu'il pût lui dire : « Non, là, tu vas trop loin », la peau tendue comme celle d'un grand brûlé, luisante à force d'être décapée au laser. Ils ne partageaient plus rien, il avait même eu une longue liaison avec l'une de ses plus proches collaboratrices avant de rencontrer Marion – Sophie Kazal, une femme de son âge, centralienne, célibataire, jolie et réservée, qu'il avait rencontrée aux États-Unis à l'époque où il avait intégré l'entreprise Szpilman ; elle avait espéré secrètement qu'il vivrait un jour avec elle, il le lui avait promis, Katherine s'en doutait sans rien oser dire par peur de le perdre. Il n'avait eu aucun scrupule à les quitter toutes les deux quand il avait connu Marion et c'est presque naturellement qu'il avait engagé une procédure de divorce : avec sa femme, rien ne pouvait être sauvé ; avec Sophie, il ne se sentait redevable de rien. Mais s'il avait bien imaginé que Katherine réagirait mal, qu'elle le menacerait, réclamerait une partie de sa fortune, prendrait les enfants en otage, mêlerait leurs amis communs, il n'avait jamais pensé qu'elle réserverait un aller simple pour Sydney, sa ville natale, où elle avait bien l'intention, disait-elle, de reprendre cette carrière d'actrice à laquelle elle avait renoncé sous la contrainte, « un voyage de réflexion qui durerait plusieurs mois », le temps qu'il lui fallait pour « se reconstruire et renouer ses contacts professionnels ». Bon, avait pensé François, simple revanche, réaction d'hostilité, elle va partir un an avec les enfants, le temps que le divorce s'organise, puis elle reviendra. Il ne les verrait qu'une fois, pendant les grandes vacances, ce serait difficile mais il finirait par s'habituer, il vivrait avec Marion. Non. Il n'avait pas compris : elle partait *sans* les enfants. Elle avait cinquante-quatre ans. Il fallait qu'elle « sauve sa peau ». C'était « ça ou l'hôpital psychiatrique ». Il préférait peut-être un divorce sanglant où elle s'exercerait à le haïr ? Un scandale ? Elle retournait quelque temps dans son pays. Seule. Ses enfants ? Elle y songerait après. Pour le moment, elle voulait survivre, rien d'autre : « Voilà, je suis en miettes. » Qu'aurait-il pu faire ? Il lui avait imposé son choix, il avait pris l'initiative de cette séparation, c'est lui et lui seul qui avait bouleversé leurs vies, et alors qu'il avait promis à Marion de visiter Rome et les criques corses, Phuket et Hong-Kong, ils s'étaient retrouvés assignés à résidence à Paris dans ce grand hôtel particulier austère et froid avec trois enfants pleins de fureur et de ressentiment envers leur père, trois enfants gâtés dont une adolescente de quinze ans qui manquait les cours, insultait le personnel de maison et fumait des joints dans la salle de bains familiale, bien décidée à perturber les plans de son père et de sa nouvelle compagne, prête à ronger leur amour jusqu'à l'os. Il n'avait jamais envisagé cette possibilité-là. Il avait pensé que sa femme – au prix d'un accord financier avantageux – accepterait la séparation. Il avait imaginé que ses enfants – dont les amis étaient pour la plupart eux-mêmes des enfants de divorcés, issus de familles recomposées – s'adapteraient, sinon facilement, au moins sans trop de dommages à cette nouvelle configuration familiale. Il avait pensé que *l'amour suffirait*. Mais rien ne s'était passé comme prévu. Les promesses de jouissance d'une société à l'individualisme revendiqué, à l'hédonisme décomplexé, ne s'étaient pas concrétisées. Chaque fois qu'il faisait l'amour avec Marion, il lui semblait que ses enfants étaient là, entre eux, parasitant leur désir. Il pouvait bien engager des précepteurs, des femmes de ménage, des assistants, personne ne parvenait plus à exercer le moindre contrôle sur eux. La présence de ses propres enfants sous son toit anéantissait ses projets. C'était ça, l'expérience amoureuse, l'intrusion de l'érotisme dans une vie jusque-là maîtrisée dans ses moindres détails : la pulvérulence intime. Et puis un jour, François avait appelé Katherine pour lui annoncer qu'il allait épouser sa nouvelle compagne. La date était fixée. Acceptait-elle que les enfants assistent au mariage ? Alors elle avait posé le combiné puis elle avait sauté par la fenêtre.

6

Aéroport de Paris-Charles-de-Gaulle, sept heures du matin. Osman patientait dans la salle d'embarquement – lumières ternes, teints citrins, tout semblait recouvert d'un halo terreux, flavescent, qui donnait à l'instant la solennité d'une cérémonie mortuaire –, rien d'excitant, il fallait le reconnaître, il allait passer deux jours à Paphos, sur la côte occidentale de Chypre, pour y écrire un rapport. Sujet ? « L'intérêt d'un sas de décompression sur l'état moral des soldats de retour de mission en Afghanistan. » Cela faisait un mois jour pour jour qu'il avait été éloigné du pouvoir. Sept heures, l'heure où Osman faisait habituellement son jogging dans les jardins de l'Élysée, ils n'étaient pas nombreux à courir et à tenir le rythme. Osman n'avait jamais été très sportif mais il s'était entraîné seul, chaque week-end, pour avoir le privilège de traverser les somptueux jardins entre sept heures et huit heures au côté du Président – un moment d'intimité particulière qui le gonflait d'orgueil. Derrière le contrôle et la méfiance qu'imposait l'exercice du pouvoir, il y avait la recherche non avouée d'une affectivité exclusive avec le Président. Il fallait les voir les Séides infatués, concentrant tous leurs efforts pour Lui plaire. Au temps où il était animateur en banlieue, Osman avait constaté à quel point le sport pouvait créer du lien social et plus d'une fois, au cours de ce jogging matinal, il avait connu cette extase de la complicité, superficielle et temporaire, sans doute, mais stimulante, l'effort physique commun l'avait rapproché du Président plus sûrement qu'une connivence intellectuelle un peu factice qui n'impliquait aucun véritable échange et se limitait en général à approuver ses décisions.

C'était fini.

Le ressassement – cette relecture obsessionnelle de son histoire, cette façon de dérouler les faits, de les analyser, les disséquer pour essayer de comprendre ce qui s'était joué ce jour-là, dans le salon vert de l'Élysée. Depuis quelques semaines, le Président avait fait entrer dans le cénacle un nouveau conseiller – un journaliste, historien de formation, analyste politique d'extrême droite, ancien de *Minute*, maurrassien, nourri à l'anticommunisme le plus virulent, prônant un populisme chrétien… Ne plaisait à personne… Un homme discret, industrieux, un peu matois, aux traits secs, dont chaque mouvement semblait contenir une vague de violence. Longtemps, il n'avait été qu'un conseiller de l'ombre, il ne participait ni aux réunions du mercredi ni à celles du dimanche soir ; on se méfiait de son influence grandissante sans la redouter vraiment, et pourtant, au bout de quelques mois il avait forcé le cercle, imposé sa marque sur la pensée du Président. Son idée, c'était de rassembler toutes les droites, jusqu'aux plus extrêmes, de durcir le discours, de le radicaliser sur certains thèmes, l'immigration clandestine, par exemple, il avait mis au cœur du débat politique la notion d'identité nationale. Osman s'était opposé vigoureusement à cette orientation, il ne voulait pas être associé d'une façon ou d'une autre à l'extrême droite et le conseiller lui avait répondu sur ce ton affable qui annonçait les pires agressions : « Mais enfin, Osman, tout, dans tes origines, te tient éloigné de cette mouvance-là, aucun risque. » Le Président n'avait pas cillé. Tous les regards avaient convergé vers lui, guettant sa réaction pour y adapter la leur. Il l'avait nommé par son seul prénom. Il l'avait tutoyé alors qu'ils n'avaient pas échangé plus de deux mots depuis son arrivée à l'Élysée. « De quelles origines parlez-vous ? Je suis français, né en France… comme vous. » Le conseiller eut un rictus forcé : « Je parlais de vos origines noires, bien sûr. — Il y aurait donc des origines noires ? Vous me l'apprenez. » Quelques sourires. Gêne. Il s'était levé d'un bond – « Je ne veux pas en entendre davantage » –, il était impulsif et réactif, le Président lui avait demandé froidement de se rasseoir, mais il n'avait pas obtempéré – « Je ne suis pas un pantin, je ne suis pas une lavette » – et avait quitté la pièce sans un regard pour l'assemblée, porté par l'énergie de l'humiliation, sûr de son droit, n'imaginant pas les conséquences dévastatrices de ce mouvement d'humeur sur sa carrière.

L'après-midi même, son bureau avait été déplacé. Lui qui avait longtemps travaillé à proximité du Président avait, du jour au lendemain, été exilé dans l'aile la plus lointaine du Palais, au troisième étage, sous les combles, dans une pièce à peine éclairée, où il faisait trop chaud en été et trop froid en hiver, la position la moins stratégique – au pouvoir, les lieux plus que les titres disent l'influence. Là-haut, il n'avait plus aucune chance de croiser le Président, le directeur du cabinet ou le secrétaire général de l'Élysée. Après l'altercation, il était rentré chez lui et, quand il était revenu en début d'après-midi, il avait découvert des hommes en train de déménager ses affaires, « sur ordre de la hiérarchie », avaient-ils précisé, sans autre explication. Il ne fut plus admis au sein de la garde rapprochée du Président. On lui avait fait comprendre que sa présence n'était plus désirée à l'aube, dans les jardins de l'Élysée. L'accès aux réunions de 8 h 30 – celle qui réunissait les douze conseillers les plus influents – et de 18 h 30 lui était désormais interdit. Les regroupements intimes et tardifs au domicile du Président auraient lieu sans lui. Le Président ne le convoquait plus dans son bureau ni ne lui demandait le moindre conseil. Enfin, il s'était vu refuser un rendez-vous par le secrétaire général, lequel, agenda sous les yeux, lui répétait froidement et avec une joie sadique que non, désolé, le Président n'avait pas une minute de libre pour le recevoir.

Les jours suivants, il n'avait pas reçu un seul appel des personnes avec lesquelles il avait travaillé ces derniers mois dans une proximité affective évidente, qu'il avait côtoyées tous les jours : des confrères, des connaissances, mais aussi des *amis,* tels que les définit le langage courant : *qui témoignent de dispositions bienveillantes*. De ces affinités professionnelles, il n'avait rien subsisté, comme si cette complicité n'avait jamais existé, alors qu'il avait conservé de nombreux liens avec les travailleurs qui avaient partagé son quotidien au temps où il était animateur social en banlieue, des types de gauche ou d'extrême gauche, des idéalistes syndiqués, rageurs, grandes gueules, réactionnaires, mais fidèles. Ceux-là avaient continué à l'appeler après qu'il eut décidé de s'engager en politique, mais à l'époque c'était lui qui s'était éloigné, avait cessé de leur répondre, interprétant leurs sollicitations amicales comme des manifestations d'opportunisme. *Des gens intéressés*. Il n'y avait peut-être qu'un désir de rapprochement mais lui rêvait d'intégrer d'autres cercles, plus influents, plus en phase avec l'idée qu'il se faisait de ce qu'il appelait avec une certaine arrogance son *destin politique*. Pendant des années, il avait été au cœur du système, il avait réussi au-delà de ses ambitions, mais une fois exclu du clan, il n'avait plus aucun pouvoir. Son entourage s'éloignait de lui. Seule sa compagne, Sonia, qui travaillait aussi à l'Élysée, était restée à ses côtés, mais seulement après lui avoir donné tort et prouvé que quelque chose s'était altéré dans la confiance qu'elle lui portait, leçon de morale insupportable venant de celle qu'il pensait être sa seule alliée. Sonia Cissé, une jolie femme âgée d'une trentaine d'années, originaire de Locquirec, en Bretagne, métisse, le fruit d'une union entre un ingénieur sénégalais et une professeure de latin d'origine bretonne. « Vous venez d'où en Afrique ? » lui demandait-on souvent. « Je suis bretonne, je ne connais pas plus l'Afrique que vous. » L'Afrique ne représentait rien pour elle, elle n'y avait effectué aucun voyage, et elle ne cachait pas sa gêne quand un interlocuteur l'évoquait devant elle comme son lieu d'origine. Sonia, une de ces filles brillantes dont toute la scolarité semblait ne viser qu'un seul but : atteindre l'excellence. Elle avait fait ses études en province, obtenu le premier prix au concours général de latin, puis avait intégré, à la faveur d'un dossier scolaire exemplaire, le lycée Henri-IV, à Paris, où, après deux années de prépa littéraire pendant lesquelles elle n'avait pas vu la couleur du ciel, elle était entrée à l'École des chartes qui prépare aux métiers de la conservation du patrimoine écrit. Elle avait un temps envisagé d'être archiviste paléographe avant de renoncer et d'intégrer l'École normale supérieure de la rue d'Ulm. Une fille droite, intelligente, qui parlait couramment le latin (« Ça, ironisait souvent Osman, c'est ce qui m'excite le plus chez toi »), dotée, à trente-trois ans, d'un beau carnet d'adresses. Ils s'étaient rencontrés à l'Élysée, elle participait à l'élaboration des discours du Président. Il avait tout de suite été séduit par cette fille très mince, élancée, au visage fin qu'illuminaient de grands yeux verts bordés de cils épais. Elle avait des cheveux longs qu'elle lissait au fer et qu'elle teignait en blond sur les pointes au prix d'éclaircissements qui brûlaient la matière. Elle dégageait une forme d'autorité, un sérieux presque scolaire – une *bonne élève* qui séduisait par sa vivacité intellectuelle, sa rapidité d'analyse, sa force de captation et surtout son exceptionnelle connaissance des dossiers. Sonia – non seulement elle n'avait pas approuvé la réaction d'Osman, mais elle lui avait reproché de la mettre en difficulté, d'avoir exprimé publiquement ses émotions dans un monde où le contrôle est une force et un impératif social, de s'être « donné en spectacle », et enfin, d'avoir eu une « réaction d'humilié » ; elle craignait maintenant pour son avenir professionnel. Après l'incident, leurs relations étaient devenues un peu conflictuelles et, la veille de son départ pour Paphos, ils eurent une longue discussion au cours de laquelle, une fois encore, il s'apitoya sur son sort : « Tu n'es pas de mon côté dans cette histoire. Tu te rends compte du cauchemar que je suis en train de vivre ? J'ai tout perdu ! Tu penses que ce qui s'est passé est juste ? » Elle soupira : « Je ne vis pas dans un monde juste, Osman. Si le monde était juste, cela se saurait. » Le cynisme décomplexé qu'elle affichait accentuait sa dureté. « Tu ne vois pas la supériorité et la condescendance qu'ils affichent à notre égard ? »

demanda Osman. Entendant ces mots, Sonia s'était détachée physiquement de lui comme si elle avait souhaité marquer sa distance affective.

« Qui est ce "nous" ? Je ne fais partie d'aucun groupe. "Nous", je ne sais pas ce que c'est... Peut-être l'expression d'une peur collective... Je ne cède pas à la peur.

— *Qui suis-je ? Qui sommes-nous ? Qui sommes-nous dans ce monde blanc ?*

— Tu deviens lyrique ?

— Conversation entre Aimé Césaire et Léopold Sédar Senghor.

— Je ne me reconnais pas dans ce "nous"...

— Bel exemple de schizophrénie identitaire !

— Je n'ai pas de leçon à recevoir de toi.

— Un conseiller a évoqué ce qu'il appelle mes origines noires et cela ne te choque pas...

— Ton identité ne dépend pas du jugement des autres... C'était une remarque stupide, rien de plus. Ce type est un extrémiste, tout le monde le sait. Le Président l'adore, ça lui passera. Ne sois pas paranoïaque.

— Je ne crois pas être paranoïaque. C'est du racisme, ça n'a pas d'autre nom... Tu te souviens de ce grand entretien que tu as accordé à un magazine politique avec ce député de droite ?

— Oui et alors ?

— Tu te souviens de la remarque qu'il t'a faite quand il t'a vue ?

— Je n'ai pas envie de parler de ça maintenant...

— Il t'a dit : "J'aime bien vos tresses, Sonia, vous les faites vous-mêmes ? Il doit y avoir des endroits spéciaux pour faire des tresses pareilles... Vous êtes si belle, Sonia." Tu crois qu'il se serait adressé de la sorte à Ludivine Duchamp ? Non. Jamais.

— Je ne m'arrête pas à ce genre de détails. Ça fait partie des préjugés de chacun, ça ne compte pas.

— Ah bon ? Et tu connais la blague de l'un des conseillers du Premier ministre sur ton compte ? *Sonia est la plume du Président, ce qui prouve qu'il a le sens de l'humour, il a pris une Noire pour être son nègre.*

— Tu es aussi pathétique que celui qui a rapporté cela.

— Tu ne peux pas nier que l'on nous fait sans cesse sentir que nous ne sommes pas à notre place.

— Mais parle pour toi, Osman ! Moi, je me sens à ma place ! Si tu te sens humilié, infériorisé, si tu persistes à te représenter le monde selon un schéma colonial, c'est ton problème, pas le mien !

— Le schéma colonial, comme tu dis, est encore en vigueur. Mais certains, dont tu fais partie, parce qu'ils pensent à tort que leur position sociale les protège, ne veulent pas le voir. Attends un peu et ils s'en prendront à toi… »

La fin de soirée avait été tendue, ils avaient échangé quelques mots, elle lui avait dit qu'elle passait les prochains jours à Abu Dhabi, pour le travail, ce fut tout. Lui partait pour Paphos. Dans le hall glacé de l'aéroport, il se demanda au nom de quel processus expiatoire, quelle utopique rédemption, il avait accepté la proposition d'écrire ce rapport – un placard temporaire, avait dit Sonia. La veille, il avait eu une longue discussion avec le chef de cabinet du Président sur son avenir politique. Celui-ci lui avait dit qu'il écrirait ce dernier rapport puis qu'il serait définitivement remercié.

7

Voilà, on croit tout contrôler, être capable de tout anticiper et non ; en Afghanistan, c'est votre chargeur qui s'enraye alors que votre ennemi a son arme braquée sur vous, c'est la grenade qui ne se dégoupille pas, et à Paphos, c'est cette fille que Romain ne connaît pas, avec laquelle il vient de faire l'amour, il n'a jamais vécu quelque chose d'aussi intense, il ne comprend pas ce qui s'est passé, il est incapable de se raisonner, entièrement propulsé par son désir, c'est plus fort que lui : il veut la revoir. Il n'a pas tremblé une fois quand il était avec elle, pas de confusion, d'angoisses, de crise de panique, rien, elle n'a pas été particulièrement tendre, pourtant, il devrait s'en méfier mais non, il se lève et il y va. Il a rencontré cette fille, il lui a fait l'amour, il veut recommencer. Le piège de la répétition. Il se tient debout devant la porte de sa chambre, tambourine dix fois – espérant quoi ? – en manque d'elle, secoué par l'ampleur du séisme intérieur que cette rencontre a provoqué – une forme de réanimation –, mais elle n'est pas dans sa chambre. Il dévale les escaliers de secours, se dirige vers la salle de restaurant, elle n'y est pas non plus ; il questionne les uns, les autres, au risque de susciter la suspicion, et c'est finalement

Xavier qui lui annonce qu'elle a quitté l'hôtel à l'aube pour « rejoindre son mari » qui vient d'arriver. « Son mari ? — François Vély, ça ne te dit rien ? Le patron du groupe de télécommunications. — Comment tu sais ça ? » Xavier sourit : « Mais enfin, tout le monde le sait ! À se demander ce qu'elle était venue faire en Afghanistan avec nous. » Roller reste là, immobile, dans le restaurant bruyant, gêné, mal à l'aise, comme humilié, *tout le monde le sait*, tandis que derrière lui un touriste français d'une soixantaine d'années s'impatiente, « Avancez, avancez », le ton monte, ça s'embrase, « Dégagez le passage », et c'est parti de là, d'un mot, d'un seul, en quelques secondes l'homme est à terre, flanc contre le sol, chemise relevée, Roller au-dessus de lui, poing armé, prêt à lui faire sauter la tête. L'homme se plaint qu'il y a « trop de soldats dans cet hôtel », si on le lui avait dit, il n'aurait pas réservé une chambre, il ne serait pas venu avec sa femme, il a payé pour être « tranquille », il a payé alors qu'« eux non, comment l'État peut financer des voyages pareils, avec les impôts de qui ? ». Des soldats rient, pas Roller qui frappe comme s'il se trouvait sur un ring, il va le massacrer « jusqu'à ce qu'il se prosterne » et dise pardon, front contre terre, filet de sang glissant le long de ses lèvres, on l'a déjà vu faire pensent les autres, on sait de quoi il est capable quand il s'emballe, mieux vaut ne pas être dans le périmètre, et les voilà qui s'approchent pour mater, parier, commenter, « dix contre un que Roller va l'achever », tandis que le touriste insiste : « La guerre, quelle guerre ? » Le seul qui a besoin de décompresser, c'est lui, visage brûlé par le soleil de Paphos, et les autres rient, dix minutes qu'on attendait le clash, boum, un nouveau coup part au moment où Romain entend une voix familière crier son nom. « Romain, ça suffit ! Arrête ! » Romain se retourne aussitôt et reconnaît Osman Diboula, « Incroyable ». Douze ans plus tôt, c'était lui qui l'avait recueilli dans son local associatif de Clichy-sous-Bois après qu'il eut été renvoyé de son établissement. Romain se dirige vers lui, oubliant le touriste qui vocifère, donne l'accolade à Osman et l'entraîne dehors, « Viens, on va prendre l'air ».

« Je vois que tu n'as rien perdu de ton sang-froid, ironise Osman.

— J'ai eu un bon éducateur... Qu'est-ce que tu fais là ?

Osman explique la raison de sa présence à Paphos sans s'attarder sur les détails.

— Je suis devenu conseiller du Président...

— Tu as su te placer, bravo. »

« Te placer », dit-il, alors qu'Osman a plus que jamais le sentiment d'avoir été déplacé comme un pion sur le grand échiquier social.

« Tu as tellement changé ! La dernière fois que je t'ai vu, tu étais encore animateur social en jean et tee-shirt et je te retrouve en costume cravate, chemise cintrée, dans un cinq-étoiles au bord de la mer...

— On change, réplique Osman avec une certaine distance. On n'est pas condamné à être soi. Moi, je savais que tu avais fait l'armée avec les autres... Il y avait eu une campagne, non ? L'armée recrutait jusque dans les cités...

— Oui, on est rentrés dans le rang... C'est bon pour tes statistiques sur la réinsertion, non ? Au moment des émeutes, tout le monde parlait de toi. Osman Diboula, le sauveur... entre nous, ça m'a fait rigoler...

— Quoi ? Ce n'est pas ce que je suis ?

— C'est vrai, tu nous as tous sortis de notre merde, tu es un vrai prophète ! Tu sais que Farid et Xavier sont dans la même section que moi ?

— Non, je ne savais pas… Ils ne m'ont jamais donné de nouvelles…

— Je suis lieutenant, ils sont sergents. Xavier est ici, à l'hôtel. Farid a été grièvement blessé en Afghanistan…

— Où est-il ?

— À l'hôpital militaire Percy… il a été rapatrié en cours de mission.

— C'est grave ?

— Oui, très… Il a sauté sur un engin explosif improvisé.

— Je suis désolé…

— Un drame terrible… Issa Touré, je ne sais pas ce qu'il est devenu… Il s'est présenté en même temps que nous à l'armée mais il a été refusé, il l'a très mal pris. Après, je l'ai perdu de vue.

— Moi, j'ai eu des nouvelles il n'y a pas longtemps… Il est entrepreneur… C'est lui qui a créé cette société d'équipements sportifs, tu sais, ces survêtements avec un loup blanc comme logo… "Wild Wolf", je crois…

Osman raconte alors qu'Issa l'a contacté un an et demi auparavant. Il voulait qu'il l'aide à promouvoir sa marque. Osman était un peu médiatisé à l'époque. Issa lui avait demandé de porter un de ses sweatshirts lors d'une séance photo pour *Paris Match*.

— J'ai refusé. Le politique noir qui vient de banlieue et qui s'habille en survêt, ça fait un peu cliché. Je crois qu'il s'est vexé, je ne l'ai plus jamais revu.

— On pourrait se réunir à nouveau.

— Oui, pourquoi pas ? »

Ils évoquent leurs situations familiales, quelques souvenirs, et puis soudain, la guerre. Qui lance le sujet en premier ? Osman peut-être, qui demande comment s'est déroulée la mission en Afghanistan.

Romain a quelques secondes d'hésitation avant de répondre. Après l'embuscade, une enquête avait été menée pour déterminer les responsabilités de chacun. Les familles des victimes envisageaient de porter plainte contre X pour mise en danger de la vie d'autrui. Depuis cette mission en Afghanistan, Romain se méfiait de tout le monde. Il avait reçu l'ordre de ne pas raconter ce qui s'était passé sur le théâtre des opérations, alors il a cette réponse évasive : « Ça a été une mission très difficile. Je n'ai pas envie d'en parler maintenant. » Il ne dit pas que, selon lui, l'opération dirigée le jour de l'embuscade avait été très mal préparée. Que tout n'avait pas été mis en œuvre pour assurer leur protection. Non, il ne pouvait pas confier à Osman qu'il était persuadé que des hommes étaient morts pour rien, que de ceux qui étaient revenus vivants on avait exigé le silence. Au nom des intérêts de l'État. Mais il y avait autre chose qui l'obsédait, et ça, il allait en parler : le traducteur afghan qui avait travaillé pour lui avait été laissé sur place, sans protection, à la merci des talibans qui avaient menacé de le tuer. Ils l'avaient abandonné à son sort malgré ses supplications.

« Il risque d'être tué si personne ne le fait venir en France…

— L'État délivre quelques visas pour permettre aux hommes les plus exposés de trouver un refuge politique, mais certains peuvent être des agents à la solde des talibans, nous sommes obligés d'être prudents, nous ne pouvons pas tous les accueillir, dit Osman.

— Il a sauvé la vie de l'un de mes hommes.

— Je comprends, mais c'est très compliqué. »

Osman sort une carte de visite de sa poche : « Je ne suis là que pour vingt-quatre heures. Appelle-moi quand tu seras en France, je verrai ce que je peux faire. » Il ne ferait rien. Il n'avait plus aucun pouvoir. Son intervention serait même contre-productive.

Après avoir quitté Osman, Romain ne rejoint pas les autres soldats à la piscine mais se rend au centre Internet de l'hôtel. Sur les moteurs de recherche, il tape le nom : « Vély », et aussitôt apparaît la photo de François. Sur Wikipédia, il lit ceci :

> François Vély, né le 15 juin 1957 à New York, est un dirigeant d'entreprise franco-américain, PDG de Vély, l'un des plus grands groupes de télécommunications français. Dans le classement des patrons les mieux rémunérés en 2008, il figurait à la 25e place sur 124 avec 6 millions d'euros de rémunération annuelle.

Cette notice biographique renvoyait à deux portraits de lui dans le *Wall Street Journal* et le *New York Times*. À la rubrique « Vie de famille », il découvre l'information suivante :

> Divorcé de sa seconde épouse, Katherine Kramer, François Vély a trois enfants ; il vit entre Paris et New York. En 2008, il s'est remarié avec Marion Decker, journaliste et écrivain, auteur d'un premier roman remarqué, *Revenir intact*.

Près du nom Kramer, il remarque un astérisque qui renvoie à une note de bas de page. C'est un article de presse au titre choc :

> LA FEMME DU DIRIGEANT D'ENTREPRISE
> FRANÇOIS VÉLY SE SUICIDE
>
> La comédienne australienne, Katherine Kramer, épouse de François Vély, le PDG du groupe de télécommunications éponyme, s'est jetée du

quarante-huitième étage de l'immeuble où elle résidait depuis leur séparation, à Sydney. Elle avait été mariée en premières noces au chef d'entreprise Martin Penn. Mère de trois enfants issus de son mariage avec François Vély, elle avait cinquante-six ans. Selon ses proches, elle était dépressive depuis sa séparation avec le père de ses enfants.

8

La complexité intellectuelle, la subtilité, l'art de la négociation – tout ce qui distingue François –, cette alliance de dons n'a aucune valeur au moment où sa vie sombre dans le chaos. Face à l'intrusion de l'horreur, il avait choisi le contrôle, la placidité, le maintien des apparences, sa vie n'étant qu'une stricte application des principes qui avaient forgé la mythologie familiale :

Tu ne montreras pas tes failles.

Tu seras irréprochable.

Tu revendiqueras un désir de normalité tout en étant exceptionnel.

Son ex-femme s'était donné la mort dans des circonstances effroyables et, en dépit de ce drame, François avait refusé d'annuler son mariage avec Marion – la cérémonie civile à la mairie du XVIe arrondissement et la petite fête intime qu'il avait prévue à Paris, au restaurant la Maison Blanche. Son argumentation ? *Le suicide est une forme de chantage, je ne cède pas, je ne change pas mes plans.* Les enfants ? Ils étaient restés comme pétrifiés, ne confiant leurs états d'âme qu'à des pédopsychiatres renommés de la rive droite. Après tout, ce suicide était peut-être le prix à payer pour refaire sa vie. Et c'est ainsi que deux mois à peine après la mort de Katherine, Marion avait cédé à sa demande. Le jour de son mariage, elle avait consommé tant de cocaïne qu'elle ne se souvenait plus de rien. Sur les photos, elle paraît ailleurs, le regard vide, le teint marbré malgré le maquillage, spectrale dans sa robe blanche qu'aucune retouche n'avait pu adapter tant elle avait maigri. Finalement, les enfants n'avaient pas assisté au mariage, sans doute sous la pression des parents de Katherine qui avaient accablé François. *Un pervers, un malade, trop de fric, trop d'ambition, de calcul, il s'est débarrassé de Katherine comme d'un vulgaire objet, et tout ça pour quoi ? Pour qui ? Pour cette fille*. Il eût fallu faire les choses *proprement*. Mettre *les formes*. Ils invoquent *une faute morale*. Ça vient bien de quelque part cette pulsion de mort, personne ne se lève un matin avec l'envie de se défenestrer. Allons... une femme qui possède les apparences de la réussite se jette par la fenêtre du quarante-huitième étage – et elle le fait devant son fils qui est venu passer les vacances chez elle, elle monte sur un escabeau, ouvre en grand la fenêtre de sa salle à manger et se précipite dans le vide sans laisser un mot d'adieu –, elle a fait *ça*, comme si elle était emportée dans le flux d'une tornade puissante, aspirée par le vide, si une femme pareille se suicide, elle devait être dépressive, malmenée, peut-être même que quelqu'un l'a mise à bout, et le coupable, c'est François, disent-ils, qui lui a parlé quelques minutes avant qu'elle ne se donne la mort, au téléphone, lui, à Paris, elle, à Sydney, son fils a vu le visage de sa mère se contracter, les larmes jaillir de ses yeux, il a entendu ses mots : « Tu ne peux pas me dire ça, tu ne peux pas, je t'en supplie », puis elle a sauté dans le vide, Thibault n'a rien pu faire pour la retenir, le temps qu'il coure jusqu'à elle, son corps avait chuté, il a appelé les secours, a pleuré pendant des jours, puis a été rapatrié en France, avec le corps de sa mère dans une boîte, il a assisté à l'enterrement, a été placé sous traitement anxiolytique. « Il faut oublier », a dit son père. Après ça, va vivre ton histoire d'amour. Va retrouver le désir, ton goût pour l'érotisme. Après ça, le couple qu'il formait avec Marion était mort, le cadavre bougeait encore, croyait-il, et c'est pourquoi il avait réservé une suite dans ce palace chypriote alors qu'il avait du travail à Paris, il n'avait pas osé la surprendre à Paphos et l'avait appelée pour lui annoncer qu'il était là, qu'il avait envie de la voir, qu'il patientait et qu'un chauffeur était à sa disposition devant l'hôtel. Marion avait accueilli très froidement la nouvelle mais l'avait rejoint, après avoir prévenu les responsables militaires, elle rentrerait de son côté, au revoir et à bientôt.

La voilà, elle fait irruption dans la chambre d'hôtel que François a réservée, les traits creusés, un peu hagarde, le visage brûlé par le soleil, sans maquillage. À ses paupières gonflées, il devine qu'elle a dû pleurer pendant le trajet, ce que lui confirmera plus tard le chauffeur qui l'a déposée. Il avait aimé sa capacité à rire, de tout, tout le temps, sa fantaisie, son humour, son sens de la repartie et la façon très particulière qu'elle avait de poétiser le moindre acte de la vie quotidienne. Ça aussi, c'était fini.

Il la voit arriver, il est sur le balcon en train de fumer une cigarette, il s'avance vers elle pour l'embrasser mais elle le repousse, elle dit qu'elle ne sait pas ce qu'elle fait là, elle est ici contre son gré, parce qu'elle n'a pas le choix, il n'aurait pas dû la rejoindre, elle était en reportage, elle avait du travail, il aurait pu prévenir, elle l'aurait dissuadé. Un autre serait parti, l'aurait mise à la porte – tant d'agressivité, ça écrase –, pas lui, qui répond qu'il est désolé. Qu'il n'a pensé qu'à la protéger. Il est là, un peu pathétique, à attendre un mot, un geste d'elle, observateur de cet état insupportable qu'est la non-réciprocité d'un amour. Lui, si dur en affaires, si rusé, celui qui sortait toujours vainqueur des bras de fer professionnels, dont on louait partout l'autorité naturelle et la force morale, la fermeté et le sens de la diplomatie, semblait dépourvu de tout discernement devant cette femme. Est-ce que c'était dû à la différence d'âge ? À l'épreuve ? À la culpabilité dont il avait sous-estimé le poids ? Ou à la compassion que suscitait désormais Marion – l'empathie avait succédé au désir. Il croyait vraiment qu'un couple pouvait survivre à un drame sans en être atteint, déchiré, peut-être même détruit ? L'amour n'est pas fait pour l'épreuve. Il est fait pour la légèreté, la douceur de vivre, une forme d'exclusivité, une affectivité totale. L'amour est un animal social impitoyable, un mondain qui aime rire et se distraire – le deuil le consume, la maladie atteint une part de lui-même, celle qui exalte le désir sexuel, les conflits finissent par le lasser, il se détourne. François le savait, lui qui avait pris tous les risques pour séduire sa deuxième femme, mariée à un autre, et qui avait découvert quelques années plus tard, à l'épreuve du quotidien, qu'il ne l'aimait plus. Il avait commis les mêmes erreurs avec Marion, il avait fait des sacrifices pour elle, il avait sacralisé leur relation, lui offrant des garanties – pour obtenir quoi ? Ce regard sans désir ni amour. Cette mise à distance physique, intellectuelle. Ce recul, comme si elle se retirait progressivement de sa vie. Ça vient toujours, dans toute histoire d'amour, ce moment où l'autre se désinvestit de la relation, il vous désire moins, vous aime sans passion et s'éloigne de vous, c'est la fin : pleurez, criez, suppliez, peine perdue, il faut s'y résigner.

Marion se tient droite, debout, dans l'embrasure de la porte, elle n'a même pas fait un geste tendre vers lui, glaciale. « Qu'est-ce que tu as, Marion ? Qu'est-ce que tu veux ? J'ai bouleversé toute ma vie pour toi, je t'ai tout donné, ce n'est pas assez ? » Elle reste immobile, pose son sac à terre, elle n'est pas là pour le réconforter, elle est venue par obligation, elle aurait préféré être à Paphos avec les soldats, elle le lui dit, elle ne prend pas de précautions, pour quoi faire, sauver quoi ? Oui, il a quitté sa femme pour elle, et alors ? Cela lui donnerait des devoirs ? Dans l'épreuve, il avait montré un visage dur, qu'elle n'avait pas aimé. Il l'avait obligée à se marier quand il eût fallu tout annuler.

Elle ne bouge toujours pas, corps coulé dans le plomb, armure d'indifférence. Il se lève et s'éloigne cette fois, en direction de la terrasse. Qu'est-ce qui se joue, là, dans cette chambre d'hôtel luxueuse ? Quel nouveau rapport de forces ? Ça existe entre eux, depuis le début, ils ne peuvent pas faire comme s'ils ne ressentaient pas les clivages. Il est issu d'un milieu bourgeois, elle, non, c'est une donnée qui devient rapidement politique dans un couple, il veut qu'elle plie, elle ne pliera pas ; voilà, elle le lui dit souvent : *je ne suis pas ton employée, je ne travaille pas pour toi, tu ne me donnes pas un salaire à la fin du mois, tu n'as aucun moyen de pression*. En le quittant, elle le sait, elle perdra pourtant un certain mode de vie, une aisance, une sécurité financière exceptionnelle – tout ce qui lui offre un cadre sûr pour écrire. Ça ne change rien. Sa mère le lui a appris. Pauvre, pauvre, peut-être, mais libre.

Une dizaine de minutes s'écoulent et le voilà qui revient, Marion n'est plus dans le salon, elle s'est allongée sur le lit de la chambre à coucher, le regard perdu dans le vide. Il s'assoit sur le rebord du lit, à proximité d'elle.

« Qu'allons-nous faire une fois à Paris ? Tu as réfléchi ? demande-t-elle.

— Oublier cette histoire. Recommencer à zéro.

— C'est impossible.

— Tu as une autre solution ? »

Non, elle n'en a pas d'autre. Quelques semaines avant son départ pour l'Afghanistan, écrasée par la culpabilité, elle ne sortait plus de chez elle, elle aurait pu sombrer définitivement si un ami, rédacteur en chef d'un magazine d'information, ne lui avait proposé ce reportage. François se rapproche d'elle pour la prendre dans ses bras mais elle se dégage violemment. « Ne me touche pas ! » Il ne peut plus rester près d'elle, chaque échange devient conflit, chaque mot règlement de comptes ; il sort de la chambre, passe quelques coups de téléphone et, quand il revient, il la retrouve endormie. Elle est belle, apaisée. Il la revoit le jour où il lui avait annoncé qu'il quittait sa femme, heureuse, épanouie, un sourire accroché aux lèvres, il a la nostalgie de ce moment-là, avant l'épreuve. Il s'allonge près d'elle, caresse ses cheveux, elle a l'air d'une enfant, il lui avait promis de la protéger et au lieu de cela, il l'avait exposée. Elle se réveille, s'éloigne à l'autre extrémité du lit pour le fuir. Il ne lui fait aucune remarque sur sa stratégie d'évitement. Il est dévasté.

Il a loué un bateau pour la journée, il espère, sans y croire vraiment, que ce moment passé ensemble, en pleine mer, leur permettra de se retrouver. Pendant tout le trajet, Marion ne parle pas, alors il lui demande de lui raconter l'Afghanistan, et enfin, elle se détend, se livre, elle évoque les détails, confie ses angoisses, il est surpris, il commence à croire à un rapprochement possible, s'allonge près d'elle, à l'avant du bateau. Il dit : « Je t'aime, je t'aime, Marion. C'est un moment difficile, on va s'en sortir. » Elle se radoucit, pose sa tête sur son épaule, retrouve les gestes de la complicité, à peine quelques minutes, ça ne dure pas, il passe soudain à autre chose, retour au réel, à la représentation sociale, à ce qu'il est profondément – un homme qui aime la lumière. « Je t'ai écoutée, j'ai fait les photos pour le magazine dont je t'ai parlé », dit-il d'une voix qui masque mal la peur que chaque parole pourrait provoquer. Elle ne réagit pas. « Ça s'est très bien passé. On a pris les photos chez Pierre Vaneau, tu sais, mon ami, le collectionneur, au milieu de ses œuvres d'art. Le photographe savait ce qu'il voulait, ça s'est fait très vite, c'est pourquoi j'ai pu te rejoindre. » Il l'enlace mais elle reste indifférente. Quinze jours auparavant, un journaliste avait proposé à François de lui consacrer quatre pages : un portrait et plusieurs photos, précisant bien qu'il n'évoquerait pas le suicide de son ex-femme. Il avait pensé refuser – non qu'il n'aimât plus l'exposition médiatique, elle avait au contraire été au centre de sa stratégie de communication, mais les événements tragiques qui venaient de se produire lui avaient ôté tout goût pour l'exhibition. Et puis il avait cédé. Il ne lui raconta pas que l'organisation de la séance photo avait été une source de conflits avec la rédaction. Chaque détail avait fait l'objet de discussions âpres et tumultueuses, ce qui avait fait dire au responsable du service : « Même George Clooney est moins compliqué. » Il avait insisté pour voir au préalable le travail du photographe qui avait été choisi par le journal et, n'ayant pas aimé ses clichés, en avait réclamé un autre, un grand professionnel qu'une amie lui avait conseillé, l'un des plus compétents peut-être, qui avait pris des photos de Clinton, Blair, Eastwood, mais qui demandait des tarifs prohibitifs. Puis il avait imposé sa styliste, craignant qu'on ne lui proposât une de ces journalistes de mode qui le transformerait en modèle pour *Vogue*. La séance avait duré plusieurs heures, le photographe avait eu l'idée de le faire poser devant une succession d'œuvres, le lieu l'inspirait. « Je crois que c'était vraiment une bonne idée de faire ces photos chez Vaneau... Une opération de communication réussie. Le portrait paraîtra dans quinze jours, je fais l'entretien à mon retour. » Elle, si indifférente depuis le début de la conversation, s'anime tout à coup. « Attends, répond-elle sur un ton qui laisse poindre son angoisse. Le journaliste va faire une enquête sur ton entourage... il va appeler tes amis, tes ennemis... — Oui et alors ? » Il sourit. Ses débuts dans l'industrie de l'érotisme, tout le monde les connaît. « Et puis, je ne crois pas avoir de dossier compromettant, de choses à cacher. — Toi, non. » Il la regarde fixement. Elle était inquiétante. « Il y a une chose dont je ne t'ai pas encore parlé. »

9

Mue sociale – il ne restait rien de l'homme qu'Osman avait été, l'animateur frondeur, l'agitateur, celui qui avait calqué son action sur les idées de Saul Alinsky – qui se souvient encore de lui en France ? Alinsky, l'auteur du *Manuel de l'animateur social*, né à Chicago en 1909 dans un ghetto, fils d'immigrés juifs qui avaient fui les pogroms de Russie, avait consacré sa vie entière à la défense des opprimés : pauvres, minorités discriminées, immigrés, utilisant des méthodes d'action qui s'apparentaient à des coups d'éclat. Il avait lâché devant la mairie de Chicago des rats attrapés dans le ghetto pour dénoncer le manque d'hygiène et réclamer une action des services sociaux, menacé des propriétaires pour les contraindre à faire des travaux dans les logements insalubres qu'ils louaient à prix d'or, *organisé* – son maître mot – la contestation populaire. Alinsky prônait le conflit comme moyen de lutter contre les carences sociales. C'était un des résidents de la maison de retraite où Osman avait été un moment animateur – un vieillard ingambe qui avait fait un stage au sein d'un centre communautaire américain dans le cadre d'un programme d'échange de travailleurs sociaux – qui lui avait parlé des idées du révolutionnaire. À l'époque, Osman aimait citer des passages du *Manuel* ou des extraits d'interviews, et notamment cette phrase sur les jeunes que Saul Alinsky avait prononcée dans un entretien accordé au *Monde* en 1971 : Les jeunes ? *Ils ne cherchent pas une révolution mais une révélation*. Un visionnaire… Cette affirmation seule expliquait ce qui, lentement, transformait les quartiers les plus marginalisés : la tentation communautaire, la crispation identitaire et religieuse autour d'un islam rigoriste – une révélation pour ceux qui ne croyaient plus en une révolution possible. Les écrits d'Alinsky avaient changé sa façon de travailler, de percevoir la société ; il en comprenait mieux les mutations. Pour écrire sa thèse de criminologie, Alinsky avait fréquenté Al Capone, Frank Nitti, toutes les grandes et petites frappes de la mafia. Osman avait ainsi compris qu'on ne résoudrait les problèmes des cités qu'en intégrant le groupe de l'intérieur, en maîtrisant les codes, il avait ses contacts parmi les chefs de bandes, les petits trafiquants et les gros dealers de drogue. La frontière avec la légalité ? Ténue. Mais l'angélisme et le tout-répressif avaient échoué à réhabiliter les quartiers. S'il n'avait pas eu ces liens, comment aurait-il pu intervenir pour faire cesser les émeutes ? La réalité, c'est qu'il était allé voir les chefs de réseaux et leur avait dit : « Contrôlez vos gars. Vous n'avez rien à gagner à laisser brûler les voitures, s'installer le chaos. La police ne va pas bouger. L'armée va venir. Et là, vous serez coincés. » Les dealers avaient compris qu'ils ne pourraient plus continuer à organiser leurs trafics, écouler la marchandise tant que la police camperait sur leur terrain. Ils avaient calmé leurs troupes, sans doute plus par intérêt économique que par désir d'apaisement, et Osman s'était posé en médiateur. Il était dans la rue, au plus près des gens, il les écoutait, les questionnait, les soutenait dans leurs démarches administratives, les aidait à trouver des solutions, organiser leurs plaintes et agir efficacement. Il avait été le premier à tenir un discours politique auprès des jeunes en les incitant à s'inscrire sur les listes électorales : « Si vous voulez que les choses changent, il faut voter. Pour les politiques, vous n'êtes que des voix potentielles alors c'est du donnant-donnant, je vote pour toi et tu me donnes ça ou ça en échange » – troc électoraliste qui avait bien fonctionné. Il se souvenait précisément du jour où il avait rencontré Romain, Issa, Xavier et Farid dans son local. Romain était déjà cet électron libre. Il le revoyait, à quinze ans, le torse légèrement bombé, avec sa démarche nerveuse et ses airs de caïd : « J'ai rien à vous dire. » Il avait répondu : « Eh bien, ne dis rien. » Au cours de leur première rencontre, la mère de Romain avait expliqué que son fils était un enfant précoce, ça la rassurait, alors que tout ce qu'il avait devant lui ce jour-là, c'était un concentré de pure violence. Il lui avait fallu plusieurs mois et des heures d'entretien pour parvenir à gagner sa confiance. Il avait vécu le départ du compagnon de sa mère comme un abandon, les problèmes avaient vraiment commencé pour lui à cette époque. Osman avait fait la connaissance d'Issa, Xavier et Farid deux mois plus tard. Issa était né au Mali. Il avait émigré en France avec ses parents à l'âge de deux ans. Son père était mort d'un AVC à quarante ans ; sa mère, femme au foyer, élevait seule leurs six enfants. Issa avait travaillé comme guetteur dans la cité, cinquante euros par jour, c'était plus rentable que l'école, il l'avait dit à Osman. C'était, de tous les jeunes qu'il avait reçus, le plus doux et le plus immature aussi. Farid était né en France, d'une mère française originaire de Montfermeil et d'un père marocain, des commerçants qui vendaient des fleurs au marché de Rungis. Quant à Xavier, son père était un militaire, sa mère, une femme au foyer. Ils habitaient une maison à colombages dans une rue pavillonnaire de la ville. Tous les quatre avaient été dirigés vers Osman parce qu'ils avaient consommé du cannabis ; à l'époque, le frère aîné d'Issa avait été arrêté pour trafic de drogue et incarcéré. La force d'Osman ? Il ne cherchait pas à incarner une quelconque autorité, de quel côté était-il d'ailleurs ? *Du côté de la justice*, répondait-il à ceux qui le lui demandaient, de l'égalité et de la légalité. Une approche psychologique directe, une forme de franchise qui n'excluait pas la brutalité et qui lui permettait de créer rapidement une intimité avec ses interlocuteurs ; une extraordinaire capacité d'adaptation aussi, associée à un goût pour le militantisme politique, un désir de changement. C'est ainsi qu'il s'était investi dans diverses associations œuvrant pour une rénovation urbaine en partenariat avec les services publics, travaux dits de prévision situationnelle qui préconisaient une adaptation des lieux aux risques de dégradation ou d'isolement. Il engageait la population dans ces efforts, il était apprécié dans le quartier et au-delà, des jeunes surtout, qui, comme Romain, Farid, Xavier ou Issa, erraient sans but. Osman les avait soutenus, aidés, puis les avait perdus de vue après leur engagement dans l'armée. Des années plus tard, il avait retrouvé Issa, sans chercher à renouer des liens. S'il ne reniait pas l'homme qu'il avait été, il avait le sentiment d'être passé dans un autre monde, à un étage supérieur d'où il voyait son ancien univers avec de la tendresse, peut-être, mais aussi une forme de distance critique. Au niveau de l'État, il n'y a plus de prise sur la base – qui songerait à retourner d'où il vient ? Il repensait à cela, dans sa chambre d'hôtel, prenant des notes – il avait passé une partie de la matinée à rencontrer les psychologues qui avaient reçu les soldats après leur mission de six mois en Afghanistan, à discuter avec les différents gradés : ils évoquaient les pertes, le combat, un conflit aux ramifications internationales quand la seule guerre qu'il livrait était intime.

10

La peur – ce dérèglement de l'esprit –, la confusion, voilà, c'est ça, une brume diffuse qui aveugle Roller, bloque sa trachée, le flux de ses pensées, son cerveau s'opacifie, plaque compacte, concentration impossible, reprise des tremblements, desquamations au sang, tentative de maîtrise des membres, plaies cachées – consomption progressive, la guerre l'a brûlé. Les retrouvailles avec sa famille – ce qui lui a longtemps permis de tenir – le terrifient maintenant. Il fume sur la terrasse de sa chambre, inspire nerveusement, regard fixe : vue mer, ciel céruléen que talquent les nuages, mais, dans sa tête, les ténèbres. Dehors, reflets iridescents du soleil, couleurs chaudes, ça vibre, peut-être ; pour lui, non, qui ne voit plus que la guerre, ne respire plus que l'odeur âcre de la poudre, ne perçoit que les bruits du champ de bataille : cris, explosions, détonations, les regards des Afghans. *Pense à autre chose.* D'autres souvenirs, alors : Farid, Xavier, Issa et lui dans le local d'Osman – une fraternité possible. Ce n'est pas de la nostalgie, il n'a pas vraiment aimé cette époque, son beau-père venait de les abandonner, sa mère survivait, seule, non, plutôt une façon de regagner une sensation de légèreté, quelque chose qu'il était à peu près certain d'avoir perdu à tout jamais et qu'il lui avait semblé avoir retrouvé l'espace d'un instant au contact de Diboula.

Le téléphone sonne, c'est sa femme, Agnès. Elle lui demande de se connecter à Skype, elle veut le voir. Xavier est sur la terrasse en train de fumer. Romain descend au centre Internet de l'hôtel et se connecte comme elle le désire. Le visage d'Agnès apparaît sur l'écran : teint hâve, yeux creusés. Elle a noué ses cheveux blonds en chignon – l'austérité. Elle s'exprime avec fébrilité, les pleurs de son fils en fond sonore. « Il est agité, j'ai hâte que tu rentres. » Romain perçoit sa voix comme si elle était filtrée par une matière cotonneuse, ouatée, il n'a pourtant pas bu d'alcool, il l'entend s'écrier : « À demain ! » Il n'a pas envie de rentrer depuis qu'il a eu cette aventure avec Marion Decker. Il se sent coupable tout à coup de ne pas être à la hauteur des exigences de sa femme. De ne plus la désirer. Agnès – y avait-il une case qu'elle ne remplissait pas dans le Grand Questionnaire de la Perfection humaine ? C'était le genre de femmes auxquelles vous ne pouviez *rien* reprocher : gentille sans être mièvre, présente sans être envahissante. Toujours la première à la sortie de l'école pour accueillir leur fils, Tommy, avec un goûter fait maison, la première dans la parfumerie où elle travaillait à réceptionner et ranger la marchandise alors que les autres vendeuses arrivaient en retard, la première à organiser des collectes de vêtements pour les déshérités, à écouter les plaintes de ses amies et la seule à garder son calme dans les situations extrêmes – une sainte. C'était elle qui dirigeait l'association de soutien aux familles de soldats, elle qui consolait la mère de Romain dans ses moments d'abattement et, pendant son absence, elle avait donné toute la mesure de sa rigueur morale, elle s'était montrée forte, solide, elle avait fait preuve d'un sang-froid exceptionnel quand les autres femmes de soldats ne pouvaient pas s'endormir sans avoir pris au préalable un somnifère ou exprimé leurs craintes et leurs angoisses au téléphone ou sur Facebook, *et s'il était blessé, et s'il ne revenait pas* ; elle, non, jamais, pas une plainte, même au cours des entraînements qui le tenaient éloigné pendant plusieurs semaines, pas un reproche, pas une de ses revendications sentimentales : *est-ce que tu m'aimes ? Promets-moi que tu ne repartiras plus*. Quelques jours après leur mariage – ils avaient vingt et un ans –, il avait été envoyé en mission au bout du monde pour six mois, c'était une de ces initiatives que les chefs aimaient prendre pour tester les femmes de soldats, ils disaient : *si elles restent maintenant, elles resteront toujours*, et elle avait été stoïque, ne montrant pas le moindre signe d'impatience, *je l'ai choisi, je savais à quoi m'attendre*, avait-elle expliqué un jour à l'une de ses amies qui lui demandait comment elle pouvait accepter *une vie pareille*.

Elle annonce à Romain qu'elle a réservé un cottage à Center Parcs pour y passer le week-end, ce serait l'occasion de se retrouver, elle dit cela sur un ton enjoué, et il répond, *oui, oui, formidable*, oui, la nature, en famille, la piscine couverte, *le bonheur*.

L'horreur. Il revivait cent fois, mille fois les mêmes scènes. Les talibans embusqués et ses hommes, en première ligne, sous les tirs ennemis. Les cris des blessés. Il ressentait encore physiquement le poids du matériel sur son dos, l'étau dans sa poitrine, une angoisse qui allait et venait et qu'il fallait contenir. Et le regard de son traducteur le jour où il lui avait dit au revoir. Il n'avait rien confié au psychologue au cours de l'entretien collectif qui leur avait été imposé, il n'avait pas répondu par l'affirmative à la question de savoir s'il était anxieux, il n'était pas là pour montrer ses états d'âme, il l'avait fait remarquer à l'un de ses supérieurs qui lui avait demandé ce qu'il pensait de ce sas de fin de mission : « Vous savez pourquoi ils nous ont envoyés à Paphos et pas en France ? Parce qu'on ne montre pas ses failles chez soi ! Nos soldats ne sont pas malades ni convalescents – voilà le message ! Alors on nous a envoyés ici, ni vu ni connu, on nous fait croire qu'on est en vacances. "C'est un peu le Club Med", a dit un instructeur, *tu parles !* » Ils étaient là pour se mettre en condition avant le saut dans le vide, se familiariser avec les insomnies, l'ennui, la grande angoisse de l'inactivité.

En remontant dans sa chambre, il demande à Xavier ce qui va se passer à leur retour. Les gens leur poseraient des questions sur la mission. Ils appliqueraient les règles qu'on leur avait apprises : ne pas refuser de parler à un journaliste mais rester prudent ; être clair ; ne pas donner d'informations confidentielles. Leur quotidien ne se résumerait plus qu'à une application des consignes.

11

Mutique tout à coup, ne délivrant pas encore ses confidences, pas pressée d'en finir tandis que François ordonne : « Parle, parle. » Son goût du secret – une femme distante, une femme qui ne se donne pas facilement –, tout ce que François a adoré chez Marion et qu'il perçoit désormais comme une façon de le fuir – une condamnation. Dans la matinée, elle avait lâché ces mots : « Je n'ai plus rien à te dire. » Mais là, non, elle dit et détruit : la confiance, la sérénité, l'image. « C'est à propos de ton fils, Thibault. » Rien à ajouter, il a compris. Thibault, vingt ans, tige d'un mètre soixante-quinze, la peau mate, cheveux noirs, un physique qu'il tenait de son arrière-grand-père, Mordekhaï, qu'il n'avait pas connu mais dont il avait vu quelques photos. Thibault, l'incontrôlable. Depuis que sa mère s'était suicidée sous ses yeux, il avait déclaré la guerre à son père et à sa nouvelle femme, entraînant ses sœurs dans une entreprise de destruction familiale. *À propos de Thibault*, y avait-il encore des faits que François ignorait ? Agressivité verbale, attitude d'hostilité, il avait même arrêté ses études au cours de sa deuxième année de philosophie à l'université, il lui avait fait subir à contre-temps la plupart des disgrâces adolescentes, à part les drogues dures peut-être. Depuis la séparation de ses parents, Thibault logeait place Vauban, au cœur du VIIe arrondissement de Paris, dans un appartement d'une superficie de quatre-vingts mètres carrés avec vue sur les Invalides, qui appartenait à son père. François lui versait une rente mensuelle de deux mille euros pour ses dépenses personnelles, envoyait chaque jour une femme de ménage ranger son appartement, laver son linge, mais il n'était pas rare que son fils lui en réclamât davantage. Alors, c'était quoi cette fois ? demandait François. Il avait mis une mineure enceinte ? Avait perdu de l'argent au poker – la grande passion de ces derniers mois ? Thibault était un très grand joueur, il avait commencé par des petites parties chez des amis, dans des appartements privés, il était maintenant capable de prendre un vol pour Las Vegas ou New York pour le seul plaisir de jouer *la partie la plus importante de sa vie* – et chaque samedi soir, chez des particuliers à Paris ou dans des salons privés aux États-Unis, il retrouvait ses amis pour des parties de cartes à plusieurs milliers de dollars qui duraient jusqu'à l'aube, légales ou non, quelle importance ? Il avait même participé l'année précédente au tournoi mondial de poker, le World Poker Tour, et se faisait appeler « Lovely », qui signifiait « adorable » en anglais – Lovely, la honte ! La damnation familiale ? L'exhortation morale à brider ses instincts ? Personne n'osait, on guettait la chute irrémissible, on savait qu'il jouait, on n'en parlait pas, il flambait, claquait, c'était sa vie de jeune joueur invétéré, une vie d'excès – il y avait une forme de folie chez Thibault, une marginalité qui fragilisait tout son entourage, une résistance instinctive au formatage social ; il aurait pu finir anarchiste, un de ces fils de bourgeois rétifs à l'autorité, crachant sur le système qui les a nourris, trafiquant à droite, à gauche, Rebelles, Réactionnaires, Blessés, tels qu'ils se définissent, tu parles, fallait bien la créer la souffrance, ils avaient eu une enfance si douce, des fils à papa qui croyaient échapper au déterminisme social en allant tirer sur des joints dans des squats de Belleville ou Barbès, des joints qu'ils payaient cash avec le black du père, de la mère, avant de rentrer dormir dare-dare dans leurs chambres aux murs tapissés de papiers peints à trois cents euros le mètre carré – trente-quarante mètres carrés, en deçà, c'est pas vivable. C'était la singularité maternelle, la rigueur scolaire qui lui avaient permis de rester cet animal social, certes imprévisible, mais dompté, civilisé, oh pas autant que son père, *ce dieu sans tache*, plaisantait-il. Mais non, ce n'était pas le jeu qui était en cause, annonçait Marion. C'était autre chose. Une forme de réinvention. De réparation – la réactivation d'une histoire qu'on croyait éteinte. Une crise de folie, peut-être. Une mise en scène. Un exercice introspectif. Il ne comprend pas où elle veut en venir. « Il a cherché le meilleur moyen de tuer le père, et je crois qu'il l'a trouvé. » Il y a un moment de flottement puis François finit par dire : « Parle... N'essaye pas de m'épargner. Avec lui, je suis habitué. » François sait de quoi est capable son fils. La menace que représente son propre enfant. Non pas seulement la menace physique – Marion lui avait dit une fois qu'elle avait peur de se retrouver en sa présence, il lui semblait qu'à tout moment il pouvait sortir une arme de sa poche et les tuer ; avec lui, François n'était pas capable de se raisonner, d'envisager autre chose que *le pire* – mais la menace sociale. « Ton fils a fait un retour à la religion. » Ce n'était que *ça* ? Bon. Il fallait s'y attendre. Thibault avait suivi toute sa scolarité dans des établissements catholiques, le dernier se définissant comme « conscient que l'Évangile est puissance de salut pour tout homme et l'amène à sa perfection dans le Christ », un de ces lieux où l'on n'entre pas sans références ni convictions : la vie spirituelle constituait un volet important de l'enseignement avec catéchèse (histoire de l'Église, réflexion sur le mariage, questions sur la foi et l'espérance chrétienne). François explique à Marion qu'il n'est pas étonné et qu'au fond cette idée ne lui déplaît pas : « En terminale, Thibault avait même effectué une retraite spirituelle, quatre jours en abbaye pour se recueillir, réfléchir à sa destinée. Il se demandait déjà s'il n'allait pas entrer dans les ordres. — Les ordres ? » Non, il n'a pas compris, ce n'est pas vers le catholicisme que Thibault s'est tourné mais vers le judaïsme. « Ton fils est devenu un juif ultra-religieux. » De quoi parle-t-elle ? Son fils n'est pas juif, sa mère ne l'était pas, il ne l'est pas non plus, alors juif orthodoxe… Impossible. « Tu délires, là, c'est ridicule. — Non, ça ne l'est pas. Il m'a appelée juste avant mon départ en Afghanistan. Au téléphone, il m'a simplement dit qu'il voulait me faire des excuses, je les ai acceptées, mais il a insisté pour me voir. On s'est retrouvés dans un café près de chez lui. Quand je l'ai vu arriver, je ne l'ai pas reconnu ; il portait une longue barbe noire, un costume noir et un grand chapeau. » Il avait eu une « révélation » – c'est le mot qu'il avait employé. Il avait passé un week-end chez son grand-père, Paul, et ce dernier lui avait annoncé – il ne pouvait pas se rappeler dans quel contexte il avait prononcé cette phrase – qu'il avait vécu en chrétien et désirait mourir en juif. Oui, c'est exactement ce qu'il avait dit, « en juif ». Et c'est ce jour-là qu'il lui avait parlé de son père, Mordekhaï Lévy, et qu'ils avaient eu une longue discussion sur la judéité, qui remontait avec l'âge, voilà ce qu'il avait tenté d'expliquer à son petit-fils. En sortant de chez lui, Thibault était allé dans la petite synagogue de la rue Pavée, à Paris, et c'est là qu'il avait eu cette « révélation ». Il s'était toujours senti différent. Il avait commencé à lire des ouvrages sur le judaïsme et s'était inscrit à un cours d'initiation religieuse. Il était rapidement devenu pratiquant, c'est pourquoi il voulait se réconcilier avec son père. « Honore ton père et ta mère » – cinquième commandement. Et il désirait présenter ses excuses à Marion. La réparation. Le pardon. Le retour – ce qu'il appelait avec un tremblement dans la voix la « techouvah ». François l'écoutait, une expression d'incompréhension sur le visage. C'est indécent, insupportable. Une bombe à retardement, ce fils. Et voilà qu'elle explosait. Il avait été un enfant brillant, précoce, un peu précieux, d'une sensibilité maladive, le genre d'enfants qu'on est fier de montrer à ses amis : *regardez-le. Il est beau, intelligent, subtil. Comme son père.* À dix-sept ans, quand la plupart des jeunes de son âge jouaient aux jeux vidéo, il avait déjà beaucoup lu. La fierté de la famille. Un Vély, un vrai. Jusqu'à ce que sa mère se jette par la fenêtre.

« Pourquoi ne m'en as-tu pas parlé avant ?

— Je l'ai appris juste avant de partir. Tu avais remarqué qu'il avait une barbe et une casquette ces dernières semaines ?

— Oui, je pensais que c'était à la mode.

— Non. Il le fait parce que c'est prescrit par la loi juive. »

La suite ? Marion raconte qu'il l'a également contactée pour lui demander de faire interdire un blog que sa sœur Domitille avait mis en ligne, un document public dans lequel elle exprimait ses émotions et critiquait son père. Elle avait repris la *Lettre au père* de Kafka à son propre compte, en l'adaptant

– message de haine et de rancœur totales contre « un père tyrannique et autoritaire ». « Thibault ne voulait pas qu'elle laisse ça en ligne. » Ce livre, c'était Paul Vély qui le lui avait offert six mois plus tôt. Et Domitille y avait trouvé le mode d'emploi de la haine du père. La réponse à l'explosion familiale. « Il m'a dit : "C'est péché." Il répète ça tout le temps, François : "C'est péché..." Tu ne le reconnaîtrais pas. » Cela faisait plus d'un mois qu'il n'avait pas vu son fils. Quant à ses filles, il les croisait le matin, avant de partir au travail, c'était tout. Un blog ? François n'en a jamais eu connaissance. Il ne se souvient pas non plus d'avoir lu *Lettre au père* de Kafka. *Le journal,* oui. *La métamorphose, Le procès, Le château, Les lettres à Milena* mais pas cette lettre à son père. Marion le regarde froidement. À quoi joue-t-elle ? « Je récapitule : tu m'annonces que mon fils est devenu un juif observant, peut-être même un intégriste – tout ce que je déteste. Que ma fille me hait et le fait publiquement savoir. Quoi d'autre ? Tu vas me quitter, Marion, c'est ça que tu vas m'annoncer ? » Elle ne répond pas, dit qu'elle a besoin de se reposer, elle veut rentrer à l'hôtel, c'est ce qu'ils font, et à peine sont-ils arrivés que François se connecte à Internet pour y chercher le blog de sa fille. On peut y lire différents extraits de journaux intimes ainsi que des messages prônant « la violence et la révolte générale contre la société », une petite crise comme une maladie infantile, ça durerait trois semaines. Un lien vers un clip d'un groupe de heavy metal, les Skinny Puppy, avait été intégré. Il clique sur le lien : une musique tonitruante vrille son cerveau. Des images de guerre, de sang, d'insectes et d'armes se déroulent sur l'écran. « C'est ce qu'on fait écouter aux détenus de Guantanamo pour les torturer », dit Marion. François appuie sur la touche « pause » et parcourt la page. Il est beaucoup question de suicide et de mal-être, de haine de soi et de rejet de la société dans ces pages émouvantes et enfantines. François se tourne vers Marion : « Qu'est-ce qu'elle connaît à la violence ? Elle n'a jamais quitté la villa Montmorency pour autre chose que des chambres d'hôtel à mille euros la nuit... » Enfin, il lit la lettre qui lui est adressée. En présentation, Domitille a noté ces mots : « Voici ma version de la *Lettre au père* de Kafka. » Suivent la lettre ainsi que des commentaires de lecteurs.

> Cher Père,
>
> Je ne peux garder plus longtemps en moi un secret qui me dévore, il est grand temps de m'en défaire en te l'offrant comme un cadeau. Père, je ne t'aime pas. Tu dis en permanence, parlant de tes enfants, que tu n'es pas content de nous, que je ne suis pas la fille dont tu rêvais. En réponse à ces mots, je t'ai fui, préférant me réfugier dans ma chambre. Tu me trouves trop extravertie, bizarre et spéciale. Devant les gens, tu dis que je parle trop fort (...). Il y a quelque chose de malsain dans notre relation. Certes, je dois assumer ma vie sans avoir à te reprocher tous mes échecs. Et quand bien même tu ne m'aurais pas élevée, je serais devenue ce que je suis, c'est-à-dire une fille triste, révoltée, anxieuse. Tu m'épuises, tu me rabaisses... Ta froideur m'a toujours été insupportable. Qu'avais-je comme choix pour y répondre ?
>
> Qui peut survivre à tant de froideur et d'égoïsme ? Tu as été ignoble avec maman et ignoble avec moi. J'ai pour toi toute la haine du monde et tous les conflits des hommes sont réunis sur ta tête. Je pense parfois aux pauvres soumis à ton service, je pourrais même dire à tes sévices, tu les traites comme des esclaves.

Il interrompt sa lecture, éteint son ordinateur – il en a assez lu – et allume une cigarette. C'est Domitille qui a écrit ça ? Celle qu'il avait accompagnée l'année précédente au très sélectif Bal des débutantes où elle était apparue solaire et mondaine, galbée dans une robe extravagante de chez Élie Saab ? Domitille, sa petite fille… Marion pose sa main sur son épaule : « Il ne faudrait pas que tes enfants te nuisent. » Cette sollicitude soudaine, ça le touche. Ça pourrait ressembler à de la tendresse et il s'en serait contenté si elle n'avait aussitôt précisé : « Je ne voudrais pas que tu puisses me le reprocher. — Tu crois que j'ai peur de ma fille ? Que je vais m'inquiéter parce que mon fils est en pleine crise mystique ? Non. C'est leur vie. » C'est ce qu'il affirme en écrasant avec force sa cigarette dans le cendrier, pourtant il prend la décision de rentrer à Paris plus tôt que prévu. Sa surprise à Marion avait été un fiasco total.

12

Tout ce qui précède l'arrivée d'Osman à Paris n'a aucune importance : les turbulences pendant le vol Chypre-Paris, sa crise d'angoisse à bord de l'avion quand il lit, dans un magazine, qu'un ministre qu'il appréciait l'a qualifié d'« erreur de casting », la perte de sa valise à l'aéroport, l'attente interminable d'un taxi sous la pluie, ce n'est rien comparé au choc qu'il subit en rentrant chez lui : Sonia, sa compagne, n'est pas là, et il imagine le pire. Il pense qu'elle l'a quitté, ou qu'elle va le faire. Il se précipite dans leur chambre, ses affaires sont bien à leur place – mais pour combien de temps ? Il avait passé des semaines à aménager leur chambre, optant pour le matelas le plus confortable après leur retour d'un séjour dans un hôtel de luxe où ils avaient choisi la taille des oreillers, la qualité du duvet (ce détail avait sidéré Osman, il n'aurait jamais imaginé qu'on pût proposer un tel service. Avec ses parents, il n'avait connu que des pensions de famille deux étoiles ou des locations bon marché, ils n'avaient dormi que sur des matelas achetés en promotion dans des magasins discount, des sofas avec lit intégré et dont les lattes se cassaient après quelques semaines d'utilisation, des lits récupérés auprès d'amis ou de vagues connaissances, aux sommiers parfois tachés), c'était ça, le luxe suprême. Au mur, des lettres néon formant le mot « *Paradise* » clignotaient. Depuis combien de temps n'ont-ils pas fait l'amour ? Osman éteint les néons et sort de la chambre. À peine arrivé dans le salon, il s'effondre sur le canapé, son téléphone portable à la main. Sonia ne lui a laissé aucun message et il ne parvient pas à la joindre. Il fait défiler des photos de sa vie sur son téléphone. Sonia et lui au cours d'une réception. En voyage à Rome. Au restaurant. Il a le sentiment que ces représentations du bonheur appartiennent désormais au passé. En quelques jours, il a perdu ce qu'il a mis toute une vie à bâtir. Sensation de vide total. Dès son entrée en politique et, plus précisément, à partir de son introduction dans l'entourage du Président, il avait envisagé cette situation d'écartement, soit qu'on la lui eût décrite – elles étaient nombreuses les victimes du discrédit, du rejet : « C'est comme un harem, lui avait expliqué un conseiller du Président, un jour on est le favori et le lendemain on découvre qu'on a été remplacé », on se lassait aussi vite qu'on aimait –, soit qu'il l'eût devinée – il lui avait suffi de quelques jours à l'Élysée pour comprendre qu'à tout moment un obstacle pourrait se trouver sur son chemin, cerner les rivalités qui s'y jouaient, les tensions : un mot, une remarque, une humiliation, un oubli, la dynamique de la violence – au niveau des élites, elle n'était pas moins rodée que dans les milieux réputés difficiles qu'il avait côtoyés pendant des années, exprimée différemment sans doute, mais bien réelle : règlements de comptes, trahisons, coups bas, les guerres de pouvoir se ressemblaient. En public, on savait se tenir, on se maîtrisait, mais derrière le rideau, c'était un combat sans règles. À l'heure de la disgrâce, Osman Diboula se sentait effacé de la carte politique, comme si le fait de ne plus appartenir à la garde présidentielle l'évinçait totalement du champ social. La violence du pouvoir, il avait cru s'en préserver, il s'en défendait quand elle prenait la forme d'une agression directe, quand celui qui, la veille encore, vous jurait loyauté et amitié, devenait votre ennemi parce que ses intérêts étaient en jeu, parce qu'il voulait votre place, et il avait passé tout ce temps sur ses gardes, songeant que n'importe qui pouvait précipiter sa chute : sa fonction l'avait rendu paranoïaque. Et malgré cela, malgré cette prudence, il était tombé dans le piège qu'on lui avait tendu. Car il en était certain : on avait provoqué son départ. La mobilité sociale n'était qu'un hochet que la société agitait pour créer une énergie, détourner l'attention. On lui avait tendu l'échelle, on l'avait aidé à monter, et, une fois arrivé en haut, on la lui avait retirée brusquement. Du jour au lendemain, il avait perdu son statut, son poste et ses perspectives d'avenir en politique, il était désormais persona non grata. Il se sentait trahi par les siens. Il l'avait confié le soir même de son retour, au téléphone, à Laurence Corsini, l'une des seules à lui avoir envoyé un message amical lorsque son départ définitif après un mois de mise au placard avait été annoncé : « La trahison, elle a été le fait de mes amis. » Il avait entendu le rire de Corsini dans le combiné. « Tes amis ? Est-ce que tu sais ce que François Mitterrand avait dit de la politique pendant l'été 1988 à son chef de cabinet, Jean Glavany, qui venait de perdre les élections législatives en Hautes-Pyrénées ? Il lui avait dit : "Ne croyez pas que la loyauté soit la règle en politique. Elle est l'exception. La règle, c'est la trahison." Et il ajoutait que tout l'art de la politique était de construire des rapports de forces qui vous mettaient à l'abri des trahisons. Tu n'as pas su construire ces rapports, c'est tout. »

Elle évoquait des « rapports de forces » quand lui, pendant des années, en tant qu'animateur social, n'avait tenté de créer que des rapports de confiance. Au pouvoir, il avait eu un sentiment de distanciation profonde, l'élite était totalement séparée de la base. Il ne prenait jamais le métro, ne se rendait dans des villes de province que pour des missions précises, encadrées, et toujours sous haute protection. Il songeait que les membres du gouvernement qui avaient grandi dans des milieux privilégiés et étaient passés des grandes écoles à l'Élysée ne comprenaient pas le monde dans lequel ils évoluaient : quelle perception pouvaient-ils en avoir ? Sa double appartenance était une chance, il était sensible aux préoccupations de ceux qu'il avait connus à Clichy. Cela ne signifiait pas pour autant qu'il cherchait à y répondre. Ce qui l'avait longtemps préoccupé, c'était de se maintenir en place, de déjouer les coups bas, de rester au plus près du Président. La vraie bataille – bataille d'ego, peut-être, de place sociale à conquérir ou conserver – se jouait là, sous les lambris de l'Élysée, et non plus dans les rues où les révolutions n'auraient pas lieu. Il aurait dû laisser les banlieues s'embraser plus longtemps. Il aurait dû inciter à la rébellion. Au lieu de ça, il avait contribué à ramener la paix sociale et avait reçu en récompense un poste de conseiller – un vulgaire cadeau qu'on lui avait rapidement repris. Il était seul à présent : à l'instant où vous n'êtes plus au pouvoir, le magnétisme que vous octroyait votre fonction s'efface – c'est un fait : vous êtes moins désirable.

Ce soir-là, Osman a envie de recontacter Issa, de retrouver une situation où il s'était senti bien, avait été reconnu comme un homme de valeur – depuis qu'il avait quitté l'Élysée, il avait un sentiment d'inutilité. Il possédait encore son numéro de téléphone. Osman lui envoie un message le soir même : « J'ai retrouvé Roller, Carel et Djitli. Ils étaient en Afghanistan. On pourrait se réunir, qu'en dis-tu ? Cela me ferait plaisir. » Il pose son téléphone portable sur la table du salon et s'éloigne en direction de la cuisine. Quand il revient dans le salon, il lit ce message, en réponse au sien, un mot, un seul : « Crève. »

13

Dans l'avion qui le ramenait en France avec les autres soldats, Romain ne fit que dormir, fuyant quoi ? À leur arrivée, ils montèrent à bord d'un car, Romain y somnola encore et ce fut Xavier qui le réveilla pour lui annoncer que sa femme était là. Il ouvrit les yeux, c'était bien elle, leur fils dans les bras, et, à côté, sa mère accompagnée de quelques amis. Ils étaient arrivés à l'aube avec leurs sacs de victuailles : bouteilles de thermos remplies de café noir, boîtes en plastique contenant gâteaux, sandwichs et fruits frais – de quoi tenir. En sortant du car, Romain s'avança d'abord vers Agnès, mais il n'avait pas envie de l'embrasser ni de la serrer contre lui, il restait désespérément froid. Puis il pivota vers son fils, Tommy, qui se mit à hurler et à se débattre : « Il est fatigué, c'est tout », expliqua Agnès. La fatigue ? Vraiment ? Non. Son fils ne le reconnaissait pas. Le *premier* choc. Romain n'insista pas, s'éloigna de sa femme et étreignit sa mère qui pleurait. Certains soldats rentraient, d'autres n'étaient pas revenus. Il percevait cruellement la distorsion entre ce qu'il pensait être (un loser qui n'avait pas su protéger ses hommes) et la façon dont il était accueilli, perçu par la foule (un dieu, un héros). Tous pleuraient d'émotion, se précipitaient pour l'embrasser, le toucher comme s'ils avaient besoin de vérifier par eux-mêmes qu'il était revenu intact. Il jouait le jeu du soldat valeureux, sourire crispé au bord des lèvres, *je vais bien, tout va bien*, alors qu'en lui, c'était le chaos, alors que tout ce qu'il désirait c'était ne plus dire un mot, rentrer chez lui, s'enfermer dans sa chambre et rester seul. Pendant le trajet, il répondit un peu laconiquement aux questions : *oui, non, je ne peux pas en parler*. Une fois chez lui, en découvrant la banderole « Bienvenue à la maison » accrochée au mur, en voyant ses amis, ses voisins, tous les membres de sa famille qui l'attendaient, il fit un effort pour tenir debout, il ne supportait pas le monde et le bruit, les cris des enfants, les appels téléphoniques, les remarques, le bruit des verres, et quand tout à coup, quelqu'un arriva par-derrière et posa sa main sur son épaule, il eut une réaction brusque, hurlant « Ne me touchez pas ! » puis quitta la pièce pour prendre l'air, « Faut qu'je sorte, j'étouffe ». Il claqua la porte devant les invités, « Je vais fumer », et marcha en direction du garage. Il se réfugia dans sa voiture, rap à fond. Il n'avait pas su protéger ses hommes. Ils étaient morts, et lui, vivant. Il sélectionna des photos de Marion Decker sur son portable et les fit défiler. Elle lui manquait, elle lui manquait physiquement, il avait envie de lui parler, c'était obsessionnel – par quel obscur processus d'érotisation était-elle parvenue à créer cette relation de dépendance ? –, et le fait d'être chez lui aggravait tout, la distance accentuant le désir, et peut-être aussi la certitude qu'il ne la reverrait plus jamais, alors il composa son numéro sans réfléchir, écouta sa messagerie et dit : « C'est moi, Marion, c'est Romain, tu me manques, je voudrais te revoir. » Il attendit vingt minutes un appel qui ne vint pas, puis retourna dans le salon, son téléphone dans la main, personne ne lui fit la moindre remarque – l'épreuve l'avait rendu intouchable.

Après le départ de sa famille, il eut envie de jouer avec son fils. Sa femme refusa fermement, « Il est tard ». Longtemps, il avait aimé cette rigidité, cette rigueur, son sens de la morale, ça le cadrait, ça lui donnait une stabilité mais là, à son retour d'Afghanistan, c'était insupportable, et il n'avait plus la force de lutter au sein même de sa famille, alors il fit ce qu'elle lui dit, s'allongea sur le canapé, son téléphone sur son ventre et regarda la télé jusqu'à vingt-trois heures, passant d'une chaîne à l'autre. Marion ne l'avait pas rappelé. Les soldats de sa section lui manquaient – cette communauté d'armes unie et solidaire, cette fraternité profonde, il en avait été brutalement privé. Que faisaient les autres ? Ils dînaient ? Dansaient ? Faisaient l'amour ? « Romain, tu viens ? » Il se leva, rejoignit Agnès dans la chambre à coucher. Elle était étendue sur le lit, maquillée, moulée dans une combinaison fuchsia en lycra, pas du tout son genre, touchante et pathétique : « Je suis désolé, je suis épuisé, pas maintenant. » Elle insista, se colla à lui, caressa son sexe, il lui demanda d'arrêter, une fois, deux fois, il sentit une violence nouvelle monter en lui et il eut peur de ce qu'il pourrait faire si elle continuait. Il s'éloigna, elle le suivit.

« Qu'est-ce que tu as ?

— Rien, laisse-moi.

— Parle !

— Pas envie.

— Je ne te reconnais plus, Romain. »

Il se dirigea vers la salle de bains, fit couler l'eau abondamment sur ses doigts.

« Il faut qu'on se parle, Romain ! »

Il sortit, son téléphone à la main.

« Tu ne peux pas me laisser deux minutes ? »

Elle le suivait toujours.

« Tu pleures pour rien, Agnès ! Pour rien… Je suis fatigué, j'ai besoin de calme. »

Leur fils se mit à hurler, ses cris stridents résonnaient dans tout l'appartement.

« Tu n'y vas pas ? demanda Romain.

— Non, je n'y vais pas ! Ça fait six mois que je m'en occupe à temps plein, c'est ton tour, maintenant ! Moi je vais me coucher !

— Tu crois que j'ai pu dormir pendant ces six mois de mission ?

— Oh, ça va, tu reviens de trois jours de vacances !

— De vacances ? »

Il se rendit dans la chambre de son fils et le prit dans ses bras. Il caressa ses cheveux, l'embrassa sur le front : « Je suis là, Tommy, je suis rentré. » Mais son fils se débattit de toutes ses forces comme s'il se sentait en danger. Romain appela sa femme qui arriva aussitôt : « Je n'y arrive pas, prends-le. » Elle saisit l'enfant qui se calma en quelques secondes. Il lui reprocha de l'avoir monté contre lui pendant son absence. « Tu es fou. » Elle recoucha son fils et retourna dans sa chambre sans un regard pour son mari. Quand Romain pénétra dans la pièce, il la vit, repliée sur le rebord du lit, les traits tirés, l'air grave.

« Raconte-moi, dit-elle, tandis qu'il se déshabillait. Je veux savoir ce qui s'est passé là-bas.

— Non.

— Je veux savoir !

— Tu ne peux pas comprendre. J'aurais beau t'expliquer, tu ne comprendras pas, alors je préfère que nous en restions là, que nous parlions de notre fils, des vacances à venir et du temps qu'il fait – ce sont des sujets sur lesquels nous pouvons échanger, mais sur l'Afghanistan, non, sur ce qui s'est passé là-bas, jamais, ne compte pas sur moi. »

Elle prit sa tête entre ses mains et éclata en sanglots.

« Ça fait six mois que je t'attends et maintenant que tu es là, tu m'évites et tu refuses de me parler ! »

Elle pleurait, rien ne semblait pouvoir la calmer.

« Tu pleures pour rien », lui dit-il, pour rien !

Le curseur de la douleur morale, ils ne le plaçaient plus au même niveau, désormais.

« Plus personne ne te reconnaît, pas même ton fils !

— Tais-toi, je t'en supplie, arrête.

— Je ne m'attendais pas à ça ! Ta mission est finie maintenant, tu es rentré à la maison. »

Mais il ne l'écoutait plus, son téléphone vibrait dans sa poche.

14

À son retour à Paris, François est submergé de messages et de rendez-vous professionnels, il travaille jusqu'à deux, trois heures du matin, et quand il rallume son portable, il comprend que le cauchemar identitaire ne fait que commencer, qu'il a trouvé un point d'ancrage dans sa vie. Alors qu'il n'a pas encore appelé Thibault, retardant le moment de la confrontation, il est contacté par le président du conseil syndical de l'immeuble qu'occupe son fils, les voisins ont signé une pétition contre lui. Douze propriétaires, douze signatures. Ils se plaignent qu'il laisse la porte d'entrée ouverte tous les samedis, et le vendredi soir aussi. Dans un premier temps, ils ont voulu régler cela à l'amiable, ils ont rencontré Thibault autour d'un apéritif auquel il n'a pas voulu toucher, « pas d'alcool, pas de cochonnailles », et lui ont dit « sans animosité » – ils prennent soin de le préciser, craignant sans doute d'être soupçonnés d'antisémitisme –, que « pour des raisons de sécurité, il ne pouvait pas faire ça » et il a répondu qu'ils n'auraient pas dû retirer la serrure au profit d'un digicode ; durant le shabbat, il ne peut pas appuyer sur un bouton électrique, c'est interdit. Et puis quoi ? Ils voudraient qu'il attende dehors pendant des heures que quelqu'un lui ouvre la porte ? « Mais depuis quelque temps, c'est encore pire : votre fils a trafiqué le système électrique de l'immeuble. » Lors du dernier conseil d'administration, le syndic avait voté une installation électrique qui ne fonctionnait qu'après détection de mouvements par souci économique et écologique. « Vous entrez dans la pièce et la lumière s'allume automatiquement. Votre fils nous a dit qu'il ne pouvait plus rentrer chez lui dans ces conditions, alors il a détérioré délibérément cette installation. Il nie, mais nous avons la preuve qu'il l'a fait. On a une petite caméra de surveillance cachée dans l'entrée. » Quand il a expliqué que sa religion lui interdisait de toucher à la lumière le jour du shabbat, ils ont invoqué le principe de laïcité et il a répondu : « La laïcité ? Tout le monde n'a que ce mot à la bouche, mais de quelle laïcité parle-t-on ? Chaque année, un arbre de Noël avec guirlandes et boules phosphorescentes est payé par la copropriété et installé dans le hall de l'immeuble. Pas de dérogation pour shabbat, pas de dérogation pour Noël. » « Vous vous rendez compte ? En attendant, il faut faire réparer l'installation électrique. À vos frais. Si cela ne convient pas à votre fils, il n'a qu'à trouver un autre logement. » La honte. Le sentiment d'avoir, par la faute de son fils, sali sa réputation et son honneur. « Et ce n'est pas fini, monsieur Vély. » François se raidit, qu'a-t-il fait cette fois : organisé une bar-mitsva jusqu'à cinq heures du matin ? Un office religieux dans le hall de l'immeuble ? « Votre fils a cloué un petit boîtier sur le fronton de sa porte, comment appelle-t-il ça déjà ? C'est imprononçable… Un objet israélite, en tout cas. Visible par tous car votre fils l'a installé sur les parties communes et non pas à l'intérieur de votre appartement en violation de l'article 23 du règlement de copropriété. Il dit encore que la religion juive l'impose, et là, moi je réponds qu'il y a des endroits dans le monde où un juif peut pratiquer sa religion sans déranger personne. » François présente ses excuses, c'est un malentendu, il va régler ce problème, il prendra tous les frais à sa charge, il est désolé. C'est un cauchemar. Il appelle son fils aussitôt et lui demande de le rejoindre ; une heure plus tard, Thibault est là, il a compris ce qui se jouait tout à coup entre son père et lui, un rapport de forces inédit autour de l'idée que chacun se fait de la filiation et de la transmission, de l'héritage identitaire et de l'affirmation de soi. Thibault n'a pas l'intention de correspondre à l'idéal paternel. Pire, il sait que son père le soupçonnera d'œuvrer contre lui en lui imposant des choix qu'il déteste. François le voit arriver, c'est un choc terrible, il ne le reconnaît pas et ça le bouleverse. Thibault porte une barbe, une calotte sur la tête, des fils pendent de sa veste. Il s'assoit en face de son père et lui avoue qu'il est soulagé : « J'aurais préféré que tu l'apprennes autrement mais je n'avais pas le courage de te le dire, je n'en pouvais plus de me cacher. » Il ne mange plus de porc. Il ne déjeune pas dans un restaurant qui n'est pas cacher. Il récite des bénédictions avant et après manger. C'est lui et lui seul qui ouvre une bouteille de vin qui devra être cachère. Il veut étudier la Torah. « C'est une farce ? Et tes études ? demande François. — Que vaut Platon face à Rabbi Akiva ? » François lui parle des copropriétaires, de la plainte, mais Thibault lui annonce que le problème est réglé : il part s'installer à New York, à Brooklyn. Il étudiera dans une école rabbinique, une yeshivah, dans le quartier le plus religieux, là où vit son nouveau guide spirituel, « Rav Schreiber ». « Qui paiera ? demande François. — C'est pris en charge par la yeshivah. — Je refuse ce chantage. Tu vas rester et finir tes études. Ça va passer, Thibault. — Tu n'as pas compris, papa, Thibault est mort avec maman. Je suis Mordekhaï, à présent, Mordekhaï Lévy. »

15

… et c'est bien parce qu'il ne l'attendait plus qu'Osman avait été si bouleversé de revoir Sonia. Elle avait ressurgi deux jours après son arrivée à Paris, elle ne comprenait pas qu'il pût douter d'elle, elle n'avait pas eu de réseau wifi sur place, elle l'aimait, elle restait auprès de lui, quels que soient les risques, les sanctions, les vexations – il y en aurait, pensait-elle, certains l'avaient mise en garde : « C'est lui ou ton poste. » En politique, quand l'un des membres d'un couple était visé par une affaire ou affaibli, l'autre l'était aussi, par un effet de contagion, impitoyable mesure punitive – qui visait principalement les femmes –, comme si la faute de l'un entachait l'autre, et de manière irréversible. Sonia avait redouté sa mise au placard, elle en avait mesuré les risques, elle n'était pas sûre d'en supporter toutes les conséquences tant elle aimait être au cœur de l'action politique, mais non, incroyable, non seulement on ne l'évinça pas ni ne fit le moindre commentaire sur Osman, mais ce fut l'inverse qui se produisit : elle se vit confier la rédaction des discours les plus importants et attribuer le bureau qu'occupait jadis son compagnon, « façon de m'humilier davantage », avait dit Osman, et Sonia n'avait rien répondu pour ne pas susciter une nouvelle dispute, peut-être aussi pour ne pas altérer sa propre joie – cette promotion, c'était la chance de sa vie. Elle ne l'interprétait ni comme une offense faite à Osman ni comme une faveur qu'on lui aurait accordée. De toutes les femmes du staff présidentiel, elle n'était pas seulement l'une des plus diplômées, elle pensait aussi être la plus brillante, c'était bien cette intelligence redoutable qui avait fasciné Osman, cette force dont il semblait aujourd'hui minimiser la portée, comme si le rayonnement de sa compagne le reléguait dans l'ombre – qu'il n'était pas près de quitter, aucun signe de rapprochement n'avait été donné, personne n'avait même réclamé son rapport, cette mission n'avait peut-être été qu'un moyen de l'éloigner de Paris. Ce nouvel anonymat, ce sentiment profond d'échec et d'inutilité, il devrait désormais s'en accommoder, comme ces soldats qu'il avait rencontrés à Paphos et qui lui avaient confié la terrible sensation de n'être rien en dehors d'une zone de combat.

Osman se revoyait, au lendemain des émeutes à Clichy-sous-Bois, au cœur du conflit social, haranguant les politiques, figure incontournable de la réconciliation et de la responsabilisation, version française de l'*empowerment* à l'anglo-saxonne, convoité par tous les partis, rejetant toute affiliation politique, préservant sa liberté – le roi du monde. Et ce jour où, au cours d'un déjeuner à l'Élysée, il s'était vu proposer ce poste de conseiller par le Président lui-même – avec quelle bienveillance il lui parlait alors ! Quelle conviction ! Quel sens de la persuasion ! Le Président avait dit : « J'ai besoin d'hommes comme vous, Osman. » Ces mots « comme vous » qu'il avait longtemps interprétés comme un gage de sa singularité prenaient un sens nouveau au lendemain de la remarque à connotation raciste dont il avait été victime. *Comme vous...* Des hommes issus de la diversité, entendait-il à présent, des faire-valoir qui, en échange d'une promotion, donneraient une autre image de la banlieue – une représentation faussée, commanditée par les impératifs de la communication politique et sociale, façon de dire : « Hé, y en a des bons, des bien ! » Manipulation, instrumentalisation, rien d'autre. Il l'expliquait à Sonia, qui le contredisait systématiquement, plaisantant même : « Tu rejoues la théorie du complot. Personnellement, je n'y crois pas une seconde. En politique, le danger émane souvent de ces petites phrases sibyllines, tu as été piégé par l'une d'elles, rien de plus. » Elle ne le comprenait pas, restait extérieure à cette affaire, tout entière à sa joie d'avoir accédé à de plus hautes fonctions. Elle veillait toutefois à lui demander conseil, moins par besoin – elle avait toujours considéré être nettement plus compétente qu'Osman – que pour le valoriser, contenant difficilement sa joie, la satisfaction d'avoir réalisé le rêve de toute une vie.

Sonia rentra chez eux et leur vie sentimentale retrouva son intensité. Pourtant, un élément changea à compter du jour où Sonia fut promue et déstabilisait l'équilibre tranquille qu'ils pensaient avoir retrouvé : la jalousie. Non pas une jalousie amoureuse, l'expression de la peur d'un homme qui sait que sa compagne peut être séduite par un autre, non, cette peur-là, il avait appris à la dominer, c'était autre chose, une forme de concurrence qui n'avait jamais existé entre eux au temps où il avait un poste plus élevé que le sien, une rivalité professionnelle qui lui faisait interpréter toute valorisation des compétences de Sonia comme une humiliation supplémentaire : puisque le Président l'avait élevée, elle, il l'avait rabaissé, lui, pensait-il, par un pervers effet de levier, quand Sonia y voyait au contraire la preuve que sa condition de femme n'était plus une entrave, elle qui avait dû lutter contre les remarques sexistes sur son physique (*Sonia a su jouer de ses atouts pour obtenir ce poste, ma petite Sonia, vous avez dû beaucoup coucher pour réussir* ou encore, cette phrase lâchée par un confrère dans un article qui lui était consacré : « Pour mener une réunion, elle fait la chatte, elle minaude. Tout le monde se lève quand elle entre. Ces phénomènes de cour, elle les entretient comme personne »), sa façon de marcher (*elle se croit sur un podium au défilé Dior* ; *avec les jambes qu'elle a, elle a une longueur d'avance sur les autres*), ses compétences (*Sonia est totalement dépendante du Président, elle n'a pas assez de présence politique* ; *Quand Cissé vous parle, elle se met automatiquement en mode séduction. Les hommes tombent et puis, paf, le couperet de la formalité retombe*) et même racistes (*Sonia est le type même de l'opportuniste : noire avec les Noirs, blanche avec les Blancs*).

La jalousie – cette obsession. Il la regardait se préparer à l'aube, choisir ses dessous, s'habiller – tailleur, chemisier en soie, talons aiguilles – et il ne pouvait pas s'empêcher de lui faire des remarques : *t'en fais trop, tu cherches un mec ? Tu devrais être plus discrète, moins provocante, ce n'est pas bon pour ta crédibilité,* ce à quoi elle répondait : *Tu veux quoi ? Que je mette le voile ?* Une femme apprêtée ne serait pas intellectuellement crédible ? Retour à l'âge de pierre, au sexisme archaïque, des décennies de combat féministe n'étaient pas venues à bout des préjugés les plus tenaces. Ça n'affectait pas Sonia. Elle connaissait l'histoire des institutions mieux que personne, lisait Héraclite dans le texte ; elle se sentait hors d'atteinte, et ce n'était pas une quelconque protection présidentielle qui lui avait donné cette force mais cette confiance acquise au prix d'intenses années d'études, de nuits sans sommeil, et dont Osman était dépourvu. Aujourd'hui, ça le fragilisait de ne pas avoir de diplômes, de ne pas pouvoir appeler des étudiants qu'il aurait connus dans l'une de ces écoles d'élites, il savait que ces amicales d'anciens représentaient un réseau d'entraide et d'influence : *l'élève qui était assis à côté de toi en prépa, auquel tu prêtais tes cours quand il était malade et que tu invitais chez toi pour travailler deviendra demain ministre de la République ou grand patron, il se souviendra de toi le jour où tu viendras frapper à sa porte.* Qui avait intérêt à l'aider ? Personne. À la nuit tombée, il attendait Sonia dans le salon, lumières éteintes, une bouteille d'alcool posée sur la table basse, des reproches pleins la bouche. Mais à chaque fois, c'était une Sonia attentionnée et compréhensive qu'il retrouvait, elle se précipitait vers lui, se blottissait dans ses bras pour le rassurer, et alors, toujours, il lui faisait l'amour – la seule chose dont il se sentait encore capable. Le sexe le virilisait, lui redonnait une place sociale. Dans un lit, avec la femme qu'il aimait, il redevenait cet homme flamboyant et fort ; elle l'aimait, elle l'admirait – jusqu'à quand ?

Tout au long de ces dernières années, Osman avait été quotidiennement dans l'action, occupant le terrain politique, partant à l'aube et ne se couchant jamais avant deux heures du matin. Cette suractivité lui manquait. Longtemps, il n'avait pas supporté la pression, l'angoisse de mal faire, le mot qui blesse, la récupération de la parole médiatique ; il n'avait pas toujours eu les codes et voilà que maintenant, il se sentait capable de les affronter. Il avait un sentiment de vide absolu, comme s'il se trouvait dans une salle pleine de monde qui aurait été désertée d'un coup. Le silence était l'expression concrète de son exclusion. Les rapports humains ne se déroulaient plus que sur le mode de la rentabilité, de la réciprocité, de l'efficacité et de l'intéressement. On vous donnait si vous pouviez offrir. On vous proposait si vous pouviez rendre. Plus vous montiez dans l'échelle sociale, plus vous étiez convoité. Vous descendiez d'une marche et le monde se dispersait. Sur le moment, il n'était pas conscient de ces phénomènes de cour, il était au centre du système, il en était partie prenante, un pion peut-être, mais un pion qui avançait et marquait des points. Il se sentait valorisé. Il n'avait pas usurpé sa place. Au pouvoir, on n'a plus la distance qui permet de cerner les êtres et d'ailleurs, se distinguaient-ils réellement ? Il avait été comme eux, un ambitieux, heureux d'en être, ne fréquentant que ceux qui pouvaient lui apporter quelque chose ; les autres, il avait appris à s'en détacher. Et voilà qu'il se trouvait dans la situation des excommuniés.

Ce matin-là, il avait rendez-vous à l'Élysée pour récupérer ses derniers cartons. Il eut un choc en pénétrant dans son bureau : toutes ses affaires avaient été vidées et entreposées dans des caisses ; c'était la deuxième fois, en un mois, que l'on déménageait ses effets personnels sans le prévenir. « Qui a donné l'autorisation de vider mon bureau ? » demanda Osman à l'une des secrétaires présentes. Elle leva son doigt au ciel. Il soupira. Les caisses s'entassaient dans un coin, son nom mal orthographié inscrit dessus au marqueur. Il tenta de se réconforter en se persuadant qu'il n'aurait jamais pu travailler dans ce petit bureau où il avait été relégué après l'incident. Il donna quelques directives à la secrétaire, puis quitta les lieux. Dans les couloirs, il croisa le jeune politicien qui l'avait remplacé dans l'entourage du Président, un homme jeune, issu de la grande bourgeoisie, « un Blanc », songea-t-il. Osman se sentait comme une vieille maîtresse qui découvre un matin avec épouvante qu'elle a été remplacée par une autre, plus désirable, plus présentable.

Il était en train de quitter les lieux quand il entendit une voix qui l'appelait. Philippe Wojakowski, un conseiller d'une quarantaine d'années qu'il aimait bien et avec lequel il avait longtemps travaillé se tenait devant la porte de son bureau : « Entre deux minutes », dit-il. Osman le suivit. Wojakowski était le fils d'un couple de commerçants, des juifs d'origine polonaise qui tenaient un petit restaurant proposant des spécialités d'Europe de l'Est dans le IVe arrondissement de Paris. Il avait fait toute sa scolarité dans une école publique de quartier avant d'intégrer une prépa littéraire au lycée Louis-le-Grand puis l'École normale supérieure. Au sein de sa classe politique, Wojakowski était perçu comme un électron libre, on l'adulait autant qu'on s'en méfiait. Osman prit place devant son bureau. À peine installé, Wojakowski anticipa ses plaintes.

« N'attends pas de moi de la compréhension.

— J'admire ton empathie… Tu m'as demandé de venir dans ton bureau pour me dire ça ?

— Doucement… Je ne suis pas ton ennemi.

— Je ne crois pas avoir reçu un appel de toi pendant ce long mois.

— Ma situation n'était pas simple. »

Osman se leva brusquement.

« Je pars, je n'ai rien à faire ici.

— Voilà ton problème, tu es trop impulsif,

Osman ! Tu n'aurais pas dû te lever et partir quand le Président t'a demandé de rester.

— Et puis quoi ? Tu aurais voulu que je reste sans rien dire après que l'autre extrémiste a évoqué des "origines noires" ?

— Le sang-froid, c'est la principale qualité de tout animal politique.

— Comment aurais-tu réagi s'il avait parlé de tes "origines juives" devant tous les conseillers ?

— Je crois que je n'aurais pas cillé. Ça m'aurait dévasté, mais j'aurais serré les dents. »

Osman se rassit.

« Ce type a tenu des propos ouvertement racistes pendant une réunion avec le Président et selon toi j'aurais dû fermer ma gueule ?

— Oui, tu aurais dû. C'est du contrôle de soi, rien de plus. Tu le connais, au jeu du rapport de forces, il gagne toujours. Tu l'as défié sur son terrain, il n'avait pas d'autre choix que de t'éliminer.

— Je ne comprends pas comment il a pu introduire un personnage aux idées aussi tendancieuses dans son entourage. Cet homme est l'incarnation de tout ce que le populisme nationaliste fait de pire ! »

Wojakowski se mit à rire.

« Il y a un côté "petit Juif" chez le Président. Il faut croire qu'il a trouvé en cette figure maurrassienne son petit morceau de France…

— Je n'ai pas supporté sa réaction.

— Tu es trop susceptible.

— Il m'a parlé de mes origines noires, tu te rends compte de ce que cela sous-entend ? Et tu me dis que je suis susceptible ?

— Oui, vous, les Noirs, vous êtes comme nous les juifs, beaucoup trop susceptibles !

— Tu ne peux pas catégoriser les gens de la sorte… "Les Noirs", je ne sais pas ce que ça englobe… Quel rapport entre un Noir américain, un Martiniquais, un Haïtien, un Noir du Liberia, un Noir français d'origine sénégalaise et moi ? Aucun !

— Arrête avec ça ! Tu sais très bien ce que je veux dire. Je parle d'une colère et d'une douleur communes. Il y a une paranoïa dès qu'on aborde ces questions-là ! On voit du racisme et de l'antisémitisme partout... Partout ! On est à fleur de peau, tu ne peux pas le nier...

— Je ne pense pas qu'en tant que juif tu sois confronté aux mêmes obstacles que moi... »

Wojakowski ne répondit rien.

« On ne t'a pas barré l'accès au pouvoir, au contraire... Tu ne peux pas nier qu'il y a une solidarité juive.

— C'est un mythe, un cliché : les juifs s'entraident, les juifs sont influents, ils ont de l'argent... c'est ridicule... Comme si je disais que les Noirs dansaient bien ou faisaient mieux l'amour. »

Osman sourit.

« Pas faux...

— Je ne nie pas qu'il puisse y avoir une familiarité entre juifs, une forme de fraternité instinctive, oui, mais une solidarité effective, non. À un certain niveau de pouvoir, rien n'effraie plus que le soupçon de grégarité, le réflexe communautaire. »

C'était vrai. Osman savait même – elle n'avait pas eu honte de le lui avouer – que Sonia avait un temps hésité à s'afficher à ses côtés, elle aurait préféré tomber amoureuse d'un Blanc. Pourquoi ? Pour éviter cette impression de club, de clan, on reste entre nous parce qu'on se ressemble.

« Si tu n'avais pas réagi si violemment, le Président aurait été de ton côté, crois-moi. Tu étais à fleur de peau ; en politique, on ne peut pas l'être. Jamais. La sensibilité est mauvaise conseillère.

— Je ne pense pas être plus susceptible qu'un autre, mais oui, je me suis souvent senti visé, discriminé en raison de la couleur de ma peau même si les choses ne sont pas toujours explicites.

— Qu'est-ce que tu croyais ? Que tu allais être accepté comme ça ? Mais ces mecs-là, ils n'en ont rien à foutre de toi ! Les élites, on les préfère blanches. Tu auras beau conquérir le pouvoir, épouser leurs filles, tu ne feras jamais partie de leur univers ! Le vieux fond colonialiste n'est pas mort ! Ces mots de Tocqueville, je les ai toujours en tête : *Il y a un préjugé naturel qui porte l'homme à mépriser celui qui a été son inférieur, longtemps encore après qu'il est devenu son égal.* Tu te souviens de l'une de tes premières réunions dans le salon vert ? Le Président t'a présenté en posant sa main sur ta tête…

— C'était un geste affectueux, rien de plus.

— Non. C'était paternaliste ! Le Blanc qui caresse la tête du Noir, moi, j'appelle ça de la condescendance raciale. »

Osman était tétanisé.

« C'est dur à entendre, Osman, mais ils t'ont placé là parce que ça les arrangeait ! Sur la photo de famille, avec ta belle gueule de Black, tu crées du contraste et c'est ce qu'ils veulent, maintenant, de la diversité !

— Et toi alors, répliqua un peu sèchement Osman, tu es entré dans l'équipe de conseillers parce que tu es juif ? »

Wojakowski retint difficilement un rire.

« Ah non, moi je suis arrivé au pouvoir *bien que* je sois juif ! Tu refuses de l'admettre, mais on a plus de chances d'entrer au gouvernement aujourd'hui si on est noir ou arabe…

— Au contraire, c'est deux fois plus dur ! Il n'y a

pratiquement pas d'exemples d'hommes politiques noirs.

— Il y a eu Gaston Monnerville… Président du Sénat, membre du Conseil constitutionnel…

— Oui, bon, mais ça date… Et au niveau local, tu crois que les choses sont possibles ? Tu crois que les Français sont prêts à élire un maire noir ? demande Osman.

— Il y a bien eu Raphaël Élizé…

— Oui mais en quelle année ? Et qui a été élu depuis ?

— Fin des années 20, je crois… Tu as raison, au niveau local, c'est un handicap, mais au niveau du gouvernement, ça peut devenir un atout et tu le sais… »

Osman balaya cette remarque d'un geste de la main.

« Ils se donnent bonne conscience…

— De toute façon, la France n'est pas prête pour la diversité ou alors une diversité complaisante, de façade, un marché de dupes. Il n'y aura jamais un président juif en France. Et un Noir…

— Un président juif, ça pourrait arriver plus vite que tu ne le crois, tempère Osman.

— Non, jamais. Je te rappelle que Xavier Vallat avait déploré, au moment de la nomination de Léon Blum à la présidence du Conseil que la France, *vieux pays gallo-romain*, soit désormais *dirigée par un juif* et on a suffisamment reproché à Pierre Mendès France de ne pas avoir assez de terre française à la semelle de ses souliers.

— C'était une autre époque…

— Non, rien n'a changé ! Tu te souviens de cette interview que Dominique Strauss-Kahn avait donnée il y a quelques années sur ce sujet ? Il avait expliqué qu'il avait longtemps pensé qu'être juif serait *un obstacle dirimant*. Moi aussi, je le pense... Tu as oublié la petite phrase de Tanner le jour où mon nom a circulé pour le ministère de l'Agriculture ? Il a dit que je n'incarnais pas l'image de la France rurale, celle des terroirs – la France qu'il aime... Ne sois pas naïf, Osman. Pas toi. Les types que tu fréquentais à l'Élysée, ils te trouvaient intelligent, sympa, sans aucun doute... mais tu crois qu'ils auraient accepté que tu épouses une de leurs filles ? Tu crois que Bernard, ce fils de famille avec lequel tu déjeunais presque tous les jours pendant six mois à l'époque où l'on disait que tu étais le protégé du Président, t'aurait présenté sa sœur Mathilde, celle qui bosse à la banque Lazard ? Tu rêves ! Tu ne sais même pas qu'elle existe ! Il a organisé un dîner chez lui avec elle et cinq membres de notre équipe, mais nous, on n'a pas été conviés ! Le problème de notre société, c'est qu'on y est constamment conditionné par son identité. Il y a quelque temps, on m'a proposé un portrait dans une émission politique allemande, eh bien, ils ont suggéré de me filmer à la synagogue ! Tu te rends compte ? À la synagogue ! Et quand j'ai refusé, tu sais ce qu'ils m'ont dit ? Et le Marais, ça vous irait ? Je te jure que c'est vrai... »

Osman se détendit, sourit.

« On est tous sur un siège éjectable, dit Wojakowski. Le jour où le ministre dont on dépend perd son portefeuille, on est viré. À dix heures, il apprend qu'il n'est plus au gouvernement. Deux heures plus tard, on doit avoir quitté les lieux. La vie politique, c'est l'instabilité et la violence.

— Que me conseilles-tu de faire ?

— Laisse passer un peu de temps. Ton tour reviendra. »

Dans la cour de l'Élysée, Osman contempla une dernière fois le Palais. En partant, il salua le personnel qui se tenait à l'entrée avec une émotion qu'il n'avait jamais ressentie, pas même le jour de son arrivée. Il traversa la rue du Faubourg-Saint-Honoré, rejoignit à pied le jardin des Tuileries. Là, assis sur un banc, devant les grands manèges de la fête foraine, il se laissa couler intérieurement comme s'il était broyé par les mâchoires puissantes d'un prédateur marin et aspiré vers les profondeurs. Il avait du mal à respirer, une masse appuyait sur sa poitrine et, dans le même temps, il percevait chez lui une mutation nouvelle : la lucidité. Il voyait désormais le monde sans filtre, compressé par sa propre douleur.

16

Quelle importance, se disait Romain en se rendant au rendez-vous que lui avait fixé Marion le lendemain de son appel, quelle importance prenait soudain cette histoire qu'ils n'avaient pas cherchée, pas préméditée, ni l'un ni l'autre, se répétait-il pour se convaincre et se dédouaner peut-être, légitimer cette précipitation à la retrouver alors qu'il ne la connaissait pas, ou à peine ; *lui faire l'amour*, cela devenait obsessionnel, il y pensait tout le temps, ça le maintenait en vie, à la surface des choses, vivant, bien vivant, le désir écrasant l'angoisse qui s'était infiltrée en lui pendant ces six mois de mission et qu'elle seule – par sa présence, son odeur, sa personnalité – parvenait à apaiser. Il ne pensait plus qu'à cela au volant de sa voiture, l'embrasser et la prendre, tout entier tendu vers ce seul but, oubliant le reste – un rendez-vous avec le psychologue de l'armée, une promesse faite à sa femme, elle n'existait plus, ça n'existait plus, un appel à sa mère, elle attendrait près du téléphone pendant des heures, mais ça ne comptait pas, ça n'avait aucune importance à côté de ce désir-là –, et quand il la vit enfin, quand il l'aperçut se diriger vers lui à la sortie du métro Bastille, il pensa que c'était là, désormais, que se jouaient son avenir, ses ambitions et ses possibilités de reconstruction : auprès de cette femme. Ils restèrent quelques secondes à se regarder sans parler, puis il s'approcha d'elle, posa sa main sur son épaule et l'embrassa sur la joue : « Je suis content de te voir. » Elle avait l'air troublée. Son visage était pâle, sa peau, presque crayeuse, et des cernes creusaient ses yeux. Elle dégageait quelque chose de désespérément triste qui accentuait pourtant l'extrême sensualité qui émanait d'elle.

« Comment s'est passé ton retour chez toi ? demanda-t-elle sur un ton neutre, presque détaché.

— Bien, et toi ?

— Ça va…

— Ton mari est venu te chercher ? »

Elle ne répondit rien.

« Tu aurais pu me dire que tu étais mariée à François Vély…

— Ça change quoi ? »

Il rit.

« Ça réduit mes chances…

— Tu n'as aucune chance.

— Je suis entraîné pour la haute montagne et les situations extrêmes. »

Elle sourit mais un voile de tristesse passa sur son regard. Il l'enlaça et la serra contre lui. Il sentait la chaleur de son corps, onde thermique qui l'électrisait, déclenchait en lui un désir inconnu. Le matin même, il avait réservé sur Internet une chambre dans un petit hôtel à proximité de la station de métro. Quand ils arrivèrent devant l'établissement, il perçut sa gêne, saisit sa main et l'entraîna à l'intérieur. Dans l'ascenseur, ils ne se touchèrent pas mais à peine eurent-ils franchi le seuil de la chambre qu'ils s'embrassèrent avec intensité et se déshabillèrent à la hâte, retrouvant les gestes, la complicité, l'intimité de la première fois. Le mystère de l'attraction physique, cette connaissance réciproque des corps, il ne se souvenait pas d'avoir vécu quelque chose d'aussi fort. « J'ai envie de toi. Viens là », lui murmura-t-il, et elle s'approcha. Il la plaqua contre le lit, l'embrassa longuement. Ils firent l'amour plusieurs fois, se parlant à peine, dans une sorte de communion. Après l'amour, ils restèrent un long moment agrippés l'un à l'autre et soudain, comme la première fois, elle se redressa et lui dit qu'elle ne voulait plus le revoir. Retour à la confrontation, au conflit, tout ce qui semblait nourrir son désir. Elle répéta : « Tu m'as entendue ? Je ne veux plus te revoir.

— Moi non plus.

— Moi, je suis sérieuse.

— Mais moi aussi.

— Je t'interdis de me rappeler.

— Je n'en avais pas l'intention. »

Elle parut décontenancée puis reprit :

« Je préfère quand même te prévenir, au cas où tu serais tenté de le faire...

— Tu sais que tu aurais pu être général, toi ? Viens là... »

Elle se rapprocha de lui. Elle souriait à présent en prononçant ces mots :

« Norman Mailer disait : *Être écrivain, c'est comme si vous étiez le général d'une armée composée d'une seule personne... Eh bien, ce général peut vraiment conduire cette armée dans un cul-de-sac !* »

Il saisit sa main, l'attira vers lui.

« Je vais t'apprendre quelque chose pour commencer. »

Elle l'observa, intriguée. Il sourit.

« Ce n'est pas un truc sexuel ! »

Elle s'allongea sur le ventre, tenant son visage entre ses mains d'une manière un peu enfantine.

« Tu sais dans quelle position tu es, là ?
— Je suis allongée.
— Nous, on appelle ça la position du cafard flytoxé…
— La meilleure.
— Et droper le djebel ? C'est crapahuter. Une fraise des bois, c'est un parachutiste. »
Il approcha ses lèvres des siennes et l'embrassa.
« Et un *kiss landing*, tu sais ce que c'est ?
— Un soldat qui tombe amoureux de sa cible…
— Non, un atterrissage tout en douceur… Enfiler des perles ?
— Raconter des histoires ?
— Non, ne rien faire ! Allez, je vais te faire passer au trapèze…
— C'est vulgaire, ça, non ? »
Il rit.
« Non ! Synonyme : je vais te starquizzer, c'est-à-dire te poser des questions… Passer à la gégène, c'est torturer… Asthmater, nitrater, c'est exploser… Et puis, il y a tous ceux qui ont une sonorité amusante.
— Lesquels ?
— Un saucisson masqué, par exemple, c'est une corvée stupide donnée par un supérieur. Flap-flap la girafe, le surnom qu'on donne aux hélicos. Les panou-panou, ce sont les électriciens des avions.
— C'est assez poétique.
— Et il y a aussi les Reptiles qui sont les jeunes soldats et les Moustachus, les anciens, les Bee Gees et les Pink Floyd, les jeunes pilotes inexpérimentés… Et les Nanas, ah les Nanas ! »
Marion le regardait maintenant avec curiosité.
« Des fusils-mitrailleurs AA 52 ! »
Il prit son visage entre ses mains et l'embrassa – « Je suis fou de toi ». Quand il se détacha d'elle, il perçut une douceur nouvelle dans son regard.

« Tu n'as pas peur quand tu es sur le terrain ? demanda-t-elle.

— Avant, oui, mais dans le feu de l'action, non, jamais.

— Mais pendant l'embuscade, tu as eu peur ? »

Il hésita à répondre.

« On ne s'y attendait pas. On est partis le matin, normalement, pour une simple mission de reconnaissance et on a été encerclés par les talibans.

— Comment ça s'est passé ?

— Tu es journaliste, non ? Je devrais te faire confiance ? On nous donne toute une série de recommandations à l'armée sur les meilleures réponses à donner aux journalistes après une mission. »

Elle se raidit tout à coup :

« Je vais faire un portrait de Farid et Vincent, pas une enquête sur l'embuscade ! Mais ne dis rien… »

Elle se détourna de lui. Il se rapprocha d'elle, « Je suis désolé », l'embrassa, la caressa, « J'ai envie de toi ». Il la prit encore, brutalement cette fois. Elle gémit si fort qu'il dut plaquer une main sur sa bouche. Ils s'endormirent. À son réveil, il la découvrit blottie contre lui. Ses cheveux blonds glissaient sur ses épaules nues. Il caressa son visage, si pâle. Elle ouvrit les yeux, lui sourit. Il la serra contre lui, alluma une cigarette.

« L'embuscade… C'est ce que l'on craignait tous… On était partis le matin, une centaine d'hommes… Parmi eux, une section de l'armée afghane et douze membres des forces spéciales américaines, une simple mission de reconnaissance comme on en faisait tous les jours. En réalité, en Afghanistan, le quotidien, c'était le calme, ça faisait des mois qu'on était là-bas et qu'il ne s'était rien passé. Notre rôle était plutôt logistique ; on n'était pas dans le combat mais dans l'approche contre-insurrectionnelle, la guerre était derrière nous ; elles n'étaient pas nombreuses les occasions de se frotter directement à l'ennemi. Certains de mes hommes s'en plaignaient, ils voulaient se battre, ils réclamaient de l'action. Moi, je ne m'en plaignais pas... Il y avait eu ce drame, la mort d'un Canadien pendant une réunion de chefs afghans, certains avaient été traumatisés mais on n'avait pas vraiment combattu, quelques tirs épars, rien de plus, et des missions de reconstruction ou de reconnaissance... Tu sais ce qu'on dit ? La guerre, c'est quatre-vingt-quinze pour cent d'attente et cinq pour cent d'adrénaline. Là-bas, ils en ont eu, crois-moi... Vers treize heures trente, on a dû descendre des véhicules parce que la route était devenue impraticable, vingt-quatre de nos hommes sont partis faire une reconnaissance à pied, il fallait grimper un petit col à mille sept cent cinquante mètres d'altitude, on était à peine à dix kilomètres de la base, mission de routine, aucune crainte particulière... Vers quinze heures trente, on était tout près du but et c'est là qu'on a été pris sous les tirs ennemis. On a été encerclés, faits comme des rats. Plusieurs de nos hommes ont été blessés ou tués. La section qui était placée en appui est venue nous soutenir mais elle a aussitôt été visée par les insurgés, nos hommes n'ont pas pu déployer les mortiers. On a été piégés.

— Qu'est-ce qui les en a empêchés ?

— Je ne sais pas ce qui s'est réellement passé... Certains disent que les percuteurs des mortiers avaient été oubliés ! Tu imagines ? C'est comme se balader pieds nus sur un terrain entièrement miné... Mais j'ai du mal à y croire.

— Vous n'avez pas eu de renforts aériens ?

— Si, des avions américains ont survolé la zone mais on était trop proches des talibans, on aurait pu être tués ! On était presque au corps à corps !

On a dû utiliser des grenades à main pour les tenir à distance et parvenir à bouger… Des renforts sont arrivés un peu plus tard, eux aussi visés par les talibans… Les avions américains sont revenus et ont commencé à attaquer… Les talibans continuaient à nous encercler ; certains de nos hommes étaient livrés à eux-mêmes, pratiquement à court de munitions. Vers vingt heures, les renforts en provenance de Kaboul sont arrivés avec des tirs de mortiers, les premiers blessés ont pu être évacués, dont Farid. En début de soirée, des hommes ont entrepris l'ascension du col pour ramener les blessés et les morts. On a retrouvé les cadavres de nos hommes dans la nuit…

— Aucun des hommes que j'ai voulu interroger n'a pu m'en parler…

— Pas sûr qu'ils t'en parlent un jour, on est tous à vif. »

Elle posa sa main sur son bras, le caressa affectueusement.

« Qu'est-ce que les talibans ont fait aux soldats qu'ils avaient capturés ?

— L'un était déjà mort, l'autre a été égorgé, on évite de le dire.

— D'après toi, ils vous ont laissés vous éloigner trop loin de votre base d'appui ? »

Il hésita à répondre, puis parla :

« Compte tenu du manque de renseignements et de l'absence de couverture aérienne, oui.

— Mais il y a une enquête, non ?

— Ils nous ont envoyé la gendarmerie… Les types nous ont interrogés comme si on était coupables de quelque chose… J'étais épuisé, je venais de perdre mes hommes et eux me demandaient ce qui s'était passé. Les résultats de l'enquête, on ne les a jamais eus ! C'est confidentiel, nous ont-ils dit, soi-disant pour ne pas donner d'informations à l'ennemi… Moi, je pense qu'on nous a envoyés dans ce bourbier sans filet de sécurité. Sans préparation. La fleur au fusil. On est restés bloqués pendant des heures sous les tirs ennemis ! On n'a reçu du renfort que trois heures après les premiers tirs. Trois heures, tu te rends compte de ce que c'est ? Les talibans tiraient sur nous sans interruption. J'ai vu la mort en face. »

Marion se colla à lui, l'embrassa en tenant son visage entre ses mains. Elle resta blottie contre lui un moment, puis se leva en disant qu'elle devait rentrer. Elle se dirigea vers la salle de bains où elle resta enfermée une dizaine de minutes, il ne la rejoignit pas. Elle avait laissé son sac à main dans la chambre, au pied du lit, à peine fermé par une bride en cuir ; dans ces cas-là, c'était plus fort que lui, presque instinctif, il avait besoin de fouiller ; au cours de ses entraînements, on l'avait formé au renseignement. Il se souvenait d'un entretien avec un instructeur, il devait avoir dix-neuf ans. Ils se trouvaient dans un bureau, ils évoquaient le bilan de la dernière évaluation, une expédition en haute montagne d'une effroyable rudesse, plusieurs candidats avaient renoncé à mi-chemin, pas Romain qui avait réussi chacune des épreuves, la montagne, c'était son univers. Et ce jour-là, au cours de l'entretien, l'instructeur avait reçu un appel. Il s'était éclipsé – cinq minutes à peine – pour y répondre. Pendant son absence, Romain avait ouvert les tiroirs de son bureau, son agenda, le tableau noir accroché au mur sans savoir qu'il était filmé. Il fut le seul à agir ainsi et à intégrer un commando d'élite. Dans la chambre d'hôtel, il s'empara du sac de Marion. À l'intérieur, il trouva pêle-mêle un trousseau de clés, un portefeuille, des dizaines de cartes postales qu'elle avait dû acheter dans des musées. Il y avait également une pochette qui contenait des feuillets épars, il n'avait pas le temps de les lire, son regard fut attiré par un petit sachet de poudre blanche dissimulé dans la poche intérieure du sac. Il goûta la poudre : c'était de la cocaïne. Il vit alors qu'elle avait laissé son téléphone portable. Il ouvrit l'historique des recherches : elle avait tapé son nom, « Romain Roller ». Il y avait même un cliché de lui dans son dossier « Photos ». Dans ses notes, il lut les phrases suivantes : « Roller. 27 ans, marié, un fils de trois ans. » Puis, deux lignes plus bas, elle avait ajouté ces trois mots : « Kosovo, Côte d'Ivoire, Afghanistan ».

17

Un sexe de femme en gros plan. Non, ce n'est pas *L'origine du monde* de Courbet, la charge érotique est plus évidente, ça sent le sexe furtif, rapide, on y lit la désinhibition, l'offre et la demande, peut-être même une forme de violence, une séduction brute – une image en noir et blanc du photographe Irving Penn que François Vély a acquise pour trente-cinq mille euros. Elle est accrochée sur un mur de sa maison, dans l'entrée principale, soumise au regard du premier arrivant, mais ne suscite aucun commentaire, les prudes sont rares, on est entre connaisseurs, *c'est de l'art.* Un peu plus loin, dans le couloir qui mène à la cuisine, François a aussi accroché des photos de l'artiste japonais Araki : filles en minijupe, elles montrent leur sexe, scènes de bondage, corps encordés – la fraîcheur. Ses enfants pourraient être gênés ? C'est une question qu'il ne se pose pas, répétant que l'art n'est pas moral, qu'il n'a pas à être beau – *on est dans le sentiment artistique, rien d'autre.* À l'entrée de la chambre de ses enfants, quatre œuvres : une photographie de Mapplethorpe sur laquelle un homme noir debout tient une femme blanche par les jambes, c'est sexuel, il y a un rapport de domination, une prise de pouvoir ; une tête de diable de

Cindy Sherman qui a longtemps effrayé ses enfants mais qu'il n'a jamais voulu retirer au prétexte que les contes pour enfants sont autrement plus terrifiants et, devant l'ancienne chambre de Thibault, deux photos : une de Molinier sur laquelle on aperçoit un homme corseté, assis sur une chaise ; l'autre de Hans Bellmer, l'artiste qu'il préfère : poupée de porcelaine désarticulée au sexe cousu de fils noirs : barbelés ? corde ? lacets ? Avant de quitter la maison familiale pour emménager dans l'appartement de la place Vauban, Thibault avait demandé à son père de retirer ces photos – le premier signe de sa soudaine conversion ? François avait tout laissé en place. La seule subversion que François revendiquait se dessinait là, dans sa capacité à choisir, acheter et exposer des œuvres à forte connotation sexuelle. Il aimait se présenter comme un *homme normal* sans savoir précisément en quoi consistait cette normalité. Il voyageait en jet privé, se déplaçait en voiture avec chauffeur, dînait dans des restaurants étoilés, collectionnait les demeures et les œuvres des artistes cotés – des attributs normaux dans le monde qui était le sien, celui des très fortunés.

La constellation du pouvoir. L'argent impressionnait, François Vély le savait, c'est pourquoi il recevait peu à son domicile. Seuls quelques intimes étaient autorisés à passer la porte de leur immense maison avec jardin et des nombreuses demeures qu'il possédait à travers le monde ; des collectionneurs généralement, devant lesquels il aimait exhiber ses possessions. Parmi les amis de ses enfants, seuls ceux issus de la grande bourgeoisie, habitués à évoluer dans ce genre d'environnement spacieux – aucune pièce ne faisait moins de trente mètres carrés – étaient conviés, des gens qui n'étaient pas choqués que l'on pût posséder une armée de serviteurs et une berline avec chauffeur. « J'ai essayé, expliqua-t-il un jour à Marion, mais à chaque fois, c'est pareil, les gens passent la porte et c'est foutu. Ils sont tétanisés ou trop aimables, pas de demi-mesure. Sans compter les opportunistes qui ne te lâchent plus. Généralement, au bout de quelques mois, ceux-là te proposent une idée *géniale*, et ils ont la solution : *j'apporte le projet et toi, l'argent*. Ça se passe toujours comme ça, c'est pourquoi je me protège. Je pourrais déménager, bien sûr, et choisir un endroit moins luxueux, mais cette maison appartient à la famille, j'y ai tous mes souvenirs d'enfance, je ne peux pas la vendre et y renoncer. » François et Marion vivaient donc dans ce lieu immense et froid, d'une sobriété quasi monacale, dans l'aile qu'avaient jadis occupé ses propres parents quand ils n'étaient pas aux États-Unis, ainsi qu'il en avait manifesté le souhait quelques semaines à peine après leur rencontre. Marion avait refusé, puis accepté, cédant à son insistance, sa force de persuasion – ce qu'il y avait de tyrannique en lui. Dès le début, leur vie commune s'était organisée selon un rapport de forces inégal. Il était le donneur d'ordres, calquant le pouvoir quasi discrétionnaire que lui conféraient ses fonctions au sein de son groupe sur celui qu'il prétendait avoir sur sa femme et ses enfants. Il y avait une forme de despotisme dans cette attitude, bien sûr, mais c'était sans compter sur l'incroyable réactivité de Marion. Cette posture d'insoumission, la tenait-elle de sa mère ? Peut-être… La contradiction politique avait forgé son caractère. Aux prémices de leur relation, elle avait aimé cette vie-là, une vie où tout était possible, où l'argent ne manquait jamais, il l'infantilisait, payait tout, et alors ? C'était reposant après des années d'insécurité affective et économique. Maintenant, rythmée par le va-et-vient des déménageurs qui apportaient ou reprenaient des œuvres d'art au gré des coups de cœur de François, cette vie lui faisait horreur.

Ce soir-là – il venait de parler à son fils –, Marion et lui étaient invités à dîner chez un grand galeriste parisien qui réunissait régulièrement une vingtaine de collectionneurs et quelques intermédiaires, des conseillers en art chargés de repérer pour le compte de leurs riches clients les artistes les plus intéressants. Marion avait insisté pour y aller. Appartement d'une superficie de quatre cents mètres carrés, en rez-de-chaussée, au cœur du VIe arrondissement de Paris, cinq mètres de hauteur sous plafond, des œuvres de Warhol, Jeff Koons, Basquiat, Richard Prince, la crème de la crème. Vély était un collectionneur passionné, il avait commencé très tôt à acquérir des œuvres ; à l'âge de dix-neuf ans, sur les conseils d'un ami, il avait vu une exposition de Rauschenberg : « Je n'ai rien compris, rien acheté mais ça m'a intrigué. » À partir de là, il s'était mis à fréquenter la bibliothèque du centre Beaubourg. L'histoire de l'art, il l'avait apprise en autodidacte. Il écumait les galeries, les foires, les biennales, achetait, pressentant les tendances, l'artiste qui comprenait l'époque, visitait les musées, les fondations, découvrait ce monde parallèle. Il regrettait parfois ce temps où l'art était encore une affaire de goût ; en quelques années, l'argent avait tout corrompu, le marché de l'art avait pris plus d'importance que l'art lui-même, les nouveaux collectionneurs cherchaient la spéculation, lui, non, qui avait revendu peu de ses œuvres acquises à bas prix. Marion aussi aimait les artistes, s'intéressait à l'influence de l'art. C'était un univers qu'elle avait découvert au contact de François ; sa mère et son tuteur ne l'avaient jamais emmenée dans des musées. Il lui avait fallu du temps pour se familiariser avec l'art moderne. François l'avait initiée à chaque artiste.

Au cours du dîner, on discuta acquisitions, une coupe de champagne à la main. *Cet acheteur n'a aucun goût mais il a de l'argent... Il y a eu Picasso, il y a eu Warhol, on attend le nouveau génie... Ce n'est qu'une question d'argent, une façon d'imposer ses goûts et de faire monter la cote des artistes qu'il a choisi de mettre en avant. C'est de la stratégie, du calcul... Les artistes ? Ce ne sont plus que des hommes d'affaires... De toute façon, un homme qui coupe son vin avec de l'eau et y rajoute un glaçon ne peut pas être tout à fait normal !* Anecdotes, ragots, mots d'esprit. Au dessert, les tables se vidaient un peu, oh, les convives ne partaient pas, la fête ne faisait que commencer, ils s'esquivaient seulement aux toilettes, à tour de rôle, non pas pour faire l'amour mais pour prendre de la coke, à six, sept, ça tournait, la poudre à gogo, apportée par un type recommandé par X qui l'a connu par Y. Marion avait disparu depuis un quart d'heure – c'était pour ça et rien d'autre qu'elle avait demandé à venir. François se leva, se dirigea vers les toilettes, Marion se tenait debout contre le lavabo, le regard vitreux, le nez talqué, entourée d'hommes et de femmes aussi éméchés qu'elle. Il la saisit par le bras, l'obligea à sortir. « Lâche-moi, tu me fais mal ! » Dans le long couloir qui menait au salon, ils se disputèrent violemment : « Regarde-toi ! On dirait une camée ! — Je fais ce que je veux. — Non, tu ne fais pas ce que tu veux ! Tu te donnes en spectacle. — C'est à cause de toi que j'en suis là ! » Il aurait pu la gifler si l'un des invités n'avait fait irruption dans le couloir. Il avait senti cette violence-là en lui.

Marion avait couru jusqu'au salon. Il l'avait laissée avancer. Il croisa un ami qui revenait de la salle de bains : « Tu veux de la coke, François ? » demanda-t-il. « Je ne prends pas ces merdes », répliqua-t-il sèchement. Il s'enferma dans les toilettes. Il transpirait. Il desserra sa cravate, glissa sa main dans la poche de sa veste et en sortit un sachet de cocaïne qu'il sniffa aussitôt. Il essuya son nez, rajusta sa cravate et sortit pour rejoindre Marion qui parlait avec un de leurs amis. « Tout va bien, François ? Tu as l'air pâle. » Il sourit. « Oui, très bien. » Dix minutes plus tard, ils se trouvaient dans leur voiture avec chauffeur qui roulait à vive allure, chacun observant à travers la vitre la ville endormie, cherchant désespérément une représentation qui se substituerait au paysage de désolation qu'était devenue leur vie.

18

Deux jours au lit, lumières éteintes, noir charbon, rideaux tirés, rien manger, boire un peu, de l'alcool, essentiellement, qu'Osman demande chaque jour à sa femme de ménage de lui rapporter, la honte est pour elle, quelle descente, bien au chaud dans ses draps beige en coton tissé Calvin Klein, seul dans ce grand appartement en plein cœur du VIIe arrondissement, près de l'Assemblée nationale, qu'il avait eu tellement de mal à parvenir à louer. Il avait dû finalement opter pour la sous-location (son loueur était un avocat – blanc). Dans l'immeuble bourgeois où il logeait, certains de ses voisins ne le saluaient pas et il avait, un matin, entendu deux personnes commenter à son passage : « Il y a des jours où l'on se croirait à Barbès. » Il avait même fait une expérience. Il avait passé deux heures entre la rue de l'Université et le boulevard Saint-Germain puis avait pris le métro à la station Duroc jusqu'à la station Saint-Denis-Université : il avait quitté un monde presque entièrement composé de Blancs pour un univers métissé. Là où il avait grandi, à Clichy-sous-Bois, il était entouré d'Africains, de Maghrébins, de quelques Antillais, mais dans le bel immeuble bourgeois qu'il occupait désormais, il était le seul Noir. Il pensait même être le seul Noir de toute sa rue. Bientôt, il ne pourrait plus payer le loyer, pas de moyens, pas de caution, pas de parents aisés qui prendraient la relève ; Sonia avait dit qu'elle assumerait tout, vivre aux crochets d'une femme : non, merci. Vieille mentalité, peut-être. Machisme ? Possible. C'est comme ça. Il n'avait pas imaginé qu'il aurait pu tomber si bas en quelques semaines, un scénario pareil, on le redoute sans y croire ; au pouvoir, le sentiment de puissance occulte la peur. Il avait perdu sa combativité, une forme de naturel aussi, sa force de conviction. Il ne voyait plus le monde qu'à travers un filtre opaque.

Il est pelotonné dans son lit, visage enfoncé dans son coussin, téléviseur allumé, quand soudain il reçoit un message – cela fait des semaines que son téléphone ne sonne plus : il y a peu de temps encore, sa messagerie était constamment saturée, il recevait des dizaines d'appels par jour, et là, surprise, le nom d'Issa Touré s'affiche sur l'écran. Issa lui propose de le retrouver dans un bar de la capitale, un de ces lieux branchés et sélectifs qu'Osman connaît bien pour y avoir déjà été invité, de nombreux artistes étrangers s'y rendaient lors de leur passage à Paris, on y était entre soi, sans risque d'être importunés. Il hésite à accepter, Issa a répondu « Crève » la dernière fois, « Crève » à son dernier message, et il est censé rappliquer comme un chien ? Pas son genre. Il en a envie, pourtant, corseté depuis si longtemps par les impératifs de l'image, ça pourrait enfin exploser : boire, s'amuser, rire fort, jouir sans réserve. Il est plus de minuit, Sonia ne rentrera pas avant le lendemain soir, elle est en déplacement à Hambourg pour un congrès sur la bioéthique. Avant son départ, ils avaient eu une violente dispute, il la soupçonnait d'avoir une liaison avec le chef de cabinet du Premier ministre, il l'avait harcelée, elle avait nié, et elle était partie en claquant la porte, *tu n'es qu'un malade ! Oui, vas-y, c'est ça, casse-toi !* Depuis, elle ne lui avait envoyé aucun message. Il voulait sortir, espérant quoi ? Issa Touré : aucune complexité intellectuelle, pas d'enjeux relationnels. Ces dernières années, Osman n'avait côtoyé que des membres de cabinets ministériels et il allait retrouver un ancien type à problèmes sauvé par le commerce de survêtements ? *Tu perds ton temps.* Pourtant, il accepte, galvanisé par une force soudaine, envie de se distraire, désir de légèreté ; la nuit, le bruit, la musique. Sortir de cette torpeur – instinct de survie. Il met un jean, une chemise blanche à fines rayures bleu pâle, un blazer bleu marine, être beau, bien présentable : tu as changé, tu n'as pas changé, on juge, on commente, ça se passera comme ça.

La nostalgie, ce sentiment qui prédestine aux plus grandes déceptions. Pourquoi ai-je accepté de le revoir ? se demande Osman en pénétrant dans le bar où une hôtesse le guide jusqu'à la table de « monsieur Touré ». Le club est plongé dans la pénombre, seules quelques faibles lumières éclairent les tables et les canapés. C'est lui, Issa : chemise blanche col italien, entouré de filles superbes, blondes, brunes, rousses, la vingtaine, pas plus, corps moulés dans des robes trop courtes, et de deux hommes, la petite trentaine, amis, gardes du corps ? Ils ne se mêlent pas à la conversation. Issa se lève, prend Osman dans ses bras et le prie de s'asseoir près de lui : « Tu as changé ! C'est quoi ce look ? » Une des filles, une grande blonde, se place à ses côtés, les mains repliées sur ses cuisses bronzées. En quelques secondes, il comprend qu'il a commis une erreur en se rendant au rendez-vous que lui a fixé Issa. Il n'a qu'une envie : faire demi-tour et rentrer chez lui, prendre un somnifère et dormir jusqu'au lendemain matin.

« Tu ne m'en veux plus ? demande Osman en saisissant le verre de champagne que lui tend une hôtesse.

— Ce n'est pas parce que tu as refusé de porter l'un de mes sweats que ma boîte a coulé, comme tu peux le voir… Mais tu vas me rendre quelques services pour te racheter. »

On y est, pense Osman. Il m'a réveillé en pleine nuit pour me demander quelque chose. Un service politique, sans doute. Il était habitué à la ronde des opportunistes. Au pouvoir, il ne recevait pas moins de cinq requêtes par jour : dérogations scolaires, annulation d'excès de vitesse, cooptation, numéros de téléphone de personnalités influentes.

« Je crains de ne pas pouvoir faire grand-chose pour toi.

— Comment tu parles ! "Je crains de ne pas pouvoir…" »

Il se met à rire, imitant le ton emprunté qu'avait utilisé Osman pour lui répondre.

« J'ai quitté officiellement la politique.

— Ah bon ? Parce qu'on dirait que t'es encore en campagne. Hé les filles ! Matez-moi ce cador ! T'es trop classe mon Osman. Pourquoi t'as quitté ton poste ? T'as pas aimé ?

— On peut voir les choses comme ça…

— Qu'est-ce qui s'est passé ? Raconte !

— Non, je ne suis pas venu pour ça…

— Allez ! Raconte en deux mots…

— Disons que le pouvoir, c'est comme ce genre de club, en général, les types basanés ou noirs comme nous n'entrent pas, et puis parfois, avec un peu de chance, un peu de fric, on les laisse passer mais ils n'y restent jamais longtemps…

— Sauf que moi, je suis associé dans ce bar ! »

Osman boit le contenu de sa coupe. Il regrette d'être venu, ne songeant qu'à trouver un prétexte pour partir. Les filles parlent entre elles. Osman n'entend pas ce qu'elles disent. L'une d'elles, une rousse à la peau laiteuse, lui plaît particulièrement. Il consulte son téléphone. Sonia ne lui a envoyé aucun message.

« Tu vas te recaser rapidement…

— Pas si facile. Tout ce petit monde fonctionne en réseau et je ne fais partie d'aucun club.

— Tu as des contacts, un gros carnet d'adresses… »

Osman acquiesce. Il se sent mal, il a envie de se lever et de partir. Tout lui semble faux, vulgaire, artificiel. Il a fait une erreur en venant, il n'aurait pas une conversation normale avec Issa, que pouvait-il comprendre à ce qu'il vivait ? Qu'espérait-il ? Un conseil en communication politique ? Il regarde en direction de la rousse. Elle lui sourit.

« Le problème, c'est le racisme, continue Issa, moi je le sens tous les jours. Pour monter son affaire, c'est deux fois plus dur quand tu viens de la cité, les banques ne te font pas confiance. Les banquiers voient ta tête, entendent ton nom et ils te disent non, alors que pour les feujs, c'est crédit total sans garanties. Idem quand tu veux louer un appart à Paris… La discrimination, je la vis tous les jours… Elle est raciale et sociale. On t'a vidé parce que tu n'avais pas la gueule de l'emploi…

— Je ne sais pas. J'essaye de ne pas devenir paranoïaque.

— Paranoïaque ? Mais non, tu es juste réaliste ! Moi, avec les banques, ça a fini par payer parce que je me suis associé avec un Parisien, un fils de famille, un Gaulois que j'avais rencontré à la boxe, il avait fait une grande école et il avait aimé mon idée. Il n'a pas regretté, crois-moi. Mais avant, rien... »

Osman a mal à la tête. Il n'en peut plus d'écouter Issa. Seule la présence de la rousse l'incite à rester.

« Pourquoi j'ai été recalé à l'armée, d'après toi, alors que les autres ont été pris ? demande Issa.

— Tu n'as pas réussi les tests, je suppose. »

Issa soupire bruyamment.

« Ah tu crois ça, toi ? Tu m'as vu ? Tu crois que je ne suis pas capable de réussir leur entraînement minable ?

— Tu sous-entends quoi ? Que tu aurais été victime de discrimination. C'est absurde... la preuve, Farid a été pris...

— Farid ? Mais tu as vu sa tête ? Il est blond aux yeux bleus...

— Il s'appelle Farid Djitli quand même...

— Et puis quoi ? Il est capable d'avoir changé son prénom. Farid, ça a toujours été une lavette, un mec qui se couche. »

Osman perçoit avec cruauté leurs clivages intellectuels, il ne dit rien, le laisse parler.

« Tu veux que je te dise ce que j'en pense réellement ? continue Issa. On n'a pas sa place en tant que Noir en France. »

Il se met à rire et reprend :

« Alors musulman et Noir comme toi, c'est pas possible ! T'es blacklisté. »

Il rit de son propre jeu de mots. Osman regarde sa montre.

« Ça va, détends-toi, réplique Issa. On discute, c'est tout... Pourquoi est-ce qu'ils t'ont jeté, tu crois ?

— Je n'ai pas envie d'en parler.

— Allez, vas-y ! Qu'est-ce que tu as fait ? »

Osman soupire.

« Je n'ai pas voulu approuver un virage vers la droite extrême.

— Et après ?

— L'un des instigateurs du projet m'a dit qu'avec mes "origines noires" il n'y avait aucun risque de méprise… Je me suis énervé, le Président m'a dit de rester, mais je me suis levé et je suis parti. Je n'aurais peut-être pas dû…

— T'as bien fait…

— C'est une question de point de vue. En partant, j'ai tout perdu…

— T'as eu raison ! Ils veulent que tu obéisses… Que tu fermes ta gueule… Ils se croient encore au temps des colonies ! Ils ont fait venir nos parents pour les obliger à faire le sale boulot, ils les ont humiliés et ils pensent qu'ils vont aussi nous dominer sauf qu'avec nous, ça marche pas… On n'est pas leurs paillassons. On ne va pas les laisser nous piétiner avec leurs chaussures pleines de merde. Moi, ma tête, je la baisse pas ! Tu as eu raison de te casser ! Tu leur as montré que t'étais pas une crevure ! On a notre fierté. T'es pas parano, crois-moi, ces types-là nous détestent, ils se croient supérieurs à nous, voilà le problème. Ils nous balancent les miettes dans l'espoir qu'on va se jeter dessus pour les dévorer… Sauf que nous on préfère crever de faim, on a notre dignité. Regarde ce qu'ils ont fait de nos parents ! T'es pas parano ! »

Osman tente de masquer son émotion. Ce discours simpliste, il a du mal à le prendre au sérieux, et pourtant, ça le touche. Ça le bouleverse. C'est la première fois depuis l'incident que quelqu'un lui donne raison, le conforte dans son attitude, ne le fait pas passer pour fou. La rousse vient s'asseoir près de lui. Issa parle toujours :

« C'est un monde de Blancs fait par les Blancs

pour les Blancs. On veut bien de nous pour les jobs pourris mais aux postes clés, où tu vois un Noir ou un Arabe ? Il n'y a pas de Noirs dans les grandes rédactions. Très peu en politique, à la télé. Au cinéma, tu as un seul acteur noir qui a réussi, et encore, on ne lui donne que des rôles de mec des cités, de braqueur, de fils d'esclave ou de sans-papiers. En général, c'est un mec sympa, toujours de bonne humeur, qui bouge bien son corps, ça vole pas haut. Un intello noir au cinéma, à la télé, en France, tu as déjà vu ça ? Dans les affaires, je n'ai pas rencontré un seul banquier noir. Je vais te dire ce que j'en pense : le ghetto, ce n'est pas nous qui le créons, nous, on a tout intérêt à nous mélanger, à trouver notre place, non, le ghetto, c'est eux qui le créent ! C'est eux, par leur attitude, leur façon de nous exclure, de nous fuir, de nous cataloguer, de nous parquer. Même dans leurs écoles, ils ne veulent pas de nous – la mixité sociale, je rigole –, non, ils ne veulent pas de nous dans leurs bons établissements au cas où on ferait baisser le niveau de leurs gosses… Et quand il y en a un qui entre, qui fait son trou parce qu'il est plus malin que les autres, plus intelligent, tu peux être sûr que l'année d'après, tous ces connards de Blancs retirent leurs gosses pour les inscrire dans des écoles privées, des écoles cathos, eux qui se prétendent laïcs et républicains, mon cul ! La réalité, c'est qu'ils veulent pas de nous sur leur territoire… C'est mort pour nous, ça on le sait, et on devrait en plus la fermer ? Non. Il faut hurler.

— Tu as une vision partiale, parcellaire et manichéenne des choses à laquelle je n'adhère pas du tout… C'est beaucoup plus complexe, l'école a tout fait pour favoriser cette mixité sociale mais beaucoup n'ont pas voulu s'intégrer au système, se soumettre aux lois de la République. Certains ont méthodiquement saccagé toutes les chances qui leur avaient été données. »

Entendant cela, Issa retient difficilement un rire.

« Oui, arrivés au pouvoir, vous dites ça. Vous ne voulez pas être assimilés aux autres, ceux qui resteront en bas de l'échelle, parce qu'ils vous renvoient une image négative de vous-mêmes, mais moi, je dis : allez dans les grands magasins et vous verrez qui sont les vigiles, allez à l'hôpital et dites-moi qui passe la serpillière… Allez dans les jardins publics, à la sortie des classes dans les beaux quartiers de Paris pour voir qui essuie la morve des gosses… Regardez, en descendant de l'avion, qui va nettoyer l'appareil ou sortir vos bagages des soutes…

— Tu généralises, c'est réducteur, tu ne peux pas dire ça, je ne nie pas qu'il y ait des problèmes de discrimination, mais de là à tenir un discours aussi radical…

— On vit une forme moderne d'esclavage, rien d'autre… Les mecs, on leur donne mille deux cents euros pour nettoyer la merde des Blancs ou se faire buter à leur place, et s'ils ont le malheur de se plaindre, on les remplace par d'autres, plus soumis, qui fermeront leurs gueules. »

Un homme les rejoint. La trentaine, de type maghrébin, il remet discrètement quelque chose à Issa. Osman ne se mêle pas à la conversation, la rousse se colle à lui et il aime ça. Il a trop bu, trop fumé, il a du mal à résister quand elle lui propose de l'accompagner dans une pièce voisine, une salle plongée dans l'obscurité aux murs laqués noirs. Elle insiste et il la suit. Issa lui lance un regard de connivence. Deux minutes plus tard, il est alangui sur un des canapés, la fille sur ses genoux.

La suite, il a du mal à s'en souvenir… Le réveil dans une Porsche noire stationnée sur un parking public au cœur de Clichy-sous-Bois. En fond sonore, un rap du groupe Mafia K'1 Fry :

On l'a pas souhaité, on l'a pas voulu. Après nous avoir pillés, la France continue à nous humilier. Discrimination sociale, raciale, inégalité économique, répression, ouais la France nous met la pression ! C'est dans la tête que ça s'passe ! On veut pas s'laisser faire, on veut notre part et du respect. Conserver notre liberté, pas d'menottes aux poignets, c'est la guerre !

Osman est assis à l'arrière du véhicule, pantalon baissé, la fille rousse endormie sur ses jambes. Il la repousse doucement. À ses pieds, un préservatif usagé, l'horreur, et, face à lui, Issa qui le filme avec son téléphone portable en ricanant. Osman place aussitôt sa main devant l'écran. « T'es malade, efface ça tout de suite ! » Violent tout à coup : « Efface ça ou je te défonce. — Ça va, ça va… tu crois quoi ? Que je vais la mettre sur Facebook ou YouTube ? » Issa rit. Osman se rhabille et ouvre la vitre, un filet d'air glacé pénètre l'habitacle du véhicule. Il aperçoit les grandes barres de HLM trouées de fenêtres minuscules d'où brandillent des antennes paraboliques, serviettes de toilettes, linges de maison, blocs gonflés d'humains prêts à exploser. À l'avant, à la place du mort, une fille à la peau mate, la robe relevée, culotte fuchsia, augmente le son :

On l'a pas souhaité, mais c'est la guerre ! Grandir en cité, tu l'sais, c'est la guerre ! Inégalité sociale mon frère, c'est la guerre ! La France veut nous faire du mal, normal, c'est la guerre ! On cherche à s'en sortir ma sœur, c'est la guerre ! Faut construire un avenir meilleur, c'est la guerre ! On s'bat pour nos parents, comprends, c'est la guerre ! On veut pas qu'nos enfants galèrent donc c'est la guerre !

Osman lui demande de baisser le son, dit qu'il veut rentrer. Issa obéit, secoue ses cheveux, se regarde dans le rétroviseur, « Ça va, ça va ». Il se tourne alors vers les filles et leur ordonne de sortir du véhicule. « Tu ne peux pas nous laisser là ? » demande la rousse avec un tremblement dans la voix. « Et pourquoi pas ? Vous voulez peut-être que je vous emmène chez ma mère ? » Il rit, d'un rire grave, sardonique. La fille se met à pleurer, elle explique qu'elle a peur, froid, elle répète qu'on va les violer s'ils les laissent seules ici.

« C'est ça, réplique Issa, on est tous des violeurs ici, pauvre conne ! Tu en as d'autres des clichés comme ça ?

— Appelle-leur un taxi, exige Osman.

— Un taxi ? Mais personne ne vient ici ! Tu crois quoi ? T'es dans la cité, là, pas sur les Champs-Élysées.

— Tu les déposes à une station de RER sinon je le fais moi-même.

— Laisse tomber, Osman, on ne va pas se galérer, c'est que des putes. »

Osman le saisit par le col.

« Tu redis ça encore une fois et…

— Ça va, je déconnais, t'es nerveux en fait… Tu crois que je vais les laisser ici ? Je suis pas un monstre ! »

Pendant le trajet jusqu'à la gare RER, la musique couvre leurs silences. Les filles descendent de la voiture en titubant un peu, la gare est déserte.

« Ce n'est pas dangereux de les laisser là ? demande Osman.

— Tu voudrais que j'attende avec elles sur le quai et que j'attrape une angine ? Faut pas abuser… »

Osman dit qu'il va accompagner les filles jusqu'au quai. Quand il revient, Issa lui donne une tape amicale sur l'épaule.

« Tu trouves pas que t'en fais trop, là ? T'as l'intention de les demander en mariage ? »

Osman cache mal son exaspération.

« On va passer une heure chez ma mère pour prendre un café et je te ramène à Paris. »

Ils roulent pendant une dizaine de minutes. Issa chante : « *Planquer l'cachet, penser à sa famille, la nourrir, plaider des causes pour lesquelles, faut être prêt à mourir, c'est la guerre ! Sirènes ! Bouna et Zyed ! Palestine, djihad, hijeb, six lettres, G-U-E-R-R-E !* » Il crie ces mots en souriant, Osman ferme les yeux et somnole. Quand il les rouvre, le véhicule d'Issa est stationné devant un petit pavillon en meulière.

« T'as vu le palace que j'ai offert à ma mère ? »

Osman le suit à l'intérieur de la maison. Tout est impeccablement rangé. Ils prennent place dans un salon aux tons neutres.

« Ma mère va nous servir quelque chose », dit Issa en se dirigeant vers les chambres attenantes.

Quand il revient, il tient une arme.

« Tu es dingue ! hurle Osman.

— Il est vide, dit Issa, en ouvrant le chargeur. Tu sais ce que disait Al Capone : *On obtient plus avec une arme et un sourire qu'avec un sourire seul.* »

Une femme âgée d'une cinquantaine d'années, vêtue d'une longue jupe bleue et d'un chemisier jaune qui contraste avec sa peau noire, fait irruption dans la pièce. « Ma mère », dit Issa. C'est la première fois qu'Osman la rencontre. À Clichy, quand il recevait Issa, c'était toujours son grand-père qui l'accompagnait. Osman salue la mère d'Issa et se rassoit.

« Alors tu m'as rappelé pour me donner des nouvelles de Farid, Xavier et Romain ? demande Issa.

— Oui, ils étaient tous les trois en mission en Afghanistan, Farid est à l'hôpital, il a sauté sur une mine.

— Quels cons !

— Pourquoi tu dis ça ?

— Ils n'ont été que de la chair à canon. Cette guerre, elle n'a servi à rien, elle a été téléguidée par Bush après le 11-Septembre. Ce malade a entraîné toute l'Europe dans cette galère.

— Et tu voulais quoi ? Que les Européens restent là sans rien faire, avec la menace terroriste que les talibans représentaient ? Ou alors tu fais partie de ceux qui légitiment les attentats, c'est ça ?

— J'ai jamais cru au 11-Septembre.

— Ah non là je sens que je ne vais pas pouvoir entendre ça…

— C'est un coup des Américains et de ces chiens de sionistes.

— Je ne veux pas en entendre davantage…

— Le pauvre, il ne veut pas entendre la vérité… Vous êtes tous endoctrinés par l'Occident, corrompus jusqu'à l'os… Tu m'as rappelé uniquement pour nous réunir avec les trois blaireaux ? Mais moi je n'en ai rien à foutre d'eux ! Je ne veux pas les revoir ! Je suis censé les applaudir ? Ils sont allés casser du musulman en Afghanistan et je devrais dire bravo ? Qu'ils crèvent ! »

De nouveau ce mot radical – « Crève ! ». Ce discours sectaire, intégriste, ça terrifie Osman tout à coup. Il se demande ce qu'il est venu faire ici au lieu de rester chez lui. Il n'a plus qu'une envie : fuir, et retrouver les filles qui attendent sans doute encore le premier train.

« Je te choque ? Les gars comme Farid, ça me dégoûte.

— Il faut que j'y aille, réplique sèchement Osman. Je vais prendre le RER.

— Non, je vais te déposer. »

Issa se lève, se dirige vers une pièce attenante. Osman observe la mère. Elle n'a pas dit un mot pendant toute la conversation. Quand Issa revient, il tient un ouvrage. Il s'assoit près d'Osman, lui montre le livre sur lequel il est écrit : *Gotha noir de France. Démentir les préjugés par l'exemple*. « Regarde ça. » Puis il se lève et disparaît en direction du couloir. Osman le feuillette : c'est une sorte de *Who's Who,* à la différence que toutes les personnalités citées sont noires. À la lettre T, il aperçoit la fiche consacrée à Issa.

ISSA TOURÉ

Entrepreneur, créateur de la marque Wild Wolf.

Né en 1982 à Clichy-sous-Bois, Issa Touré est un entrepreneur français d'origine malienne qui a créé au début des années 2000 la marque de sport Wild Wolf.

Il dirige aujourd'hui une soixantaine d'employés.

Il est très impliqué dans la lutte contre les discriminations raciales.

« Ce n'est même pas moi qui ai demandé à y être. Je n'y ai jamais mis les pieds », plaisante Issa. Puis il lui tend un sweat-shirt gris chiné à l'effigie d'un loup sauvage. « Tiens, c'est pour toi. Maintenant qu'ils t'ont mis au placard, tu vas pouvoir le porter. »

19

Romain avait confié des éléments ultra-confidentiels à une inconnue. Il avait découvert qu'elle avait fait des recherches sur lui. Qui était cette fille ? Une espionne ? Était-elle vraiment journaliste ? Préparait-elle une enquête ? Travaillait-elle pour le compte du ministère de la Défense ? En quelques secondes, Romain imagine plusieurs hypothèses, il se persuade qu'elle est là en mission et, en sortant de l'hôtel, il la suit. Elle prend le métro, la ligne qui mène à Mairie des Lilas. Du wagon voisin, il l'aperçoit, droite et pâle, les yeux rivés sur l'écran de son téléphone. Un homme joue de l'accordéon, il a du mal à rester concentré, l'angoisse monte en lui à mesure qu'il se remémore tout ce qu'il lui a dit. Elle descend à la station Porte des Lilas, dans le XXe arrondissement de Paris. Il se demande ce qu'elle va faire dans ce quartier populaire, situé à l'opposé de là où elle vit. En sortant de la station, elle téléphone en marchant puis entre dans un café, à l'angle d'un grand boulevard. Il attend dehors, à quelques mètres de l'entrée, dissimulé derrière une camionnette. Il se sent nerveux quand soudain, il la voit sortir. Il ne peut pas la suivre, la rue est déserte, elle le repérerait immédiatement, elle longe un immense bâtiment en pierre, semblable à une prison. Quand elle est loin, il marche à son tour dans sa direction, veillant à ne pas être remarqué. Sur l'un des murs, il lit l'inscription suivante : « Zone militaire. Défense de filmer ou photographier ». Plus loin, un autre panneau indique : « Zone protégée ». Il demande à un passant quel est ce bâtiment et l'homme lui répond que c'est le siège de la Direction générale de la sécurité extérieure, la DGSE. Marion pourrait être un agent ? Ce qui l'achève, c'est la certitude qu'elle a, depuis le début, joué un rôle. Il est là, au milieu de la rue, incapable de bouger, ou même de réfléchir. Un taxi passe à proximité. Il le hèle. « Hôpital militaire, s'il vous plaît. »

Pendant le trajet, il ne pense qu'à cette révélation, échafaude des plans, émet des hypothèses. La plus évidente est qu'il représente une menace car il est l'un des seuls à savoir précisément ce qui s'est passé le jour de l'embuscade, l'un des seuls capables de mettre en cause ses supérieurs, de dénoncer les dysfonctionnements. Mais ce qui le bouleverse, c'est moins de s'être fait prendre comme un débutant que de comprendre qu'elle ne l'avait jamais désiré, jamais aimé, et même si leur aventure n'avait été que le résultat d'une initiative personnelle, il ne pouvait s'empêcher de conclure qu'elle n'avait cédé qu'à une vague pulsion sexuelle – rien qui l'attachât à lui.

Vingt minutes plus tard, il est à l'hôpital militaire où l'attend Farid, gisant dans son lit, le corps perforé de tuyaux reliés à une machine bruyante. Une odeur âcre flotte dans l'air. Romain s'approche de lui, pose machinalement sa main sur la sienne alors que Farid ne sent plus rien, l'accident l'a laissé tétraplégique.

« Comment se porte le héros national ?

— Je ne peux bouger ni mes bras ni ce qu'il me reste de jambes, ma compagne pleure toute la journée, ma mère est sous prozac, c'est la grande forme ! »

Romain l'étreint et aussitôt, Farid se met à parler.

« Quand je me suis réveillé, j'étais là… Je ne sentais plus mes membres, je pouvais seulement constater que je n'avais plus de jambes, et j'ai pensé : merde, c'est tombé sur moi ! La dernière image que j'ai, c'est nous, en plein djebel afghan, on marche, et tout à coup, ça fuse, les tirs talibans, en face, on est exposés, en plein dans la ligne de mire, je me positionne comme je peux, ça tire de tous côtés, je parviens à me placer derrière un rocher, Vincent me rejoint et là, il tombe, il est blessé, je me précipite vers lui pour l'aider, je pose les pieds sur… sur quoi en fait ? De la rocaille, de la terre sèche ? Et bang, mes jambes sont déchiquetées, je m'effondre, je me vois, en lambeaux, les jambes qui pendent, un sifflement perfore mon tympan, puis plus rien. Et je me retrouve à l'hôpital, dans ce lit, perfusé de partout. On m'annonce que Vincent est mort, qu'on m'a amputé des jambes et que je suis paralysé. »

Romain détourne son regard.

« Aucun des chefs n'est passé, tu te rends compte ?

— Ils vont le faire, attends un peu…

— Ils ne le feront pas…

— Sois patient…

— Pourquoi prends-tu leur défense ? Nous avons été de la chair à canon, rien de plus…

— Ils se sentent responsables. Ils ont fait ce qu'ils ont pu et la mission a mal tourné…

— Mal tourné ? Non. Elle a été mal préparée.

— Comment auraient-ils pu imaginer que les talibans nous tendraient une embuscade ?

— C'est leur job d'anticiper, non ? »

Romain se lève, se dirige vers la fenêtre. À travers la vitre, il voit un homme en chaise roulante poussé par une jeune femme. L'homme porte un sweat-shirt à l'effigie du bataillon des chasseurs alpins.

« Tu m'écoutes ? » demande Farid. Romain se retourne, l'air grave. Il hoche la tête de bas en haut en signe d'acquiescement.

« Comment expliques-tu qu'ils n'aient pas sécurisé la zone avant ? La veille, ils sont allés en repérage avec un des traducteurs afghans, il faut être fou, non ? Autant balancer directement l'info aux talibans… Le lendemain, ils n'avaient plus qu'à nous cueillir… » Romain reste mutique, les yeux fixés sur le goutte-à-goutte.

« Et puis, tu trouves ça normal, toi, qu'ils nous aient envoyés en première ligne quand les soldats afghans se la coulaient douce derrière ? Merde, c'est pour eux qu'on était là, pour les libérer de la présence talibane, pour les former, les aider, et ces minables, dès qu'ils ont vu que ça tournait mal, ils ont décampé ! Les lâches !

— Ils ont essayé de sauver leur peau, c'est humain…

— Ah oui ? Et nous alors, on est quoi ? Leurs gilets pare-balles ?

— C'est aussi pour ça qu'on était là-bas, pour leur apprendre à se battre, à se défendre le jour où l'on ne serait plus sur le terrain.

— Mais ils étaient défoncés en permanence ! Le jour de l'opération, ils avaient fumé plus de shit que nous en toute une vie… S'il n'y avait pas eu les Américains, on serait tous morts !

— On ne saura jamais réellement ce qui s'est passé…

— Regarde-moi ! Voilà le résultat ! Voilà ce qui s'est passé ! On s'est fait baiser ! »

Farid parle sans discontinuer.

« Mon père dit que tout cela n'aura servi à rien... On est partis se faire exploser la tête en plein été pendant que les Français se la coulaient douce au bord de la mer : *on va à la plage avant ou après la sieste ? Vous voulez boire quoi pour l'apéro ?* Connards ! On risquait notre peau pour les protéger d'une action terroriste, et tout ça pour quoi ? Elle est où la reconnaissance ? Qui se souciait de nous ? Personne !

— C'est notre rôle, c'est pour cela qu'on s'est engagés... Il ne faut rien attendre en retour. Nous, on connaît l'utilité et le sens de notre action.

— C'est facile pour toi, tu es valide, tu es entier, tu as un avenir. Pour moi, c'est fini... »

Romain ne réagit pas, répétant intérieurement ces adjectifs, « valide, entier », lui qui se sent disloqué, en lambeaux, qui pense ne jamais s'en remettre et ne parvient plus à se lever sans trembler, se coucher sans peur. Il a envie de lui dire qu'il aimerait être à sa place : amputé, paralysé, on verrait sa blessure. La sienne restera invisible.

« Tu ne m'enlèveras pas de la tête que nos hommes sont morts pour rien, continue Farid. Le père de Vincent va porter plainte contre l'armée...

— Ça ne changera rien. Il n'y aura pas de suites et tu le sais. La hiérarchie militaire y veillera...

— La hiérarchie, bien au chaud pendant qu'on se faisait nitrater... La vérité, c'est que l'État nous envoie sur le terrain et après, nous lâche... Maintenant, à tous les coups, le ministre de la Défense ou l'un de ses sbires va débarquer dans la chambre pour me remercier : *la Nation est fière de vous, vous êtes l'honneur de votre pays*, toutes ces conneries. »

Un silence profond se fait. Romain se sent coupable de ne pas avoir protégé Farid. De l'avoir incité à s'engager avec lui dans l'armée. C'était lui, à l'époque, qui les avait tous convaincus de le suivre dans cette aventure. Seul Issa, en étant recalé aux épreuves d'admission, y avait échappé. Farid l'imaginait directeur d'une société prospère ainsi que l'avait décrit Osman ; eux avaient détruit leur vie, *tout ça pour quoi ?*

« Comment c'était Paphos ? demande Farid qui se radoucit tout à coup.

— Bien… Je partageais la chambre de Xavier.

— Il ne m'a pas appelé non plus ce fils de pute.

— Il n'a pas eu le temps peut-être.

— Peut-être.

— Tu ne devineras jamais qui j'ai revu là-bas… Osman Diboula…

— Osman ? Il était en vacances en même temps que vous ?

— Non… Il est conseiller à l'Élysée… Il était là pour écrire un rapport sur le sas de fin de mission.

— Non ! Tu es sûr qu'on parle du même ?

— Oui. Après les émeutes, il s'est engagé en politique…

— Je ne savais pas…

— Osman enrôlé à droite…

— L'opportuniste !

— Tu ne le reconnaîtrais pas ! Il m'a demandé de tes nouvelles et aussi de Xavier et Issa… J'ai pensé qu'on pourrait se revoir quand tu serais sorti… »

Farid détourne le regard et répond qu'il ne sortira pas de l'hôpital avant plusieurs mois. « Pourquoi les revoir ? Pour qu'ils me retrouvent dans cet état ? J'étais le plus sportif de nous tous. Et maintenant, regarde-moi ! »

Il laisse s'écouler un long silence, puis reprend : « Je dois vivre enfermé dans ce corps jusqu'à la fin de mes jours. » Disant cela, il se met à pleurer. « Je ne peux même pas m'essuyer, tu te rends compte ? »

Romain prend un mouchoir en papier dans une boîte posée sur la table de chevet et le passe délicatement sur le visage de Farid. Il pose sa main sur son épaule. Il y a un moment de flottement, Romain n'ose pas retirer sa main. Ils restent ainsi, comme pris au piège d'une structure métallique, incapables de bouger le moindre membre, les sanglots de Farid rythmant cette pose mortuaire. Romain revoit une scène, la veille de leur départ, tous réunis dans une boîte à strip-tease, la musique, l'alcool et ces filles qui ondulaient autour de rampes lumineuses, l'excitation alors – la vie. Une infirmière entre dans la chambre, Romain se redresse, il est contraint de partir, laissant Farid sur son lit d'hôpital. Dans le couloir, il sent une masse se former dans sa poitrine, occupant tout l'espace, comprimant chaque organe. Sa bouche est sèche, il marche vite, en jetant un regard dans les chambres entrouvertes, quand il aperçoit la mère de Farid, une belle femme blonde, un peu massive, aux grands yeux pers ; elle s'avance vers lui, le visage flanqué d'un masque de douleur qui dit la peine et les insomnies. Il redoutait ce moment. Il attend qu'elle soit à sa hauteur pour la saluer. Il s'avance pour l'embrasser mais elle le repousse violemment. « Tu n'as pas protégé mon fils ! » Sans même attendre sa réponse, elle s'éloigne en direction de la chambre de Farid. Romain est pris d'un vertige. Au milieu du personnel de l'hôpital qui va et vient, des brancards qui barrent son passage et des patients qui marchent, à pas lents, avec difficulté, luttant contre une force obscure, il éprouve une sensation d'étouffement, comme s'il allait être écrasé. Une sensation semblable, il n'en avait ressenti qu'en Afghanistan un jour où, dans le marché principal, il avait cru que la foule allait l'ensevelir. Il suffoque, ne sachant plus où il se trouve : Paris ?

Kaboul ? Il se rend aux toilettes de l'hôpital d'un pas rapide, courant presque, bousculant une infirmière qui lui demande s'il a besoin d'aide. « Non, ça va, ça va aller. » Romain ouvre le robinet, asperge son visage à grande eau, son cœur palpite dans sa poitrine, il en perçoit chaque battement avec une acuité particulière, ça pulse, rejetant quelle détresse, quelle culpabilité ? Ses jambes tremblent, il tient à peine debout. *Tu n'as pas protégé mon fils.* Comment aurait-il pu ? Il ne parvenait même pas à se protéger de lui-même.

20

Son sens de la communication, son obsession du contrôle – tout ce qui, à terme, pourrait lui nuire. Pour François Vély, chaque détail compte car chaque adjectif forge sa légende. Rien n'est laissé au hasard, le papier doit être élogieux, l'image flatteuse. Habituellement, il donnait ses rendez-vous dans des bars d'hôtel, où il réservait sa table à l'année, au Meurice ou au Royal Monceau, mais cette fois, pour l'entretien qu'il avait accordé au supplément d'un magazine d'information, il avait retrouvé le journaliste dans un petit bistrot de la rue de Rome. « En termes d'images, c'est meilleur, avait dit Étienne. Ces bars d'hôtels sont un piège : si tu invites le journaliste, tu inverses les codes, il peut mal le prendre, et si tu le laisses payer, à quinze euros le gin tonic, tu l'étrangles, pas sûr que sa rédaction lui rembourse sa note de frais, il t'en voudra à mort. Choisis un petit café tranquille dans un arrondissement bourgeois mais pas trop. » Assumer le choix du pouvoir sans l'exposition outrancière de ses attributs, en somme. Le risque dans cette confrontation médiatique était toujours la distorsion entre votre réel et celui de la personne qui vous interrogeait. Or, dans le travail quotidien d'un chef d'entreprise comme François, tout était organisé afin qu'il ne pense à rien d'autre qu'à ses dossiers. Le risque de déconnexion avec la réalité était donc très grand.

François arrive à l'heure au rendez-vous dans le café désert à cette heure de l'après-midi. Il est en train de feuilleter un journal quand il voit arriver vers lui un homme d'une vingtaine d'années, vêtu d'un jean et d'un pull-over, des baskets aux pieds, qui se présente d'une façon un peu gauche avant de préciser sur un ton embarrassé que le journaliste qui devait mener l'entretien – le rédacteur en chef des pages économiques – venait d'être hospitalisé, il a été désigné pour le remplacer « au pied levé ». À l'énoncé de cette expression, François se renferme et a presque envie de lui dire qu'il ne donnera pas cette interview, cette nouvelle le contrarie et il peut, à cet instant, difficilement le masquer. On lui a envoyé un stagiaire, pense-t-il, et il a naturellement un a priori négatif. Le jeune journaliste mène une interview assez banale, lui demandant de raconter son enfance, son parcours, souhaitant savoir en quoi consiste son travail et conclut l'entretien par un questionnaire de Proust, rien de très original ; François n'a pas le sentiment d'être piégé ou mis en difficulté, il répond avec aisance, éludant les questions d'ordre privé – elles ne sont pas nombreuses, le journaliste n'évoque ni le suicide de Katherine ni sa face sombre –, pas un mot sur ses débuts dans l'industrie du sexe, aucune référence au surnom que certains journalistes n'avaient pas hésité à lui donner : « le roi du porno ». Plusieurs questions par contre sur sa prise d'influence au sein d'un grand quotidien dont il est l'un des actionnaires, ce qui apaise François, ainsi recrédibilisé, moralisé par le journaliste lui-même. François se souvient d'avoir prononcé les phrases qu'il avait préparées avant l'entretien : « Je suis un homme d'influence, pas de pouvoir », « Je ne suis pas un mondain, je sors peu, mon réseau est surtout international », « J'ai une grande force d'impassibilité », « L'endroit où je me sens le mieux au monde ? Les églises ». À aucun moment le journaliste ne cherche la confrontation, la contradiction – trop lisse pour être honnête ? À la fin de l'entretien, ils évoquent son salaire, François rappelle à quel point son métier le passionne, l'argent, explique-t-il, n'est pas sa motivation première, et il conclut par ces mots que son père citait souvent : « Je ne tiens pas à être le plus riche du cimetière. » Le journaliste lui demande s'il peut contacter des gens de sa part et François lui transmet les coordonnées de trois de ses amis : Étienne Léger, son collaborateur, une responsable de galerie d'art qu'il connaît depuis l'enfance, et un troisième qui dirige une chaîne d'information. Pour finir, ils se serrent la main et le journaliste lui dit que l'article sera publié la semaine suivante : « J'ai vingt-quatre heures pour l'écrire », plaisante-t-il. Après l'avoir quitté, François téléphone à ses amis pour les prévenir de l'appel imminent. Ils conviennent de ce qu'ils diront au journaliste : des compliments et un petit coup de griffe pour éviter le piège de la flagornerie. « Je vais dire que tu es un être exceptionnel mais un peu rigide », « J'ai le droit de révéler que tu es un psychopathe doublé d'un pervers narcissique ? », « Je vais communiquer le montant de ton dernier bonus ! » – ils rient. Puis François appelle Marion et prononce ces mots dont il se souviendra longtemps : « Un portrait, on aimerait que ça se passe toujours comme ça. »

Le lendemain, pourtant, il se persuade que le journaliste était trop jeune, inexpérimenté, qu'il en avait trop dit, sur son métier, notamment, il avait donné des détails relatifs à la fusion qu'il préparait avec le groupe américain Szpilman, avouant la part de bluff et de jeu, livrant quelques clés alors qu'il savait que la confidentialité et la discrétion étaient la règle. François avait donc essayé plusieurs fois de joindre le directeur de la rédaction – un ami – pour obtenir des informations, espérant même pouvoir lire l'article avant la parution comme il y parvenait parfois à force de pressions. Ses contacts ? Ils sont partout. Des hommes, des femmes d'influence avec lesquels il entretient des relations de travail, d'intérêt peut-être, mais surtout d'affection. Il les aide, les aime. Ils savent ce qu'ils lui doivent et ce que, en retour, ils sont contraints de lui donner. Il garde en mémoire chaque détail, chaque trahison, ne pardonne rien, et surtout pas un mauvais papier. Un journalisme de connivence ? L'idée ne l'offusque pas ; dans un monde qui fonctionne selon un système clanique, un monde où chacun cultive ses réseaux, il ne voit aucune contradiction à être actionnaire d'un journal et à réclamer, dans ce même journal, un article qui lui serait favorable (une faveur qu'il n'obtenait pas toujours, mais il essayait).

Au téléphone, le directeur de la publication esquive : il l'affirme, le papier est bon, très bon même, il n'y a pas à s'inquiéter. François insiste. Le journaliste paraît maintenant exaspéré : « Je suis désolé, même si je te donnais à lire le portrait, tu ne pourrais pas en changer une ligne, alors quelle importance ? Je te l'ai dit, il est bon pour toi, n'insiste pas, s'il te plaît, laisse-nous faire notre travail. » François raccroche. Pourtant, une angoisse diffuse perdure. Ce jour-là, sans expliquer pourquoi, il est incapable de travailler.

21

La soirée d'anniversaire de la femme du Président – une soirée en petit comité qui se déroulait dans un restaurant de la capitale où le couple avait ses habitudes, sur les quais de Seine –, l'événement qu'Osman attendait avec une certaine fébrilité comme si son retour en grâce se jouerait ce soir-là, devant la cinquantaine de privilégiés qui avaient eu la chance d'être conviés. Osman savait qu'il était apprécié de cette femme, il avait d'ailleurs reçu un petit mot d'elle après l'annonce de son départ, quelques phrases griffonnées à la va-vite, mais ça l'avait ému. Il espérait une forme de réhabilitation, la réintégration du cercle, peut-être même un simple rapprochement, tout plutôt que cette mise à l'écart. Tous ses anciens collègues seraient là. Sonia aussi était invitée. Dès la réception du carton d'invitation, ils avaient acheté le cadeau de la femme du Président, un carnet en cuir grené bleu électrique de chez Smythson à Londres, gravé à ses initiales, impression or.

Osman soupçonnait Sonia d'être gênée de s'afficher à son bras dans une soirée officielle, elle insistait pour qu'ils ne s'y rendent qu'en milieu de soirée et non pas au début comme il le préférait, pour avoir la chance de dire un mot au Président avant que les autres invités ne se disputent sa présence comme c'était le cas chaque fois qu'il se trouvait quelque part. Osman se détendit en voyant l'une de ses anciennes collaboratrices à l'entrée du restaurant ; elle fumait, il lui fit un signe de la main auquel elle répondit brièvement. Sonia et lui s'avancèrent vers le comptoir de l'accueil, prononcèrent leurs noms, Osman serrait le petit sac contenant le cadeau entre ses doigts ; l'hôtesse, souriante, tourna les pages de sa liste, il la détailla, elle était superbe : brune, les cheveux coupés au carré, vêtue d'une petite robe noire un peu courte comme les deux autres hôtesses ; elle barra le nom de Sonia, puis chercha celui d'Osman mais il vit son visage se décomposer à mesure qu'elle pointait les noms qui défilaient sous ses yeux, anticipant l'humiliation : *je suis désolée, vous n'êtes pas sur la liste.* C'est impossible, regardez, dit-il en désignant son carton. « Votre nom ne figure par sur le carton. » Excédé, il ajouta qu'il était inscrit sur l'enveloppe, il n'avait pas rêvé. L'hôtesse s'éclipsa un instant pour se renseigner auprès de la responsable du protocole. Quand elle revint, il ne restait plus rien de la fille joviale du début : « Je suis désolée, je ne peux pas vous laisser entrer. » Il avait été pourtant parmi les premiers à recevoir l'invitation un mois auparavant, mais c'était quelques jours avant l'altercation avec le nouveau conseiller, avant l'éviction, la mise en quarantaine. Personne, parmi les invités présents, n'avait fait le moindre geste pour lui faciliter l'accès, arguer de son identité, pas même sa collaboratrice qui s'était aussitôt précipitée à l'intérieur pour ne pas avoir à prendre parti. Plus tard, à ses parents, il dira ces mots : « J'ai eu la honte de ma vie. » La honte – ce sentiment puissant qui alimentait les plus grandes colères, les ambitions et la rage de rendre coup pour coup. Le traumatisme de la porte close. Repoussé à la frontière sociale. Lui revenaient en mémoire ces humiliations successives quand, à l'âge de vingt ans, il se faisait systématiquement refouler des grandes boîtes de nuit parisiennes ou des soirées privées, chez des particuliers des quartiers huppés de Paris, alors que les Blancs qui l'accompagnaient étaient toujours acceptés. *Personne ne veut l'entendre et pourtant c'est vrai.* Un soir, il s'était emporté, arguant qu'il porterait plainte pour discrimination, mais le videur l'avait menacé d'appeler la police. « Consigne de la direction : Les Noirs, vous ne les laissez pas passer quand ils sont en groupe. »

Ils restèrent figés quelques minutes – qui leur semblèrent une éternité –, choqués, quand enfin Osman dit à Sonia qu'il rentrait à la maison et qu'elle devait y aller sans lui. « Non, je n'irai pas sans toi. — Vas-y, je te le demande, j'insiste. » Sonia hésita, il l'encouragea : « Ton absence, alors que tout le monde t'a vue, serait perçue comme un affront. Tu dois y aller. » De guerre lasse, elle accepta. « Je resterai une heure, pas plus. » Il la regarda s'éloigner et pénétrer dans la salle dont quelques minutes plus tôt on lui avait interdit l'accès. Il se rendit compte qu'il avait gardé le cadeau à la main. Il ne voulait pas faire rappeler Sonia ni même le laisser à la fille de l'accueil. Dans le ciel mélanique irradiaient quelques éclats de spots qui avaient été disposés à l'entrée. Osman marcha d'un pas rapide, longea la Seine aux reflets bruns, les trottoirs détrempés. Les lumières des bateaux se réverbéraient sur l'eau et les façades des immeubles haussmanniens. Arrivé sur le pont des Arts, il se demanda ce qui se passerait s'il se jetait à l'eau. Il était profondément déprimé, il avait envie de mourir, et puis quoi, il faudrait se justifier ? Il se souvenait des mots que le Président avait prononcés au cours d'une petite réception donnée à l'occasion des fêtes de Noël : « Je veux des gens heureux autour de moi. » Il ne s'était jamais senti aussi malheureux. Il fallait qu'il parle à quelqu'un. Au même moment, il reçut un appel d'Issa, il répondit aussitôt. Issa lui proposa de prendre un verre, Osman refusa, l'autre insistait : « Ça va pas, Osman ? Tu as une drôle de voix... J'arrive tout de suite si tu veux. Frère, je ne vais pas te laisser. » Mais Osman le rassura et lui dit qu'il préférait rentrer chez lui. Ça le touchait. Cet appel désintéressé, cette manifestation d'amitié, ça lui avait donné du courage, oh, à peine, car quelques minutes plus tard, il était toujours au milieu du pont des Arts, décidé à en finir. Sans réfléchir, il composa le numéro de Laurence Corsini – il voulait lui parler une dernière fois, c'était elle qui l'avait fait commencer en politique – et lui dit qu'il allait commettre « une connerie ». Corsini resta étonnamment calme. « Ne fais rien. Ne bouge pas. J'arrive. » Dix minutes plus tard, elle était là, assise sur une banquette en cuir fauve, à l'arrière d'une grande Mercedes noire, la taille cintrée dans une jupe cigarette, un collier de fines pierres turquoise autour du cou : « Monte. » Il s'installa à ses côtés. Il allait mal, voilà ce qu'il répétait en boucle, il n'en pouvait plus, c'était *trop dur, trop douloureux*.

« C'est normal, dit-elle, ton ascension a été rapide et fulgurante ; ton éviction, très brutale, je comprends ce que tu ressens.

— J'ai tout perdu, Laurence. Je n'ai plus aucune chance de rebondir.

— C'est compliqué mais pas impossible. Le problème, c'est qu'aucun de ceux qui sont proches du Président ne voudra te prendre. Et si tu rejoins le camp de ses ennemis, tu passes pour un opportuniste, en politique, c'est risqué, on te le rappellera toujours. »

La voiture roulait à vive allure dans Paris. Corsini lui demanda s'il voulait qu'elle le dépose chez des amis, des parents. Il refusa. Il y eut un long silence puis elle lui proposa de passer la nuit chez elle, il y avait une chambre d'amis dans son appartement, il était le bienvenu. Mais il lui répondit qu'elle ne comprenait pas. Il ne cherchait pas de réconfort, une présence. Il voulait mourir, mourir vraiment, en finir avec lui-même.

« L'histoire politique est truffée de pulsions suicidaires, voire de passages à l'acte, répliqua Corsini. Pierre Bérégovoy et François de Grossouvre n'ont-ils pas succombé à la tentation du suicide ? Et Richard Nixon, tu crois qu'il n'a jamais eu envie de se planter un canon dans la bouche quand on a exigé sa démission en 74 ? Et de Gaulle aussi, il l'a écrit dans ses *Mémoires*, le soir du premier tour de l'élection présidentielle de 1965 quand "une vague de tristesse" a failli l'entraîner "au loin".

— Je te remercie de me comparer à ces hommes d'État, ironisa-t-il.

— Je t'explique simplement que cela arrive au plus haut niveau. Certains se sont vus sombrer sans oser passer à l'acte, d'autres l'ont fait d'un coup d'un seul, croyant en finir avec cette douleur, avec cette honte, mais toi, tu es jeune, tu as l'avenir devant toi. »

Il s'effondra en larmes, aspiré par un désespoir qu'il ne parvenait plus à canaliser.

« Tu es en pleine dépression, Osman. Pleure une bonne fois, prends un calmant et va voir un médecin. C'est un milieu dur, il faut avoir les nerfs solides. »

Elle serra sa main dans la sienne.

« Il n'y a pas de sentiments en politique, Osman. Sache que si tu te suicidais, on ne t'accorderait pas plus d'une ligne dans les rubriques nécrologiques. »

22

Un palace parisien – Romain n'a pas l'habitude de ce genre d'endroits, tout est raffiné, agencé, d'une beauté parfaite, il n'est jamais entré dans un de ces lieux où chacun semble déambuler à son aise tandis que lui ne sait pas à qui s'adresser, ne se sent pas à sa place –, c'est là que Marion lui a donné rendez-vous, il se perd dans les longs couloirs feutrés, cherchant la chambre. Il est venu pour la piéger, il est convaincu, après l'avoir aperçue au siège de la DGSE, qu'elle joue un double jeu. Il tambourine doucement à la porte, elle lui ouvre aussitôt et quand il la voit, toutes ses résolutions s'évanouissent. Il ne contrôle plus rien. Il devrait se méfier d'elle, mais non, il y va, il a envie d'elle, rien d'autre. Il la serre contre lui, respire son odeur et l'embrasse.

« Ne reste pas là, entre.

— Tu m'as tellement manqué. »

Il se plaque contre elle, soulève ses cheveux, lèche son cou.

« Je n'ai pas cessé de penser à toi. J'ai envie de toi, je suis fou de toi. »

Et elle dit ces mots : « Je suis amoureuse de toi. » Elle s'allonge sur le lit, glisse presque et se laisse déshabiller. La suite, toujours la même : ils font l'amour, plus rien n'existe alentour, tout est mort, terne, douloureux mais dans ce lit, non, la puissance, la vie, le plaisir, tout est là qui dit la possibilité de la reconstruction. Marion est allongée près de lui, sa tête posée sur son torse. Romain caresse ses cheveux.

« Je t'aime.

— Tu es marié.

— Toi aussi, donc ça s'annule. »

Il passe sa main sur son visage, son cou, sa poitrine, chatouille l'intérieur de ses bras, découvrant l'arborescence des veines ; sa peau est transparente à cet endroit. Puis il la serre contre lui très fort. Elle rit :

« Tu vas m'étouffer !

— Je ne peux pas me passer de toi.

— Il faudra bien arrêter. »

Ce qu'il dit à ce moment-là, dans ce lit, avec elle, il le pense. Quand il est avec elle, il sait que sa place est là, il ne doute plus, l'avenir s'éclaircit, il sera avec elle, il s'organisera pour voir son fils, il veut la présenter à ses amis (« ils t'adoreront »), sortir avec elle, l'embrasser en pleine rue (« les gens seront fous de jalousie »), marcher en forêt sa main dans la sienne (« mon rêve absolu ! »), l'emmener au cinéma, au restaurant, à la montagne (« on s'endormira au bord d'un lac »), lui faire l'amour dans la mer (« je te ferai visiter la Corse »), il énonce ses fantasmes, c'est sans doute un peu puéril, mais il aime ça, elle aussi, et ils y croient. Elle se surprend à rêver d'un avenir avec lui. Elle veut s'endormir dans ses bras et se réveiller à ses côtés, il lui ferait l'amour *tout le temps*, ça devient rapidement érotique, ça monte vite entre eux, naturellement, pas besoin de mettre les formes, pas besoin de mode d'emploi et ça les fascine, cette complicité, ils ne manquent jamais de s'extasier de cet amour fou à chaque fois qu'ils se voient, comme s'ils n'en revenaient pas de ce qui leur était donné, ça existe donc une passion pareille, une telle réciprocité, il était possible de désirer et d'admirer en même temps, d'être totalement et pleinement heureux. Ils le savent, ce bonheur-là, la vie vous le sert une fois et c'est bien connu, elle ne repasse pas les plats. Le téléphone portable de Marion se met à sonner, elle le saisit : c'est François. Elle ne répond pas. Romain caresse son visage. Elle se colle à lui. Il pense alors que c'est le moment de la tester. Il se lève et se dirige vers la salle de bains, prétexte un appel à passer. Il attend quelques minutes puis revient dans la pièce, elle tient un cahier entre les mains qu'elle range aussitôt.

« Qu'est-ce que c'est ?

— Mais ça ne va pas ?

— Qu'est-ce que tu caches ? »

Elle refuse de répondre. Il lui arrache le carnet des mains et l'ouvre à la dernière page. Ce sont des notes, des caractéristiques attribuées à des personnages, des phrases – la genèse d'un livre, rien d'autre.

« Tu es un malade ! s'écrie-t-elle. Rends-moi ça, c'est mon travail ! »

Il lui rend le carnet, se justifie vainement : il lui a confié des éléments confidentiels, il s'est imaginé qu'elle pouvait s'en servir contre lui, il l'a vue l'autre jour se diriger vers le siège de la DGSE, il a pensé qu'elle l'espionnait et alors elle se met à rire : « J'étais à la DGSE oui, dans le cadre d'une enquête que je prépare. » Elle rit, évoque la fantasmagorie que suscitent les romanciers. Il lui avoue qu'il a fouillé dans ses affaires et qu'il a vu qu'elle avait fait des recherches sur lui. Elle est gênée tout à coup, elle le lui dit, elle n'est pas sûre de pouvoir continuer avec un homme qui la traque. Elle a voulu obtenir des éléments sur lui, voir des photos sur Facebook, des réflexes ridicules. Il se détend enfin : « Tu m'espionnes, tu es donc très amoureuse. » Elle le repousse. Il la prend dans ses bras mais elle lui résiste, cette fois, il sent qu'il la perd, il l'embrasse, écarte ses jambes et s'enfonce en elle ; elle s'accroche à lui en gémissant et il lui fait l'amour avec intensité, dans une sorte de violence qui les laisse épuisés. Il la serre contre lui de toutes ses forces.

« Je ne pourrai plus jamais vivre sans toi, Marion.

— Mais tu n'as pas confiance. Tu m'as suivie…

— Vieux réflexe professionnel.

— Je ne pourrais pas être une espionne, dit-elle, je suis la fille la plus craintive du monde.

— En Afghanistan, mes hommes disaient que tu étais courageuse. »

Entendant ces mots, elle se redresse. « Non, je ne suis pas courageuse. Je n'ai jamais rien fait d'héroïque. Sur moi, tu te trompes. Depuis le début. En Afghanistan, j'ai fait mon travail et c'est tout. J'aime mon confort, le charme discret de la petite bourgeoisie, je n'aime ni le danger ni le dépaysement. » Son téléphone sonne à nouveau. François, encore. Elle ne répond pas.

« Tu veux savoir la vérité ? Je ne suis qu'une opportuniste, une voyeuse. Je suis partie pour voir le malheur de près. Je suis partie pour voir mourir des types de vingt ans sur le champ de bataille, m'apitoyer sur le sort de femmes qui ont tout perdu, mettre en compétition ma douleur et celle des autres, et je pensais gagner, tu comprends ? Avec ce que j'avais vécu, je croyais que j'allais remporter la première place ! Eh bien, non, là-bas, j'ai découvert qu'on pouvait tout perdre et tenir encore debout, et ça m'a apaisée. La souffrance des autres a anesthésié la mienne. Je n'y suis allée que pour ça… Pour me sauver, moi. »

Elle se tait un instant, puis reprend :

« Il y a sept mois, l'ex-femme de mon mari s'est défenestrée.

— Oui, je le sais, dit-il. »

Elle reste étrangement mutique, comme figée.

« Qu'est-ce que tu sais ?

— J'ai lu un article de presse. »

Mais il n'a pas le temps de terminer sa phrase, elle l'interrompt : « Non, les articles ne disent rien de la réalité. » Elle lâche ces mots sur un ton teinté d'exaspération, comme quelqu'un qui mettrait court à une rumeur – *voilà la vérité*. Son téléphone sonne encore. « C'est François, je ne sais pas ce qu'il veut, il insiste, il faut que je réponde. » Romain entend une voix d'homme dans le combiné. Ça crie, ça dit la panique, la fin de l'innocence – la vie quand elle convoque le drame.

L'AFFAIRE

1

Le scandale survient au moment où la vie de François Vély a atteint un tel chaos qu'il lui paraît impossible qu'elle sombre davantage : que pourrait-il lui arriver de pire que ce qu'il a traversé ces derniers mois ? Son ex-femme s'est défenestrée et celle qu'il vient d'épouser se détache de lui, ses enfants vont mal, par sa faute. Tout glisse, à présent. L'épreuve – la mort de Katherine, ce suicide si spectaculaire – lui a appris non pas à relativiser – il n'a jamais cru qu'une douleur morale pouvait fondamentalement transformer votre approche des événements, elle vous fissure, rien d'autre – mais à trouver en lui les ressources nécessaires à sa propre survie, une forme de distance cynique : *je ne serai plus jamais heureux*. Rien ne pourrait durablement l'affecter, croit-il. Il se trompe. Des coups bas, des attaques, François en a subi beaucoup, il n'a jamais eu peur de l'affrontement, c'est un de ces hommes formés à l'adversité. Dans le milieu d'où il vient – cette société prospère où les rapports sociaux semblent en apparence régis par des règles de cordialité –, on est formé dès l'enfance à contenir sa violence sous le masque social. Mais un tel coup, il ne l'a pas vu venir. *Quelqu'un* a donné l'assaut. *On* a réclamé sa mise à mort. La destruction publique d'un homme, la chute d'un puissant homme d'affaires – ce spectacle qui excite les bas instincts, on se surprend à aimer ça. Visibilité médiatique ? Excellente. Car c'est dans la presse que se noue le drame. Le magazine et son supplément dans lesquels le portrait de Vély a été publié ont été diffusés à des centaines de milliers d'exemplaires.

L'article est intitulé : LES VIES DE VÉLY / LÉVY, le papier évoque une capacité « hors du commun à mener plusieurs existences », « un ego surdimensionné », une vie « romanesque ». François est pétrifié, le corps écrasé de chaleur ; en quelques secondes, il se retrouve en sueur. Qu'on évoque son narcissisme et ses anciennes activités dans le domaine lucratif du X ne le gêne pas, pas plus que ce commentaire un peu obscène disant qu'il avait rejoint l'actionnariat d'un grand quotidien « pour tenter désespérément d'effacer la tache de sperme sur sa veste ». Non, ce qui l'offusque et le tétanise, c'est la mention de ce nom, « Lévy », qui n'est pas le sien mais celui de son père *avant la guerre*. Il ne comprend pas, envoie un message au directeur de la publication : « Pourquoi ton stagiaire a-t-il évoqué le nom de Lévy, qui ne m'identifie pas ? Je m'appelle Vély. » La discussion avec son fils lui revenait en mémoire, le plongeant dans une angoisse indescriptible : « Je suis Mordekhaï Lévy, papa. » En quoi cette précision était-elle importante ? Le directeur de la publication répond aussitôt que l'un de ses contacts a parlé de sa famille au journaliste, de son père, notamment, en disant que c'était un Lévy. Un contact ? Mais qui ? « Un vieil ami du lycée. » Puis il cite un nom qui n'évoque rien à François. « Tu veux savoir ce qu'il a dit ? Je peux demander les termes exacts. » Oui, il veut savoir, il réclame les termes précis, le stagiaire a dû noter la conversation, peut-être même l'enregistrer. Et quinze minutes plus tard, le journaliste le rappelle : « C'est vraiment parce que c'est toi. » Qu'a dit ce type qui ne lui a pas laissé un souvenir impérissable ? « J'ai une petite anecdote au sujet de François. Avant de devenir l'un des premiers exploitants du minitel rose et du marché du X, il a été un adolescent si pieux qu'il a songé à emprunter la voie de la prêtrise. Une aspiration amusante quand on sait ce qu'il est devenu et surtout que ses ascendants, les Lévy, étaient eux-mêmes une lignée de prêtres… mais juifs. » Oui, c'est vrai, son père, Paul, est né Lévy mais il a changé son nom. « Il y a donc bien un moment où il s'est appelé Lévy. Nous n'inventons rien. » Pourquoi – alors qu'il n'y a plus rien à faire, l'article a été publié – François cherche-t-il à s'opposer à l'argumentation journalistique, à relever ses contradictions pour mieux en dénoncer la logique interne ? Il insiste : « Pourquoi le préciser dans le titre comme si vous cherchiez à dévoiler une quelconque duplicité ? » Entre les deux hommes, le ton devient presque menaçant, on n'est déjà plus dans la sphère amicale, pas même dans celle, plus restrictive, du réseau social, et très vite, le journaliste s'emporte : « On ne cherche pas à dénoncer quoi que ce soit, tu délires là, François. » Non, il ne délire pas, il est « en colère », il est « fou de rage ». Leur nom a été changé il y a longtemps, au terme d'une longue réflexion, par instinct de survie, désir de préservation, il a été modifié sur l'état civil, il ne signifie rien pour eux. « Je suis catholique. — Je ne vois pas où est le problème, François, vraiment… À moins que cela ne te gêne d'avoir une ascendance juive… » François ne répond rien – ce journaliste est juif, un de ces juifs attachés à leur identité, n'hésitant pas à l'affirmer, la revendiquer, ou la défendre quand elle est attaquée. Sans doute considère-t-il que les juifs convertis ou ceux qui dissimulent leur appartenance sont comme ces homosexuels qui cachent leurs préférences, il y a peut-être un désir de révélation dans le choix de ce titre, une forme de coming out identitaire imposé à celui qui ne le souhaite pas. Le soupçon de haine de soi, François ne le supporte pas. Il se contente de lâcher un bref « au revoir » et raccroche. Pourquoi le journaliste avait-il rappelé ses anciennes origines juives ? Lui-même ne les a pas évoquées devant le journaliste – pas une fois –, il n'en parle jamais, il n'a confié à personne la transformation radicale de Thibault et il n'est pas de ceux qui s'autorisent des traits d'humour juif pour détendre les assemblées. Sa mère était catholique, son ex-femme l'était, ses enfants aussi – tous scolarisés dans un établissement privé catholique où François avait lui-même fait ses études. Il a envie de rappeler le journaliste pour le lui dire mais il se retient de le faire. Il sait ce qu'il risque s'il revient à la charge et c'est ainsi que, focalisé sur le titre et le dévoilement d'une judéité qui n'intéresse pas grand monde, François ne devine pas la vague de protestations que le portrait va susciter. Car s'il avait imaginé que le journaliste contacterait un de ses concurrents pour obtenir des informations qui le compromettraient ou un membre de la famille de son ex-femme qui n'hésiterait pas à l'accabler, à aucun moment il ne s'était représenté le scandale que la parution d'une simple photo de lui dans un magazine allait provoquer. Contrairement à ce qu'il redoutait, ce n'était pas l'article qui avait posé problème – le texte le présentait sous un jour favorable et la référence à son nom d'origine, Lévy, était purement anecdotique – mais la photo prise chez son ami collectionneur, une simple image, grande, lumineuse, une page entière, à l'esthétique parfaite, sur laquelle on voyait François élégamment vêtu d'un pantalon noir à la coupe parfaite et d'une chemise blanche, des souliers lustrés aux pieds, regard serein tendu vers l'objectif – une certaine incarnation de la douceur, la confiance, la force tranquille, assis sur une chaise, dans un décor minimaliste : parquet d'un blanc laiteux, murs frottés à la chaux –, la pureté originelle. Rien qui pourrait choquer, rien qui susciterait l'attention si la chaise sur laquelle il posait n'était une œuvre d'art très particulière, une sculpture de l'artiste norvégien Bjarne Melgaard, sobrement intitulée *The Black Woman Chair*. Le nom dit tout : elle représente une femme noire, mince, érotisée à l'extrême, simplement vêtue d'une culotte et d'une paire de bottes en cuir à talons hauts, dos au sol, les jambes relevées sur les épaules, dans une posture obscène, ligotée par une ceinture en cuir au niveau de la taille, les jambes écrasant sa poitrine opulente et huilée, le coussin du fauteuil plaqué au niveau du sexe, façon de dire : dominez-la, écrasez-la. Malaise. Melgaard le transgressif, qui avait réinterprété des œuvres d'Allen Jones, la série *Table, Chair, Hatstand*, datant de la fin des années 60, des poupées à l'effigie de femmes blanches corsetées de cuir et latex noir utilisées comme objets d'intérieurs : chaise, table, portemanteau – une forme d'art qui se voulait contestataire et féministe. Mais Melgaard était allé plus loin : en choisissant une poupée noire, il donnait une dimension raciale à la dénonciation. C'est le photographe qui avait suggéré à François de poser sur cette œuvre et François s'était plié à sa demande, après avoir hésité, oh, quelques secondes, car ce professionnel réputé pour ses photos d'une puissance d'évocation incroyable lui avait assuré qu'il travaillait dans le respect de son modèle. « Si quelque chose vous gêne, dites-le, mais je crois qu'il n'y a pas de bon cliché sans lâcher-prise. » Le lâcher-prise, le moyen de libération psychologique qui annonce souvent les plus grandes tragédies médiatiques. François s'était exposé à l'objectif toute la matinée au milieu d'une quarantaine d'œuvres d'art et c'est finalement une image dont il n'avait qu'un lointain souvenir – il avait pris des dizaines de pose – qui avait été conservée et avait provoqué cette indignation générale. François n'avait pas perçu la charge politique de cette sculpture, l'art faisait partie de sa vie, il était partout chez lui, rien ne le choquait. Comment aurait-il pu imaginer que, le jour même de la parution du magazine, le grand public manifesterait sa réprobation sur tous les supports et avec une violence qui l'avait sidéré ? « Scandaleux », « raciste », « ignoble ». Ça avait commencé par une réaction outragée d'un journaliste particulièrement actif sur Facebook. Dans un commentaire accompagné d'une copie de la photo, il avait écrit : « Le racisme décomplexé d'un grand patron français. » Des personnes lui avaient répondu et avaient partagé le lien – l'indignation réciproque, on se chauffe, on dénonce, et en quelques dizaines de minutes, ça s'embrase, le message est repris partout, la photo, diffusée sur les réseaux sociaux aux quatre coins du monde. La condamnation est unanime. Ce n'est plus seulement la personne de François Vély qui est mise en cause mais l'image même de son groupe, sur lequel pèse désormais un soupçon de racisme et de discrimination. Dès la réception des premières informations négatives, François comprend la gravité de l'affaire et l'ampleur que va très vite prendre le scandale. En quelques heures, sa messagerie est saturée de SMS et de courriels de réprobation. Après les commentaires agressifs sur les réseaux sociaux, il sait que des articles négatifs ne tarderont pas à paraître, alors il se terre dans son bureau, il attend Marion qui a dit qu'elle arrivait, puis il rejoint Étienne dans la salle de conférences, espérant un peu de réconfort, mais à peine a-t-il franchi le seuil que son collaborateur se précipite sur lui :

« Tu es un irresponsable, François ! Tu es un dingue ! Est-ce que tu te rends compte de ce que tu as fait ? Qui t'a aussi mal conseillé ? Tu ne m'as pas demandé mon avis ! Ne me dis pas que c'est Marion ?

— Non, ce n'est pas elle !

— Alors c'est qui ? Je ne peux pas croire que tu sois assez inconséquent pour avoir accepté de faire cette photo de ton plein gré. C'est elle, n'est-ce pas ?

— Puisque je te dis qu'elle n'a rien à voir avec ça ! »

Étienne, magazine à la main, s'emporte tandis que François répète inlassablement qu'il ne comprend pas la violence des réactions.

« Tu ne comprends pas ? Tu as vu la photo ?

— C'est de l'art, rien d'autre.

— Tu sais combien nous avons reçu d'appels ce matin de clients choqués et mécontents ? Tu as jeté un œil sur les réseaux sociaux ? Tu es traité de tous les noms ! La société est salie ! Des plaintes pour diffamation, tu vas devoir en déposer, crois-moi ! Certains appellent même au boycott ! Des enquêtes vont être sûrement menées pour déterminer si la politique de recrutement de la société n'est pas discriminatoire !

— C'est ridicule.

— Non, ça ne l'est pas !

— C'est le retour des censeurs, les représentants de la bien-pensance, du politiquement correct… Eh bien, l'art, c'est le contraire, il ne s'embarrasse ni des lois ni des règles…

— Tu veux savoir ce que j'en pense ? Ils ont raison ! Cette photo est terrible ! Cette photo est obscène !

— Mais c'est l'inverse ! L'artiste a voulu dénoncer la femme-objet, la femme esclave sexuelle, c'est une œuvre forte !

— Personne ne l'a vue ainsi ! crie Étienne. Personne ! Tout ce qu'on voit c'est un Blanc riche et puissant, le cul posé sur la pute noire soumise et offerte.

— La culpabilité postcoloniale vous a rendus aveugles ! Je ne vois pas d'autre explication à ta tirade, c'est du délire pur et simple !

— Non, ce n'est pas du délire… Cette sangle qu'elle porte autour du ventre, ça ne te rappelle pas les appareils de contention que l'on utilisait au temps de l'esclavage ?

— Tu es fou…

— C'est toi qui l'es. Tu n'as rien vu, ou rien voulu voir. Passe encore que tu poses à côté de cette œuvre, mais t'asseoir dessus, quel symbole ! Tu veux que je te dise ? Tu es léger, François. Tu vis dans ton monde, au milieu de tes amis amateurs d'art contemporain, des types prêts à payer des millions de dollars pour des sexes en gros plan mais tu n'as pas anticipé la portée politique et sociale de cette image ! Cette photo est le symbole de la domination blanche sur le tiers-monde ! Voilà ce que les gens vont y voir !

— Ce n'est que du porno pop art, rien de plus !

— En t'asseyant dessus, tu en as fait autre chose !

— Je ne comprends pas ce que j'ai fait de mal… Tu connais la sculpture *Dog* de Rona Pondick représentant une femme avec un corps de chienne ? Ça te choque ? Et pourtant, ça dit quelque chose de fort, tu vois ce visage de femme, ces mains et ces bras humains, ce corps de chienne et tu as saisi le message…

— Je ne connais pas cette sculpture, je ne connais rien à l'art moderne, j'ai des goûts classiques. J'aime l'impressionnisme, la Renaissance, je pleure devant Turner et je préfère voir un homard dans mon assiette que pendu au plafond du château de Versailles... Moi, tout ce que je perçois, c'est l'effet produit par ta mise en scène ! Si tu t'étais assis sur cette femme-chienne, crois-moi, tu aurais eu les féministes sur le dos ! »

François, abasourdi, ne répond rien. Des dizaines de messages apparaissent sur son téléphone.

« Je vais te dire ce que j'en pense... On a intérêt à trouver une parade parce que sinon on risque non seulement de mettre en péril la fusion avec Szpilman mais aussi de perdre plusieurs de nos clients. Tu sais qu'on travaille avec l'Afrique, non ? Ou alors, tu as oublié ? Je ne suis pas sûr que ta petite fantaisie artistique plaise à nos partenaires... »

François se ferme tout à coup, il prend conscience de la gravité des faits.

« Je n'aurais jamais dû te laisser faire ce portrait. Ta surexposition médiatique va te perdre...

— Eh, je ne me suis pas mis en scène dans la suite d'un palace ! J'ai posé sur une œuvre d'art ! Une œuvre d'art ! Et puis, tu crois quoi ? Que j'avais la tête à ça ? »

Il y a un silence.

« Ma femme s'est suicidée, je te rappelle, mais tu as vraisemblablement oublié ! Ça compte moins pour toi que cette stupide affaire...

— Je sais, François, et j'en suis vraiment désolé. Mais c'est désormais ta seule circonstance atténuante. »

Le lynchage commence. Les articles incendiaires se sont déjà multipliés sur les sites d'information : « On autorise désormais l'expression raciste au nom de la créativité ! » « Une œuvre d'art n'est pas un objet de décoration. » Des intellectuels, des artistes, des galeristes s'expriment dans la presse. La condamnation est quasi unanime. Les seules voix discordantes sont celles de personnalités ayant des liens d'affaires avec François. Marion arrive enfin, elle a eu le temps de regarder la photo sur Internet et, comme Étienne, elle est dépitée. Elle y voit l'inconséquence de François, l'affirmation d'une supériorité insupportable : « Avec cette photo, tu méprises les femmes, tu méprises les Noirs. Je ne comprends pas comment tu as pu commettre une erreur pareille. Au fond, cette photo traduit parfaitement l'ambition de notre société : une tentative d'écrasement, la soumission des plus faibles. » François est à terre, il a contre lui sa femme et son plus proche collaborateur, il se défend : « On ne peut plus jouer avec les codes raciaux, religieux, ethniques sous peine d'être soupçonné de racisme ; on ne peut plus montrer la sexualité et l'érotisme au nom d'une morale de carton-pâte. C'est du totalitarisme intellectuel, rien d'autre ! » Étienne coupe court à ce dialogue qui vire à l'affrontement : « Ne perdons pas de temps. Il faut écrire un droit de réponse, François, et tout de suite, avant que cette affaire n'ait des conséquences désastreuses pour le groupe. »

Réunion de crise, le jour même. François contacte ses avocats et son conseiller en communication. Ensemble, ils rédigent un communiqué dans lequel François précise qu'il n'a voulu choquer ni offenser personne. Il rappelle qu'il n'est nullement raciste, ne l'a jamais été. Que tout, dans sa vie, son engagement, prouve le contraire. Il présente « ses excuses les plus sincères au cas où des personnes auraient été blessées » et, pour finir, cite Maurice Blanchot :

« Il y aurait donc dans toute vie un moment où l'injustifiable l'emporte et où l'incompréhensible reçoit son dû. » Des amis galeristes s'expriment dans la presse, en sa faveur, allant jusqu'à dire qu'il possède des œuvres qui attestent de son intégrité et notamment cette fameuse photo d'Irving Penn montrant un homme noir debout prenant une femme blanche : « Qui domine l'autre ? demande l'ami en question. L'art est sulfureux, tendancieux, il met mal à l'aise, il questionne. Rien dans le parcours de François Vély ne révèle la moindre conviction raciste. » « Il faut maintenant attendre que l'hystérie collective se calme, explique le conseiller en communication du groupe. Une information chasse l'autre. Les gens finiront par oublier, on va corriger ça en termes d'image » – cohérence du discours. Sauf qu'à cet instant, dans la précipitation, ils commettent une nouvelle erreur. Sur le site Internet du journal, la photo apparaît bien en introduction de l'article mais elle a été coupée, la chaise a disparu, on ne voit plus que le buste de François et très vite, les commentaires haineux s'affichent sur la plate-forme de discussion : « Ils ont éliminé la femme noire de l'image, comme ils le font dans la société. La femme noire n'existe pas. Elle est invisible. » François explique à ses conseillers qu'il ne comprend pas ce qui se passe. « Vous devez participer à une action caritative, peut-être, faire un don à une association qui lutte contre les discriminations, ça aurait du sens, mais, dans le même temps, il faut découvrir qui a intérêt à ce que vous tombiez. » On chercherait à le déstabiliser et, par ce biais, à faire échouer la fusion avec Szpilman – voilà ce qu'énonce le conseiller. Dans cette affaire, François a le sentiment d'être une victime expiatoire. Il va payer, il le sait, pour cette « erreur d'image » – mais quel prix ?

2

Sonia était rentrée de l'anniversaire de la femme du Président à deux heures du matin. Osman l'avait attendue dans le salon. Après leur discussion, Laurence Corsini, l'avait fait déposer chez lui où il avait passé le restant de la soirée allongé sur le canapé, à regarder une chaîne d'information. Pas de reproches, pas d'attaques frontales. Ce fut elle qui, dès qu'elle eut franchi le seuil, s'était justifiée : elle n'avait pas vu l'heure passer, le Président avait insisté pour qu'elle reste, elle ne pouvait pas partir, *cela ne se fait pas* – le poids des contraintes et des conventions sociales imposait sa loi dans un milieu où la marge de manœuvre restait si limitée, Osman l'acceptait mais quelque chose, ce soir-là, le retenait loin d'elle : il avait côtoyé le désir de mort pour la première fois de sa vie et il n'était pas sûr de s'en remettre. Sonia s'était approchée de lui et l'avait embrassé mais il l'avait repoussée : « Je vais me coucher. » Au réveil, quand il avait vu Sonia se préparer pour aller travailler, il avait compris que leur relation ne tiendrait pas longtemps encore, quelques mois tout au plus avant que sa compagne ne s'éloigne totalement de lui, elle se lasserait ; quelle que soit l'hypothèse, cela finirait par arriver. Il avait le sentiment qu'elle ne l'admirait plus. Au temps où il était conseiller, il n'était pas rare qu'elle lui demandât son avis sur une question politique, l'attitude d'un membre du gouvernement, un texte qu'elle venait de rédiger ; maintenant, non, comme si son éviction du pouvoir l'avait rendu moins apte à réfléchir alors qu'il avait au contraire l'impression d'avoir atteint une certaine clairvoyance, il percevait mieux ses erreurs, y compris politiques. Il était parvenu à se convaincre qu'il était devenu moins intéressant, invisible pour Sonia comme pour son entourage. À partir d'un certain âge, autour de la quarantaine en général, le rayonnement est fonction de la puissance sociale. L'échec rend moins attirant ; seuls les irradiés de la réussite ont le droit d'être aimés.

Ce soir-là, quand ils s'étaient mis au lit, Sonia n'avait pas eu un geste tendre envers lui. Ils s'étaient endormis presque aussitôt.

3

Il y avait une image que Romain n'avait jamais pu effacer de sa mémoire, elle l'avait longtemps hanté en Afghanistan, et elle le bouleversait encore plus à présent. Cette image, c'était celle des cercueils recouverts d'un linceul sombre à son arrivée à la base de Bagram, la grande base américaine en Afghanistan qui accueillait tous les soldats des forces alliées avant le transfert vers leur base. À peine étaient-ils descendus de l'avion qu'ils avaient vu ces grandes boîtes noires, ces drapeaux américains, comme si on avait voulu leur rappeler que la mort était une option possible : *bienvenue en Afghanistan*. Il se souvenait aussi des paroles de Farid ce jour-là, sur le ton de la fausse plaisanterie : « Je n'ai pas envie de revenir en boîte. » Le hasard et la chance gouvernaient tout. C'étaient des données qui prenaient toute leur importance et que vous ne pouviez pas intégrer à vos plans d'action : tel soldat lourdement armé, protégé dans un blindé pouvait être pulvérisé en quelques secondes alors qu'un autre, confronté à mille dangers, s'en tirait sans dommage.

La cérémonie religieuse en hommage aux victimes françaises tombées en Afghanistan se déroulait en la cathédrale Saint-Louis-des-Invalides, à Paris. Les soldats et leurs familles étaient présents ainsi que le Président de la République et ses principaux ministres, un ancien chef de l'État, les chefs d'état-major, des officiels, des membres du gouvernement, des photographes, quelques journalistes. Marion était là, froide et distante. Romain l'observait de loin, tentant de capter son regard. Il n'avait pas eu de ses nouvelles depuis son départ précipité, il avait appris comme tout le monde l'épisode de la photo et ses conséquences, il l'avait appelée à plusieurs reprises, sans succès. Romain se tenait près de ses soldats, tous empreints d'une solennité nouvelle. Ils avaient été désignés pour porter les cercueils des soldats morts au front. Quelques dizaines de mètres à traverser – l'épreuve la plus douloureuse de leur vie. Les six cercueils recouverts du drapeau tricolore étaient maintenant alignés. Au-dessus, des photographies des victimes étaient posées – cruelle représentation d'une innocence à jamais détruite. La femme de José Vilar pleurait bruyamment dans les bras d'une autre femme, sa sœur peut-être. La compagne de Vincent Debord, le visage crispé de douleur, restait droite et immobile comme si elle craignait de s'effondrer en bougeant. Le prêtre prononça un discours bref et émouvant dans lequel il rendit hommage aux soldats morts dans l'accomplissement de leurs fonctions et rappela leur « sobre et grande fierté ». La mère de José Vilar prit la parole. Devant le cercueil de son fils, cette femme âgée d'une cinquantaine d'années, droite et digne, prononça un discours qu'elle avait écrit à la main : « Dans la nuit de dimanche à lundi à quatre heures moins dix, on a sonné à notre porte et dans l'interphone, un officier s'est annoncé. Je suis allée ouvrir et j'ai pensé : ça y est, la vie est finie. L'officier nous a demandé si nous étions bien les parents du sergent José Vilar et nous avons répondu : oui, c'est nous. Lors de la première rentrée scolaire de José, il avait alors trois ans, son instituteur avait organisé une rencontre avec les parents d'élèves et, s'adressant à nous, il nous avait posé la même question : vous êtes bien les parents de José Vilar ? Avec quelle fierté nous nous étions levés pour répondre, oui, c'est nous, ces mots qui aujourd'hui, devant l'officier, nous exposaient à ce que tout parent de soldat redoute : la mort de son enfant. Ce qui nous avait si longtemps rendus heureux – être les parents de José Vilar – nous anéantissait à présent. L'officier : celui qui annonce la fin, la mutilation, l'amputation, la perte d'autonomie, le handicap irréversible, l'officier ne se déplace pas en pleine nuit pour vous annoncer que votre enfant a eu une blessure légère, non, il vous réveille avec du monstrueux. » Elle se tut, marqua un temps, essuya les larmes qui inondaient ses yeux, et reprit : « Notre officier était un homme jeune, il parlait doucement, comme si l'impact des mots en serait moins violent, il aurait fallu être anesthésié pour ne pas sentir la perforation intérieure dont je cherchais désespérément une représentation afin de la situer sur l'échelle de la douleur humaine. Il devrait y avoir une note spéciale pour la perte d'un enfant. Dix, ce n'est pas encore assez. C'était inhumain, quelque chose en nous était perdu, non pas l'innocence – car il y avait longtemps que nous n'y croyions plus – mais l'insouciance dont la présence de l'officier dans notre salon au cœur de la nuit nous privait de manière irrémédiable. L'officier a prononcé quelques formules d'usage, des mots lâchés pour amadouer la bête en nous qui ne pouvait plus que mordre et déchiqueter ce qui restait d'heureux, de tranquille, de vivant, il les avait peut-être préparés, écrits à l'avance, répétés même, jouant le rôle que la hiérarchie militaire lui avait assigné, *quand vous vous présenterez devant les parents de la victime, faites ceci, faites cela,* mais je l'ai interrompu, je lui ai demandé de se taire et d'en venir aux faits – je ne crois pas aux vertus consolatoires de la parole. Alors il nous a annoncé la mort de notre fils, puis il est parti. La porte a claqué. Nous ne reverrions plus jamais notre enfant. J'ai compris que notre vie était *vraiment* finie. »

L'assemblée resta silencieuse, prostrée dans l'insoutenable douleur, puis il y eut des pleurs, des étreintes, des mots affectueux – on était à vif. À l'issue de la cérémonie religieuse, le Président se recueillit, seul, devant les cercueils. Les dizaines de personnes présentes se pressaient maintenant dans la grande cour des Invalides pour assister à l'hommage officiel. Chacun semblait figé par la solennité de l'instant. Un filet venteux fouettait les visages. Romain tentait désespérément d'attirer l'attention de Marion. Le Président s'avança dans la cour où les cercueils avaient été alignés selon un agencement parfait. Là, devant cette foule percluse de tristesse, il rendit un hommage aux victimes : « Vous n'êtes pas morts pour rien, dit-il. Vous êtes morts pour la grande cause des peuples libres qui ont payé leur liberté avec le sang de leurs soldats. » Le Président passa les troupes en revue, prononça l'éloge funèbre : « Soldats ! À la Nation tout entière, je veux rappeler la force d'âme et de caractère qu'il faut à chacun d'entre vous pour repartir aussitôt au combat, après avoir vu un camarade tomber ou être blessé à ses côtés. Soldats ! Votre esprit de sacrifice, votre courage, votre détermination à remplir votre mission vous honorent. » Il pivota vers les familles, leur adressa un message de soutien et de réconfort, puis procéda à la remise de décorations à titre posthume. Il s'avança vers les grandes boîtes recouvertes du drapeau français et épingla une médaille sur un coussin de couleur pourpre, élevant ainsi chaque défunt au grade de chevalier de la Légion d'honneur. La sonnerie aux morts retentit, étouffant les pleurs des familles, le souffle du vent, les cris des parents endeuillés. Après la cérémonie, la foule s'était dispersée. Romain avait cherché Marion mais elle avait disparu. Il se recueillit alors sur les cercueils de ses camarades. Des hommes dans la fleur de l'âge. Morts pour la France. Qui s'en souviendrait ?

4

Le poison. Le poison de la suspicion raciste. Ça pénètre dans le cœur de l'opinion publique, corrompt l'entendement et le bon sens, pervertit jusqu'à vos proches, le doute est là, désormais. François Vély n'a jamais éprouvé le moindre sentiment raciste, mais il devait le reconnaître, il n'y avait pas de Noirs dans son entourage parisien. Il n'avait pas un seul ami noir en France, aucun de ses collaborateurs directs ne l'était. Il vivait dans un monde presque exclusivement composé de Blancs et même, d'une certaine catégorie de Blancs. Des Blancs fortunés pour la plupart, des fils de famille issus de la grande bourgeoisie. Il y avait bien des personnes sans fortune ou des représentants de la nuit parisienne qu'il avait connus lors de son incursion professionnelle dans le milieu du X et, là encore, ils étaient blancs. Il avait travaillé avec quelques banquiers, avocats ou hommes d'affaires noirs par le passé, mais il vivait alors aux États-Unis et, plus précisément, à New York. Daniel Dean, un ancien de Harvard, était son patron chez Szpilman, il avait fait une partie de ses études à Princeton avec sa femme, Cindy Dean, et c'était avec le groupe dont Daniel était le PDG qu'il allait maintenant fusionner. Étienne s'était emporté contre François : « Tu es en train de me dire que le seul Noir que tu connaisses est celui avec lequel nous allons faire un deal à plusieurs milliards de dollars ! Mais François, tu te rends compte de la situation ? Dean va voir cette photo et il va annuler la fusion, voilà ce qui va se passer ! Il ne peut pas décemment s'associer à un homme qui serait soupçonné de racisme ! » François s'était défendu : « Non ! Sa femme, Cindy, est consultante au département photographies chez Christie's, c'est elle qui m'a conseillé le photographe. Daniel Dean évolue dans le milieu de l'art, il saura faire la part des choses. — Les faits sont là, François : nous courons à la catastrophe. Et ce ne sont pas les Blancs friqués de ton entourage qui vont te sortir de là. — Tu me juges depuis le début, mais regarde un peu autour de toi. Je n'ai pas de leçons à recevoir d'un type qui fait venir chaque semaine dans son bureau un cireur pakistanais pour lui lustrer ses pompes à mille euros la paire ! »

François appelle Daniel Dean à New York pour faire le point avec lui, le priant de l'excuser pour cette mauvaise publicité, évoquant une « erreur » et implorant son aide. Mais Dean lui répond froidement. « Ton affaire tombe mal, François. Les gens ici sont plus que jamais crispés sur les questions identitaires. Ne crois pas que l'élection de Barack Obama va adoucir le sort des Noirs. Je n'approuve pas ce que tu as fait, je ne te cache pas que Cindy est horrifiée, elle t'a peut-être appelé pour te le dire, elle ne veut plus entendre parler de toi, elle ne souhaite même plus que je te parle. — Cindy ? Mais c'est elle qui m'a conseillé ce photographe. — Le photographe, peut-être, mais pas cette pose grotesque. De toute façon, ne t'inquiète pas, je vais te soutenir parce que je n'ai pas vraiment le choix. Dans cette affaire, nous avons des intérêts supérieurs. » Et dès le lendemain, ainsi qu'il le lui a promis, Daniel Dean lui apporte publiquement son soutien. À la veille de la fusion entre les groupes de télécommunications Vély et Szpilman, il fait une déclaration importante qui, si elle concerne surtout le milieu des affaires, est relayée par la presse généraliste : il a travaillé avec François pendant des années, il le connaît, on ne peut pas le soupçonner de racisme, cette photo est tout au plus une maladresse. Il conclut en disant qu'ils ne céderont pas aux pressions et que l'opération de rapprochement se fera dans les meilleurs termes et les délais prévus contractuellement. C'est ce qu'il affirme en public pour sauver les apparences, mais en privé, son discours est plus agressif. Au fond, il en veut à François de le placer dans cette situation, lui non plus n'a pas aimé cette photo « obscène » et il se trouve contraint, pour sauver leurs intérêts professionnels, de faire l'impasse sur un épisode qui l'a « profondément choqué » et qui a créé des dissensions au sein de son couple : « Cindy a même exigé que je renonce à la fusion ! Elle a dit : c'est lui ou moi ! Je l'ai calmée comme j'ai pu, elle t'en veut à mort, elle ne pardonnera pas, tu la connais, elle est loyale et entière, tu as été trop loin, la lutte contre les discriminations raciales, c'est toute sa vie. » Spécialiste d'art contemporain, Cindy Dean est connue pour ses combats politiques et son activisme militant : féministe, engagée dans la lutte contre le racisme, elle est surtout la fille de l'avocat américain Allan Barnes, un proche de Rosa Parks, l'icône du mouvement de défense des droits civiques des Afro-Américains, un de ceux qui, en 1995, avaient participé à la Million Man March : Plus d'un million de Noirs américains dans les rues de Washington. C'est elle qui avait présenté François à son mari, Daniel, elle encore qui avait intercédé en sa faveur et lui avait permis d'entrer chez Szpilman après ses études. François fait profil bas, réitère ses excuses et Daniel Dean conclut, avec une pointe d'amertume dans la voix : « Ne t'inquiète pas, François, tu ne risques pas grand-chose. Dans quelques jours, tout sera oublié. Si moi j'avais posé mon cul sur l'œuvre originale d'Allen Jones, cette femme blanche offerte, avec sa petite coupe au bol, ses cheveux blonds et ses paupières bleu azur, crois-moi que la polémique aurait duré beaucoup plus longtemps. On m'aurait fait payer le prix fort. J'aurais été désavoué par les actionnaires et viré sur-le-champ sans espoir de reconversion, j'aurais eu toutes les associations nationalistes et suprématistes blanches sur le dos, on m'aurait même menacé de mort, moi, ma femme et nos enfants ! Peut-être même qu'on m'aurait assassiné. Mais toi, tu es blanc, ils vont gueuler trois minutes pour la forme mais ils vont t'épargner. » Ça avait gêné François, pourtant il n'avait rien répliqué. Que pouvait-il dire ? Il n'était pas en position de force. Il avait l'impression de découvrir un monde binaire dominé par la question raciale où chaque être humain oscillait entre un désir d'appartenance et un refus d'assignation identitaire. Il ne cesse de le répéter à tous ceux qui l'interpellent : il n'a jamais eu d'a priori, il n'a pas choisi ses amis en fonction de la couleur de leur peau mais des affinités qu'il est susceptible d'avoir avec eux. Il ne peut pas nier une endogamie suspecte – est-ce que ça fait de lui un coupable ? Il est à terre. Critiqué. Moqué. Sali. Raciste, lui, cet humaniste de gauche dont le père a été déporté à Buchenwald et fait preuve au cours de sa carrière politique d'un sens de l'altérité sans égal ? « C'est l'accusation la plus absurde que j'aie entendue de toute ma vie ! Non, je ne suis pas raciste ! Je ne l'ai jamais été ! Je défie quiconque de prouver le contraire ! » Lui qui a, sa vie durant, joui de sa prestigieuse ascendance subit maintenant l'opprobre et fait l'amère expérience de ce que l'homme d'affaires américain Warren Buffett avait affirmé : « Il faut vingt ans pour construire une réputation et cinq minutes pour la détruire. »

5

Sonia avait refusé d'accompagner Osman chez ses parents, elle avait prétexté un déjeuner de travail à l'Élysée, elle n'avait jamais tenté de tisser le moindre lien avec eux, elle avait des réticences sociales fortes, elle aimait Osman mais le fait qu'il vînt d'un milieu défavorisé la gênait sans qu'elle exprimât clairement ce mépris de classe. Osman vivait désormais avec la peur d'être quitté. Cette nouvelle distribution des rôles le fragilisait. Il en était arrivé au point où il comptait ses appels, réfléchissait avant de lui écrire ou de lui téléphoner. Il craignait de la lasser, appliquant à la lettre les règles les plus banales des stratégies de conquête amoureuse : ne pas trop lui dire qu'il l'aimait, manifester un goût pour la solitude alors qu'il ne s'était jamais senti aussi affectivement dépendant d'elle.

Sonia partie, Osman prit le métro ; ces dernières années, il s'était essentiellement déplacé en taxi ou voiture de fonction. Il avait l'impression d'entrer dans un univers caché, parallèle – un monde en sous-sol, celui des Invisibles. Le contraste entre cette élite blanche qu'il avait fréquentée pendant toutes ces années et ces gens métissés, basanés, noyés dans cette masse souterraine, crevait les yeux : qu'est-ce qui se jouait dans cette géographie sociale ? En sortant du métro, station Porte-de-Choisy, il emprunta le boulevard Masséna jusqu'à l'immeuble qu'occupaient ses parents dans le XIIIe arrondissement de Paris. En face, il aperçut des dizaines d'hommes originaires d'Afrique subsaharienne et du Maghreb pour la plupart, vêtus de boubous colorés ou de kamis qui discutaient devant l'entrée du foyer de jeunes travailleurs. Il les observait de loin, discuter et rire entre eux. À quelques mètres s'érigeait l'immeuble où vivaient ses parents, une grande tour d'une vingtaine d'étages – c'était lui qui leur avait trouvé ce logement et qui réglait le loyer chaque mois ainsi que les factures d'électricité et de téléphone, fixe et portable. Il se demandait comment il pourrait continuer à payer deux loyers à présent, il n'imaginait pas un seul instant annoncer à ses parents qu'ils devaient déménager dans un autre appartement et il n'avait pas eu le courage d'aborder la question avec Sonia. Il se souvenait de ce que ses parents avaient dit en découvrant l'appartement pour la première fois : « C'est beau, c'est grand », puis deux jours après : « Il y a quand même trop de Chinois. »

C'était un de ces logements standardisés et sans charme construits dans les années 70 : murs peints en crépi blanc, lino couleur rouille au sol, plafonds bas, cloisons trop fines, en contreplaqué, salle de bains étroite avec robinetterie et carrelage rose bon marché, Osman avait espéré faire effectuer quelques travaux de rénovation mais ses parents avaient refusé qu'il engage des dépenses jugées inutiles, ils aimaient cet endroit, les Chinois étaient discrets finalement, ils faisaient leurs courses en bas de chez eux, chez Tang Frères, et achetaient leur viande dans les boucheries hallal de l'avenue d'Italie. Quand ils avaient une rentrée d'argent, ils allaient même faire les boutiques au centre commercial de Bercy 2.

Osman arriva à l'heure, contrairement à son habitude, il n'était plus retenu dans des réunions sans fin. Ses parents l'attendaient, assis sur le canapé du salon, le téléviseur allumé, un magazine présentant les programmes télévisés était posé sur la table basse encombrée de babioles : un vase avec une orchidée en plastique, un cendrier que des amis leur avaient rapporté du Maroc, un étui à lunettes et une coupe de bonbons à l'anis. Des dizaines de cadres ornaient une grande commode en pin : partout des photographies de leur fils avec des personnalités du monde politique dont trois avec le Président de la République – le musée de la revanche sociale. Au fond, moins en évidence, des photos de leurs deux autres enfants. Osman avait toujours trouvé cette exhibition de soi au milieu des puissants assez pathétique chez les autres mais chez ses parents, ça le bouleversait, comme si ce prestige de pacotille dont il avait joui les éclaboussait un peu. Voyant cela, Osman eut le sentiment qu'il avait gâché ses chances, trahi ses parents en se mettant en difficulté. Le père éteignit le téléviseur et fit signe à son fils de s'asseoir près de lui sur le canapé en velours ocre. L'appartement exhalait une douce odeur de plat cuisiné. « Je t'ai préparé ton plat préféré, dit la mère d'Osman en se dirigeant vers la cuisine, tu vas te régaler. » Il n'osa pas répliquer qu'il n'avait pas faim, il avait perdu cinq kilos en quatre semaines. Osman commenta l'actualité – tout plutôt qu'évoquer la série de revers qu'il venait de subir et dont il avait informé ses parents au téléphone quelques jours auparavant.

« Que vas-tu faire maintenant ? » demanda soudain son père. Osman passa sa main sur son visage, la fit glisser sur son menton en signe de dépit.

« Je ne sais pas.

— Tu dois tourner la page. Tu n'as que trente-cinq ans, tu as l'avenir devant toi…

— Ne t'inquiète pas pour moi… Je vais trouver une solution.

— Si, on s'inquiète, répliqua sa mère, un plat fumant à la main. On s'inquiète beaucoup même. Il a fallu qu'on t'appelle quinze fois pour que tu viennes. Avant tu n'avais pas le temps mais maintenant… »

Elle regretta aussitôt ses paroles. Le père d'Osman s'approcha de son fils.

« Elle dit ça parce que tu ne nous appelais plus ces derniers temps.

— Mon travail m'accaparait totalement.

— Ce n'était pas un reproche… »

Le père exerça une pression affectueuse sur le bras de son fils. C'était vrai : il n'y avait pas si longtemps, il n'avait pas une minute à leur consacrer. Les choses s'étaient modifiées subrepticement dès qu'il avait intégré l'équipe du Président. Ses appels étaient devenus rares puis avaient cessé pendant de longues périodes, ses parents s'y étaient résignés et ne lui faisaient pas le moindre reproche. Leur fils était un homme *occupé*. Un homme *important*. Qui a *des responsabilités*. Qui ne peut pas faire autrement que de *les assumer*.

« Maintenant, vous allez me voir tout le temps. C'est terminé pour moi, la politique. »

Les parents l'écoutaient sans oser intervenir.

« Je sais ce que vous pensez… Que j'ai eu tort de me lever et de partir devant le Président, mais j'ai été humilié, vous comprenez ?

— Nous n'avons jamais dit ça… Nous respectons ta décision. Nous t'aimons pour ce que tu es.

— Je ne l'ai pas supporté… Ce conseiller n'avait pas le droit de me parler de la sorte… Au nom de quoi s'est-il donné le droit de m'humilier devant tout le monde ?

— Les blessures d'humiliation sont les pires, rétorqua son père. Pourtant, on n'en meurt pas. Regarde-moi, je suis toujours là… »

Cette phrase bouleversa Osman. En quelques secondes, il revit ses parents se lever à l'aube, sa mère surtout, qui avait longtemps travaillé sept jours sur sept pour un salaire misérable et selon des horaires flexibles, et qui, à plus de soixante-cinq ans, faisait encore trois fois par semaine le service chez des particuliers – des avocats, des professeurs –, payée au black, dix euros de l'heure. Elle retournait chez elle en métro, ticket à ses frais. Osman se souvenait du jour où son père l'avait appelé à trois heures du matin parce que sa mère n'était pas rentrée. Quand elle était enfin arrivée, vers quatre heures, elle avait expliqué qu'elle avait dû marcher, elle n'avait pas pu avoir le dernier métro, son employeur avait exigé qu'elle range toute la maison après le départ des invités. Il entendait encore la voix de son père qui, le soir, à la table du dîner, rapportait les vexations dont il avait été l'objet. *Des humiliés.* Osman se mit à pleurer, tout à coup, comme ça. C'était la première fois qu'il perdait ses moyens devant ses parents. Corsini avait raison, songea-t-il. Il était en pleine dépression. Il s'enfonçait doucement, chaque jour un peu plus. Sa mère prit sa main dans la sienne. « Pleure, pleure, Osman, dit-elle en caressant sa main. Tu sais ce que dit le proverbe ? “On voit mieux certaines choses avec des yeux qui ont pleuré.” »

6

Le voyage à Center Parcs, Romain avait dit à Agnès le matin même que c'était une mauvaise idée, il n'avait pas la force, pas l'envie, la cérémonie avait été un moment très éprouvant, mais sa femme avait insisté et une fois encore, il avait cédé. Elle avait réservé un cottage en pleine forêt, l'isolement, ça l'angoissait. « La forêt, la piscine, la nature, ta famille, ça te changera », avait-elle dit, tentant par tous les moyens de l'empêcher de sombrer complètement, il lui arrivait si souvent d'être hagard, apathique, les yeux rivés sur l'écran de son ordinateur ou de son téléphone portable qu'il ne lâchait plus, indifférent à tout, puis soudain agressif comme s'il était exposé à un danger qu'il était le seul à percevoir et contre la menace duquel rien ne semblait pouvoir le préserver. Romain avait retardé ce moment où il faudrait charger les bagages, installer Tommy sur le siège auto, dénouer la ceinture de sécurité tandis qu'il se débattait, vérifier chaque détail, rouler en supportant les pleurs ou les cris de son fils, les commentaires de sa femme qui jugeait sa conduite, tous ces actes qui lui paraissaient impossibles à accomplir, *c'est au-dessus de mes forces.* Conduire – la mission la plus dangereuse en Afghanistan, à tout moment, votre véhicule pouvait exploser sous l'impulsion d'un engin explosif improvisé. Vous pouviez aussi vous faire doubler par un autre véhicule – l'embuscade restait une menace constante. La perspective de prendre la route le plongeait dans une angoisse indescriptible. Ce jour, Romain en avait pourtant rêvé quand il était loin de chez lui. Il n'avait qu'un désir désormais : appeler Marion, lui annoncer qu'il arrivait, fuir avec elle, c'était une idée obsessionnelle. Il se demandait s'il devenait fou – il ne pensait qu'à elle –, s'il était tombé amoureux, comme ça, après lui avoir fait l'amour, il n'avait jamais ressenti quelque chose d'aussi fort, il n'y avait qu'en sa présence que le spectre de la guerre s'éloignait, son corps, son odeur, son visage apaisaient tout, où était-elle ? Que faisait-elle ? Agnès avait interrompu le cours de ses pensées : « On y va maintenant ? » Il s'exécuta, automate docile, installa son fils à l'arrière, « Ça y est, on peut y aller ». Et ils étaient partis.

Il y avait eu des rires dans la voiture. Des chansons, musique à fond, Tommy criait, c'était joyeux, léger, pour la première fois depuis son retour. Pendant la première heure, la musique et la gaieté de Tommy emportèrent les craintes de Romain, puis ses tremblements reprirent quand une voiture tenta de les dépasser. Mains crispées sur le volant. Jambes raides. Langue pâteuse. Une masse opaque dans la tête, ça cognait, et soudain, la sortie de route, voiture projetée sur la bande d'arrêt d'urgence, Romain freina de toutes ses forces et le véhicule s'immobilisa dans un crissement de pneus, plus de peur que de mal, Tommy dormait encore. Agnès pleurait, Romain criait : « Putain, il a voulu nous tuer ! — Mais qui *il* ? — Le conducteur, tu ne l'as pas vu ? Le danger est là et on ne le voit pas ! Le danger est partout ! » Il avait conservé cette hypervigilance qui tendait l'esprit jusqu'à le déformer. Ils avaient repris la route et n'avaient plus échangé un mot de tout le voyage, Agnès ne quittait pas l'écran de son téléphone portable. Ce fut Romain qui se chargea de toutes les formalités administratives mais à peine arrivé dans le cottage, il s'allongea sur le lit de la chambre à coucher sans même prendre la peine de se déshabiller. La tension montait entre sa femme et lui. Les reproches fusaient. *Tu t'isoles, tu ne t'occupes pas de Tommy*. Non, il était bien incapable de surveiller son fils, il avait peur de lui-même, de ce qui pourrait se passer si Tommy lui désobéissait, se mettait à pleurer, il avait perdu toute patience, toute capacité de résistance et d'empathie. À son réveil, Agnès lui proposa d'aller se baigner sous la bulle et il accepta. Il y eut un bref moment de joie quand ils enfilèrent leurs maillots de bain – corps nus qui s'agitaient, fous rires – puis ils sortirent et l'angoisse réapparut. Dans la forêt, il parvint à la dissimuler – marcher lui permettait de la contenir – mais une fois sous la bulle, en voyant les dizaines de personnes en maillots qui nageaient et criaient dans l'eau, en respirant cette odeur de chlore, il la laissa éclater. On le bousculait, on l'éclaboussait. « Ça va, Romain ? » Non, ça n'allait pas, il allait mourir devant tout le monde, il porta ses mains à son visage et se dirigea vers la sortie en courant comme si quelqu'un lui avait lancé un jet d'acide dans les yeux.

Il faut que je sorte ! Laissez-moi passer !

Quand Agnès revint dans la chambre, elle le retrouva prostré dans un coin. Elle s'assit près de lui.

« Tu dois te faire soigner, Romain, tu ne peux pas rester comme ça.

— Je vais bien. Je n'ai besoin de personne.

— C'est faux ! Tu vas très mal.

— C'est avec toi que je vais mal. »

Il avait dit ça avec brutalité. Agnès se leva, retourna dans le salon. Il la suivit, elle était assise, son téléphone portable à la main. Il s'approcha d'elle, posa sa main sur son épaule.

« Je suis désolé.

— Je ne te reconnais pas, Romain. »

Il ne répliqua rien. Elle avait raison. Il se sentait faible, las et fatigué.

« Que s'est-il passé là-bas ? Tu allais si bien avant de partir... »

Il ne bougeait pas, incapable d'articuler le moindre mot.

« Tu dois en parler au psychiatre de l'armée, il pourra t'aider, te donner un traitement, ça doit se guérir...

— Tu veux que je dise que je vais mal au psychiatre de l'armée ? Pour qu'il me déclare inapte ? Pour que j'abandonne ma carrière et que je me retrouve dans un bureau de trois mètres sur quatre à taper des rapports, c'est ce que tu veux ?

— Il sera le mieux qualifié pour te comprendre.

— Personne, tu m'entends, personne ne peut comprendre. »

Romain passa la journée au lit et, quand Agnès le rejoignit après avoir couché leur fils, il se sentit de nouveau étrangement mal. Elle se déshabilla, se colla contre lui, commença à le caresser, tenta de l'embrasser. En vain. Romain se détourna d'elle et se mit à pleurer. « Je suis désolé, je n'y arrive pas. » Ils passèrent le reste de la nuit dans un état de demi-hostilité, elle sur son téléphone portable, lui sur son ordinateur, et au petit matin, il y eut une nouvelle crise. Il n'y avait plus d'anticipation possible, plus de mesures préventives, c'était le chaos, il allait bien, il allait mal, il passait d'un état à l'autre. À son réveil, Agnès avait fait chauffer du thé dans le petit espace qui leur servait de cuisine et au moment où la bouilloire avait émis son sifflement strident, elle avait vu son mari surgir en hurlant « À terre ! ». Il y avait dans son regard une intensité nouvelle où se mêlaient la folie et la terreur. Agnès s'était précipitée dans la chambre de Tommy pour le protéger, elle s'était barricadée en attendant que Romain se calme et, quand les bruits s'étaient tus, elle était ressortie et avait trouvé Romain en larmes, allongé sur le canapé. Elle avait appelé aussitôt le service de santé des armées qui l'avait orientée vers le service psychiatrique de l'hôpital Percy. Deux minutes plus tard, elle était en ligne avec un homme affable et doux qui lui avait demandé de décrire le plus précisément possible les symptômes de Romain. Elle raconta l'agressivité, les sautes d'humeur, les crises et l'incident de la bouilloire. Il lui recommanda de contacter les secours mais elle lui dit qu'il allait mieux, elle avait apporté des calmants. Le psychiatre expliqua que certains bruits ou situations pouvaient replonger Romain dans l'espace du conflit : une voiture qui cherchait à le doubler, un sifflement qui lui rappelait les bombes, un bruit de détonation suffisaient à provoquer une crise. Il demanda à parler à Romain mais ce dernier refusa. Elle prit un rendez-vous. Après avoir raccroché, elle obligea Romain à avaler le médicament qu'elle lui tendait. Il s'endormit. À son réveil, elle lui annonça qu'elle allait habiter chez sa mère avec Tommy le temps qu'il voie le psychiatre. Romain ne répondit rien.

« Tu dois consulter. Tu as rendez-vous demain. »

Non, il ne voulait pas prendre de médicaments, il

n'avait pas envie de devenir dépendant, de grossir, perdre tout désir, il avait vu des amis se transformer : des soldats agiles et forts n'être plus que des masses molles et inertes, il ne voulait pas ressembler à ça. Il était combatif, ça irait mieux, il s'en sortirait tout seul.

« Je veux que tu y ailles. Fais-le au moins pour moi.

— Je vais rentrer à Paris.

— Je reste avec Tommy », dit-elle.

Elle paraissait forte tout à coup. Il ne s'était jamais senti aussi vulnérable.

7

L'effondrement intérieur, le sentiment d'avoir, par sa négligence, son inattention, créé une tache indélébile sur son image. François avait fait appel à ses conseillers en communication mais, sur les moteurs de recherche Internet, son nom serait désormais associé à cet adjectif « raciste ». Car entre-temps, un autre photographe – le professionnel humilié que le journal avait sélectionné et dont Vély n'avait pas voulu – l'avait accablé. Cet homme que le refus de Vély avait privé de travail et déshonoré avait exhumé des archives des photos prises à l'occasion du quarante-cinquième anniversaire de François Vély au Kenya et publiées dans *Vogue* quelques années auparavant, alimentant un nouveau scandale et confirmant, selon lui, *ce racisme nourri aux préjugés les plus primaires : les Noirs, on les aimait bien, mais en Afrique, ou dévolus à des rôles subalternes*. Sur les photos, François et quelques amis, parmi lesquels son ancienne maîtresse et collaboratrice, Sophie Kazal, posaient sous l'objectif du photographe de mode missionné pour l'occasion, vêtus de costumes traditionnels, les visages outrageusement maquillés – signes tribaux, couleurs vives, du rouge magenta, du bleu Klein, du jaune, bonheur clinquant. On les voyait applaudir des femmes noires aux corps pleins et musclés qui dansaient, les yeux révulsés, comme en transe. On y apercevait aussi sa femme Katherine et lui à la chasse, un lion mort, le pelage mouillé de sang, à leurs pieds. Ce folklore, ces déguisements, ces jeux morbides – toute cette quête d'exotisme qui n'avait eu dans leur esprit d'autre fonction que de les dépayser – étaient perçus désormais comme l'expression d'une condescendance raciale sans égal. L'abattement soudain. L'extrême solitude où vous plonge la vindicte publique. La honte. Tous ces sentiments se succédaient dans l'esprit de François Vély sans qu'il sût comment les vaincre. Tout, dans le tableau de sa vie, l'accablait. Chaque détail. Chaque rencontre. Chaque décision prise traduisait sa légèreté, son immaturité politique, son absence même de conscience sociale. Pouvait-il se prévaloir d'avoir engagé un seul employé noir au cours de ces dix dernières années à un poste de collaborateur ? Non. (« Les Noirs, avait affirmé un salarié du groupe qui avait préféré conserver l'anonymat, on ne les voit que le soir, à la fermeture des bureaux, en train de faire le ménage ou devant l'immeuble, à leur poste de vigiles. ») N'avait-il pas scolarisé ses enfants dans une école privée où l'on ne croisait qu'un seul élève noir, le fils d'un homme d'affaires africain ? (Sur la photo de l'école, cet enfant à la peau noire devenait un symbole, la seule preuve d'une mixité de complaisance.) « Je ne suis pas raciste, je ne l'ai jamais été », répétait-il inlassablement. D'ailleurs, expliqua-t-il à Étienne avec un grand sérieux (ce qui avait fait dire à son confrère : « François est en train de perdre la tête »), parmi les filles qu'il fréquentait dans le passé, n'avait-il pas eu une préférence pour des Noires ? « Dire cela, c'est déjà raciste ! Je te rappelle que la chaise représentait une femme à moitié nue, vêtue de cuir noir, une sorte de fantasme sexuel… Je suis désolé mais tu ne peux pas dire pour ta défense : hé, les gars, je ne suis pas raciste, il m'arrive de baiser des Noires ! »

On rappelait qu'il avait maintenu son mariage avec Marion Decker alors que sa femme venait de se suicider, qu'il était à l'origine de la diffusion de la pornographie sur Internet, on dédorait son portrait. Chaque élément de sa biographie était analysé au regard de sa faute.

Les soutiens étaient rares et discrets. Jamais publics. Quelques messages mesurés avaient été envoyés par ses plus fidèles amis. On ne le lâchait pas totalement, on déliait les liens en douceur. Tout ce qu'il avait patiemment construit se consumait par la seule force négative d'une image qui avait tout embrasé.

8

Cette fête, c'est son idée, Osman l'a voulue, il en a parlé à Sonia et elle a acquiescé, sans grand enthousiasme, car il l'avait prévenue : « Je n'inviterai pas d'anciens collègues, aucune connaissance du milieu politique, non, ces chiens m'ont tous lâché, rien que des amis de la cité et ma famille, besoin de changer d'air, retour aux sources, à ceux qui me sont restés fidèles, qui étaient là quand j'avais besoin d'eux, auprès desquels je me sentais utile et important » – c'est ça ou les antidépresseurs. Sonia dit qu'elle comprend. Elle sentait confusément qu'il était capable du pire. Elle connaissait la violence du pouvoir, la volatilité des affects. Elle savait surtout que, sans qualification particulière, il n'avait aucune chance de trouver un poste dans une grande administration. Il perçoit qu'elle n'en a pas vraiment envie, cette résurgence du passé la déclasse et la place dans une position inconfortable, elle qui travaille à l'Élysée. Elle est convaincue qu'elle ne partagera rien avec ses anciens proches. Intellectuellement, que pourraient-ils lui apporter ? « Des gens qui ne lisent pas la presse, fiers de ne jamais avoir ouvert un livre. Quand je leur dis que j'ai fait l'école des Chartes, ils me regardent avec de grands yeux ahuris : *C'est quoi ?* Ils entendent "Chartres" et ils finissent par ajouter : *Ah, tu as fait tes études en province ?* » Elle explique alors doctement que l'école est à Paris et forme aux métiers de conservation du patrimoine écrit. Elle y a préparé une thèse. Son sujet ? « Rhétorique et liturgie en Gaule mérovingienne », elle a notamment étudié les rituels et les oraisons des offertoires de la messe, c'est ce qu'elle répète, et en général, ça fait son petit effet. « J'accepte pour te faire plaisir, Osman, je ne vois vraiment pas ce que je vais bien pouvoir leur raconter. — Ne les juge pas sans les connaître. D'accord, ils n'ont pas fait d'études. Moi non plus, je te rappelle. Mais ils sont deux fois plus alertes et réactifs que tous les types formatés que j'ai rencontrés en politique. À l'Élysée, on distinguait ceux qui avaient réussi l'ENA des autres, moins respectés, moins bien considérés. Tout se jouait là. Les qualités que l'on demande pour gouverner – la réactivité, le pragmatisme, la stature de chef – s'effaçaient totalement au profit de cette seule sélection par le niveau d'études. — Tu oublies les normaliens, plaisante Sonia. Après des études en khâgne à Henri-IV, on valorisait ceux qui avaient intégré Normale, pas les autres… — Et tu voudrais reproduire ce schéma ridicule chez moi ? Alors même que tu vis avec un homme qui s'est fait tout seul ? » Elle rit : « Je suis le produit de ma caste. » Elle l'agace et le séduit à la fois. Elle le fascine et l'exaspère. Si sûre d'elle. Si brillante. Elle n'insiste pas, elle sait qu'il est complexé par son absence de diplômes, que c'est un sujet sensible, elle ne dit pas que ces hauts diplômés avec lesquels elle travaille valent mieux que sa représentation manichéenne, elle ne dit pas que l'intelligence, la capacité de « se fixer sur deux idées contradictoires sans pour autant perdre la possibilité de fonctionner », comme l'avait définie Francis Scott Fitzgerald dans *La fêlure*, un texte qu'elle adorait, était un atout qu'il fallait soi-même posséder pour la repérer chez les autres. Elle n'ose pas lui demander ce qu'il leur trouve... Peut-être que ça le valorise à un moment où il a perdu confiance en lui ? Peut-être que ça le virilise d'être le chef, de redevenir l'animateur social respecté ? Elle interprète à sa mesure et se tait. Lâché par tous, vers qui aurait-il pu se tourner ? Romain avait décliné l'invitation. Deux anciens éducateurs sociaux avaient répondu positivement. Issa avait également accepté (Osman avait hésité à l'inviter, il n'avait pas gardé un bon souvenir de leur dernière soirée, mais Issa lui avait laissé chaque jour deux à trois messages de réconfort et d'amitié sur son répondeur et lui avait fait livrer une corbeille de fruits et de gâteaux que sa mère avait préparés pour lui, ça l'avait touché). Le frère et la sœur d'Osman seraient là aussi : Driss, quarante ans, commercial dans une société d'import-export et Aline, trente ans, esthéticienne. Les parents viendraient sans doute accompagnés de cousins, on serait entre nous. Il n'avait invité ni Wojakowski ni Corsini, se protégeant d'un refus, d'une autre déception possible, c'était la seule parade qu'il avait trouvée pour ne plus souffrir : tenir ceux qui étaient au pouvoir à distance. Sonia avait proposé de tout commander par traiteur mais la mère d'Osman avait dit qu'elle cuisinerait des spécialités ivoiriennes. « Ses plats sont si lourds, avait fait remarquer Sonia à Osman, on devrait passer chez Dalloyau. » L'après-midi, ils étaient sortis faire quelques courses pour la soirée et, en chemin, alors qu'ils étaient à bord de leur véhicule – une BMW gris métallisé –, ils avaient été arrêtés par la police pour un banal contrôle d'identité. Le policier avait demandé si la voiture leur appartenait. Osman avait failli répondre : « Non, je l'ai volée », mais il s'était heureusement abstenu, Sonia l'avait pincé, façon de lui dire : « Tais-toi. » Elle savait qu'un problème avec la police, la justice, pouvait lui coûter son poste à l'Élysée, elle n'aurait même jamais tenté d'user d'un passe-droit pour éviter ce contrôle, dans ces cas-là, il fallait rester silencieux, faire profil bas. Les deux policiers avaient consciencieusement fouillé le coffre du véhicule. Pendant qu'ils vérifiaient les identités dans leur fourgon, Osman s'emportait contre ce qu'il appelait le « contrôle systématique au faciès ». « On nous a arrêtés parce qu'on est noirs, voilà la réalité, deux Noirs dans une BMW, c'est forcément suspect. » Mais Sonia répondit que non, il se trompait, n'importe qui pouvait être soumis à ce contrôle. « Tu as vu comme il était suspicieux ? Un peu plus et il me demandait de sortir du véhicule, mains sur la tête, jambes écartées pour me fouiller. — Tu es parano, répliqua Sonia, il était tout à fait correct, il fait son boulot, rien de plus. » Le policier leur rendit leurs papiers et leur annonça qu'ils pouvaient partir. Ce fut tout. Mais le soir, devant ses amis, sa famille, Osman relance le sujet, il n'a pensé qu'à ça toute la journée. « Moi, on m'arrête tout le temps, dit Issa. Quand je prends ma Porsche, je sais que ça va m'arriver et bingo, ça ne rate jamais. À Paris, c'est systématique : d'où vient cette caisse ? Vos papiers, tout ça, comme si c'était pas possible qu'elle soit à moi. » Les parents d'Osman ne disent rien, retirés dans un coin de l'appartement, ils mangent en silence. Près d'eux, un homme et une femme – des membres de la famille –, l'air grave, évoquent la maladie d'un proche. Les deux anciens amis d'Osman, médiateurs sociaux, ne sont pas venus. Aline, sa sœur, raconte qu'elle a aussi été victime de ces contrôles au faciès : « Quand tu es noir, tu as plus de risques que les

autres de te faire contrôler, mais si tu es accompagné de deux autres Noirs, c'est le contrôle systématique.
— Eh oui, dans notre société, mieux vaut être blanc, européen et chrétien pour être tranquille, renchérit Issa. Si tu es noir, arabe, musulman, tu n'as aucun avenir. On nous traite comme le tiers-peuple, les indigènes de la République. »

Soudain Sonia, qui jusqu'à présent est restée à l'écart, intervient :

« Vous voyez de la discrimination partout. »

Tous les regards convergent vers elle.

« Si vous cessez de voir votre couleur de peau comme un problème, elle cessera d'en être un.

— Ah bon ? Ce n'est pas un problème ? reprend Aline. Tu as entendu parler de l'affaire de ce type qui s'est assis sur une femme noire ?

— François Vély, oui, un chef d'entreprise... Et ce n'était pas une femme mais une sculpture, réplique Sonia.

— Une sculpture, peut-être, mais fétichisée à mort, dit Driss, aussitôt coupé par sa sœur.

— Ce n'est pas se poser en victime que de dire que c'est dégueulasse ! Ce racisme primaire, on a aussi le droit de le dénoncer. On n'est pas obligés de dire que tout va bien en France pour les gens comme nous. Chaque jour ou presque, j'ai le droit à une remarque raciste ! Tiens, pas plus tard qu'hier, une cliente a téléphoné pour prendre rendez-vous et elle a demandé : "Vous êtes la Noire ou l'autre ?" Elle a précisé qu'elle préférait passer avec "la Noire" parce qu'elle avait "super bien réussi ses ongles la dernière fois"... Il y a aussi les clientes qui me demandent si j'aime retourner au village. Je réponds : "Le village ? Quel village ? Je vis à Fontenay-aux-Roses !" Ou encore, on me demande si je me suis adaptée au climat quand je dis machinalement que j'ai froid.

Sans compter tous les clichés sur *les gens de chez vous qui sont très famille, qui cuisinent trop épicé,* ou les femmes africaines, *si maternelles* et les hommes africains avec lesquels il doit être si difficile de vivre parce qu'*ils sont polygames*. Pour nous, c'est le calvaire quotidien !

— Encore ce *nous* qui stigmatise, qui enferme ! En le prononçant, c'est vous qui vous excluez.

— Tu ne peux pas affirmer qu'il n'y a pas de racisme, réplique Osman.

— Mon frère a raison, confirme Driss.

— Je n'ai pas dit ça, répond Sonia, mais on peut aussi décider de ne pas se voir comme une victime. »

Osman l'interrompt :

« Ah j'oubliais, toi tu es métisse et tu penses en blanche. »

Sonia ne réagit pas à cette remarque, mais elle se ferme.

« La photo de ce grand patron, poursuit Osman, ce Vély, n'est rien d'autre que l'expression d'une arrogance. »

Sonia hausse les épaules en signe de découragement.

« Oui, j'ai entendu parler de cette histoire, dit Issa, ce type se croit tout permis, c'est tout. Un grand patron qui doit palper un max de thune comme tous les feujs ; le fric, c'est eux qui l'ont. Ils ont tout et nous on serait bons qu'à laver leurs culs ? »

Le regard de Sonia se pose sur Osman comme si elle espérait une intervention en sa faveur, mais il ne dit rien, seul Driss reproche à Issa de généraliser, et la conversation se poursuit.

« Moi, un type pareil, j'appelle ça un raciste, réplique Aline. Il trouve ça naturel de poser ses fesses blanches sur une femme noire comme si elle était son esclave.

— Les juifs sont des négriers, poursuit Issa. Ils se sont enrichis sur notre dos et, encore aujourd'hui, qui domine la finance ? Qui tient les banques ?

— Tu ne délires pas un peu, là ? s'énerve Driss. Il n'y a aucune nuance dans tes propos.

— C'est la vérité !

— Comment peux-tu laisser dire une chose pareille ? demande Sonia en lançant un regard plein de rage vers Osman.

— Je ne suis pas du tout d'accord avec ça et tu le sais ! »

Il n'a pas le temps de finir sa phrase, Aline réplique :

« On est encore en démocratie, non ? On a le droit de s'exprimer ! On peut affirmer que les juifs sont intouchables sans être antisémite.

— Oui, mais tu vois, ça dérape vite, conclut Driss, lapidaire.

— L'antisémitisme est un délit, précise Sonia.

— Oh, arrêtez avec ça, reprend Issa. On en a plein la tête de l'antisémitisme ! À l'école on nous enseigne quoi ? L'holocauste. C'est pas la Shoah, c'est le show permanent… Les pauvres juifs… Ah, ça on y a droit ! Mais l'esclavage, le colonialisme, rien, pas une ligne !

— La Shoah est le plus grand génocide de l'histoire ! s'exclame Sonia.

— Ce génocide, comme vous dites, a été commis par des Européens et tu sais pourquoi ? Parce que ces colonisateurs n'ont jamais traité les autres peuples que comme des sous-hommes.

— Et vous voudriez qu'on l'oublie ? demande Sonia. Qu'on n'en parle plus ?

— Y a deux poids deux mesures, c'est tout ce que je dis. C'est l'homme blanc qui écrit l'histoire et tout ce qu'il fait, c'est d'effacer la souffrance de l'homme noir. Ils instrumentalisent tous la Shoah pour se donner bonne conscience.

— Allons, Sonia, dit Aline, tu sais bien que c'est plus difficile quand on est noir, que le Blanc se sent toujours supérieur...

— Ça m'a choqué aussi, réplique alors Osman, je veux dire, cette condescendance de l'homme de pouvoir blanc, je l'ai moi-même subie... Elle existe... Elle est réelle... Pourquoi l'occulter ? On n'est plus dans l'art mais dans le symbole colonial... Le type ne s'est pas rendu compte de la portée du symbole ? Mais c'est encore pire ! Ça veut dire qu'il ne perçoit même pas le mal que l'esclavage et la colonisation ont fait. J'ai même pensé proposer un papier à un grand quotidien pour dénoncer cette expression inconsciente d'un racisme qui ne dit pas son nom et puis j'ai renoncé.

— Tu y as pensé ? répète Sonia, interloquée.

— Tu aurais dû, ajoute sa sœur avec un autoritarisme qu'il ne lui connaissait pas. Oui, tu aurais dû attaquer ce mec, tu es un politique, ça aurait eu un impact. »

Osman se sent fort tout à coup, soutenu.

« Des types comme lui, j'en ai côtoyé plein... Leur mépris, cette fausse bienveillance avec laquelle ils te parlent comme si tu étais un débile... ils ne sentent même pas qu'on les perçoit et qu'ils alimentent notre rage. »

Sonia se plante devant Osman.

« Ta rage, vraiment ? Je ne savais pas que tu avais un tel ressentiment. Tu sais quoi ? Tu devrais militer dans une association pour la défense des droits des Noirs, tu en ferais quelque chose de ta rage...

— C'est ce que je fais, moi », dit Issa.

Il explique alors qu'il appartient à un groupuscule composé de militants noirs qui prônent la séparation raciale. Hostile aux Blancs, aux juifs et à toute forme de mixité, il se présente comme l'avocat du « peuple noir ».

« Ça fait ghetto, commente Driss. Personnellement, je ne me reconnais pas du tout dans ce genre de groupe.

— Normal, c'est un mouvement raciste, lâche Sonia.

— Nous ne voulons plus être exclus du champ social et politique, c'est tout.

— Et vous comptez vous y prendre comment ? ironise Sonia.

— Par la lutte. En imposant la décolonisation des pensées. En nous affirmant, nous exprimant. En résistant. Par exemple, nous refusons l'occidentalisation telle qu'on voudrait nous l'imposer en votant des lois qui visent à dévoiler les femmes musulmanes.

— Vous n'avez aucun pouvoir, vous n'êtes représentés par personne.

— Notre réalité démographique est un pouvoir politique. »

Il laisse un bref instant s'écouler puis ajoute :

« Un jour, la France sera majoritairement noire, arabe et musulmane !

— C'est possible, dit Aline. Et je ne vois pas pourquoi cela poserait un problème.

— La France est un pays laïc et le but commun serait plutôt le rejet des communautarismes, le vivre-ensemble, tempère Osman.

— Vivre-ensemble ? Mais laisse-moi rire ! Qui vit avec qui ? Les riches restent entre eux. Et les pauvres aussi.

— Et la réussite par le travail ? L'engagement politique ? Où tu places un homme comme Osman ? » demande Driss.

Issa a un petit rire nerveux.

« Les intégrationnistes seront aussi victimes un jour ou l'autre du système qu'ils ont fini par forcer et qui ne veut pas d'eux.

— Je préférerais que vous partiez, dit sèchement Sonia.

— Tout le monde a le droit de s'exprimer, non ? » s'emporte Aline.

Osman interpelle alors Sonia.

« Sonia, souviens-toi de ce que Sartre a écrit dans sa préface, "Orphée noir", à *L'anthologie de la nouvelle poésie nègre et malgache*... Léopold Sédar Senghor... Je la connais par cœur : *Qu'est-ce que vous espériez quand vous ôtiez le bâillon qui fermait ces bouches noires ? Qu'elles allaient entonner vos louanges ? Ces têtes que nos pères avaient courbées jusqu'à terre par la force, pensiez-vous, quand elles se relèveraient, lire l'adoration dans leurs yeux ?*

— Tu vois le mépris de l'homme blanc partout ; moi, je vois le mépris de l'homme tout court. Tu crois qu'en tant que femme politique je ne subis pas de préjugés ? Les femmes sont transparentes en politique. Elles doivent se battre pour exister, voir leurs compétences reconnues. J'ai rencontré beaucoup de gens qui ne m'ont vue qu'à travers le prisme de ce que je pouvais leur expliquer du Président. Qui a le pouvoir ? Des hommes de soixante, soixante-cinq ans qui n'ont pas envie de lâcher leur place et se méfient de ceux qui arrivent. De temps en temps, ils acceptent de jouer les mentors, mais à quel prix ? Les femmes ? Ils voudraient qu'elles soient décoratives. Je caricature un peu, c'est vrai, mais c'est assez juste, dans le fond. Elles sont là pour les flatter, les écouter ou les soulager de leurs tensions. Tu ne me crois pas ? Tu penses que j'exagère ? J'ai mille anecdotes. Quand une femme réussit en politique, elle est soupçonnée d'avoir bénéficié de protections qu'elle aurait obtenues par la ruse, l'opportunisme, voire par le sexe. Tu as eu une remarque parce que tu es noir mais des propos sexistes, j'en entends tous les jours et je ne me pose pas en victime pour autant. J'ai décidé une fois pour toutes que j'étais l'égale des hommes et que je pouvais leur tenir tête, et depuis je n'ai aucun problème.

— L'arrogance blanche, je sais ce que c'est. Peut-être que tu ne la perçois pas parce que tu es issue d'un couple mixte.

— Oui, mieux vaut être blanc pour réussir, ajoute Aline. »

Osman pivote vers Driss, Aline et Issa.

« Je n'ai plus l'intention de fermer ma gueule… Ce papier contre ce patron de merde, je vais l'écrire, croyez-moi. Je vais le descendre. »

Tout le monde rit. Il tourne alors la tête vers Sonia, mais elle a disparu.

9

C'est un cauchemar que Romain fait toutes les nuits. Il entend un sifflement aigu et il voit le corps de Farid Djitli exploser sous ses yeux. Il se réveille en hurlant. Sa femme le supplie de consulter le psychiatre de l'hôpital, mais il ne peut pas se raisonner.

Après son retour de Center Parcs, il n'a pas eu le courage d'aller chez Osman, il reste chez lui, prostré, il sait qu'il ne pourra pas tenir très longtemps dans cet état léthargique, lui qui aime l'action, le conflit, la tension. Sur Internet, il trouve un documentaire réalisé en 1946 par John Huston, *Let There Be Light*. On y voyait des soldats américains traumatisés à leur retour de la guerre, leurs entretiens avec les psychiatres et leur difficile reconstruction, ça l'avait terrifié, il avait les mêmes symptômes que ces types. Le documentaire avait été interdit de diffusion et n'avait été présenté pour la première fois qu'en 1981, au festival de Cannes. Un tabou. À qui en parler ? Il ne se rend pas au rendez-vous que lui a pris Agnès et, dans l'après-midi, le psychiatre l'appelle, insiste pour le voir en consultation le jour même. Le médecin est persuasif et au bout de quelques minutes de conversation, Romain s'entend dire : « D'accord, je viens », et il y va. À son arrivée et après s'être présenté au service des admissions, il est dirigé vers une petite salle d'attente austère. Sur la table basse, des revues d'anciens combattants. Cinq minutes plus tard, un homme âgé d'une quarantaine d'années, grand, mince, au regard lumineux, lui demande de le suivre. Romain s'assoit face à lui dans ce grand bureau rempli de livres de psychiatrie et de revues médicales. Le psychiatre l'amène à parler de lui, de la mission, sans le contraindre, avec beaucoup de tact et de douceur.

« Qu'avez-vous retenu de cette mission ?

— Le sentiment d'avoir été lâché.

— Par qui ? Vos supérieurs ?

— Par tous. Par l'armée, par la vie. »

Romain regarde par la grande baie vitrée qui donne sur un jardin. Il aperçoit un oiseau qui volette.

« Que disent vos proches ? C'est votre épouse qui m'a appelé. Est-ce qu'elle vous a trouvé changé ?

— Métamorphosé serait plus juste.

— Et vous ? Pensez-vous que vous avez changé ?

— Vous avez la réponse, non ? »

Il laisse s'écouler un silence. L'oiseau est toujours là, en équilibre sur une branche dont la tige cogne la vitre. Puis il parle.

« On ne sort pas indemne d'une rencontre avec la mort.

— Que voulez-vous dire ?

— Il y a les vivants et les morts, et au milieu d'eux, les morts-vivants, ils sont là, devant vous, ils vous parlent, ils mangent, ils font leur travail mais ils n'appartiennent plus tout à fait à ce monde-là, ils sont passés de l'autre côté et sont revenus, ils ont vu ce que vous ne verrez jamais, ont entendu les cris de la douleur profonde, ils ne sont pas des vôtres.

— C'est ce que vous pensez être, un mort-vivant ?

— Oui.
— Est-ce que vous avez des troubles du sommeil ?
— J'ai des flashs fréquents. Je fais des cauchemars aussi, quasiment toutes les nuits. Et puis il y a l'odeur du sang. Une odeur entêtante. Une fois que vous l'avez sentie, vous ne pouvez plus jamais vous en débarrasser, elle s'infiltre dans la mémoire de votre système olfactif et s'y grave à jamais.
— Vous en avez parlé à quelqu'un ?
— À ma mère, brièvement.
— Et votre père ?
— Mon père était dans les paras. Il est mort dans l'attentat du 23 octobre 1983 à Beyrouth, revendiqué par l'Organisation du jihad islamique. »

Ils parlent longtemps, près d'une heure peut-être. À l'issue de l'entretien, le psychiatre lui conseille un suivi médical personnalisé, puis lui prescrit un antidépresseur. C'est la première fois, depuis son retour, qu'il est l'objet d'une telle sollicitude, et ça l'émeut, à un moment où il sent que la vie le déserte.

En sortant, Romain se dirige vers la cafétéria pour y prendre un café. Il s'assoit à une table. Près de lui, un homme jeune, portant des prothèses en fer au niveau des jambes, discute en riant avec une femme blonde, vingt-cinq ans à peine. Il est encore attablé quand il reçoit un message de Marion, elle veut le voir et il lui répond qu'il arrive tout de suite, où est-elle ? Il va venir la chercher. Elle l'attend dans un café à proximité du parc Monceau, il part aussitôt. Il roule à vive allure, il pleut, il est plein d'énergie à l'idée de la retrouver, son téléphone sonne, c'est elle qui appelle, « Où es-tu ? » Là, à quelques mètres de l'entrée principale, il cherche un stationnement et elle murmure, « Attends, j'arrive », il aime sa voix, il a envie de la retrouver, de la serrer dans ses bras, il l'aperçoit de loin, vêtue d'un blouson en daim un peu court, elle porte des bottes en cuir marron, ses cheveux sont lâchés, elle paraît perdue, en fuite, elle n'a jamais été aussi belle. Elle entre dans le véhicule et c'est plus fort que lui, il l'embrasse avec intensité, ça dure cinq, dix minutes. Qu'est-ce qui se joue entre eux qu'ils n'ont pas prémédité ? Qu'a-t-elle de plus, cette fille ? Il sent qu'il pourrait tout quitter pour elle. « J'ai envie de toi. — Pas ici, pas maintenant, partons. — Où veux-tu aller ? — Roule, répond-elle, je veux rouler. » Il a sa main posée sur sa cuisse, il l'observe parfois : « Si je te regarde trop, je vais avoir un accident mais je ne peux pas ne pas te regarder. » Elle rit, passe sa main sur sa nuque. Il conduit sans trembler ; les automobilistes peuvent bien le dépasser, lui faire des appels de phares, klaxonner, il paraît confiant, il est avec elle. Il lui demande combien de temps elle va lui consacrer et elle rit : « Deux, trois jours ? — Alors, on part à la montagne. » La route défile sous leurs yeux, il fait nuit mais dans l'habitacle, non : musique, rires, ça vit, sa main dans la sienne, ils s'aiment.

Sur une aire d'autoroute, il stationne son véhicule à l'écart et il lui fait l'amour à l'arrière. *Rien n'est plus fort*. Il n'a jamais ressenti cette urgence, ce besoin, cette passion rageuse ; avec Agnès, tout est maîtrisé, sans effusion, sans éclat : pas de mot ni de geste tendre, mais ils s'entendent bien, ils se comprennent à demi-mot, ils ont un projet commun – l'éducation de leur fils –, ils sont ensemble, une association d'intérêts qui n'exclut pas l'affection, ni même la complicité. Il répète à Marion qu'il l'aime comme il n'a jamais aimé aucune femme et bien sûr, elle le croit, elle non plus n'a pas connu une telle intimité. Il dit : « Mon Amour, tu es mon Amour. » Il n'a jamais dit ça à personne ; cette tendresse, c'est nouveau pour lui, il est d'un naturel réservé, presque fermé, *avec toi je me sens moi-même.*

Ils roulent pendant plusieurs heures, s'endorment sur une aire d'autoroute. Quand elle se réveille, Marion découvre les montagnes qui s'étendent à perte de vue. Il réserve une chambre mansardée avec vue sur les cimes enneigées dans un chalet dont il connaît les propriétaires. Ils rient, font l'amour, oublient de manger.

Le lendemain matin, alors qu'elle est dans ses bras, elle lui demande de lui parler de son engagement dans l'armée, et il raconte les nuits passées à s'entraîner dans des terres enclavées, simulations maintes fois répétées avant le départ en Afghanistan, fausses missions organisées dans des lieux tenus secrets, dans l'obscurité toujours, il ne voit rien, il avance sans savoir où il va, lâché en pleine nature, des chiens aboyant à ses trousses, les semaines à endurer des exercices physiques extrêmes.

« Lesquels ?

— Tirer sur des cibles mouvantes tout en se déplaçant, nager dans une piscine d'eau glacée pieds et mains liés pendant des heures. Sauter en parachute à quatre mille mètres d'altitude. Survivre en pleine montagne, par moins trente. Passer plusieurs heures en pleine mer, dans l'obscurité totale, avec juste une boussole pour se repérer. Rester immobile pendant trois, quatre jours dans la jungle, le visage maquillé, le corps encombré d'un feuillage épais, réagir avec sang-froid au harcèlement psychologique, à la torture, être capable d'obtenir des renseignements par la ruse, la séduction, la force. »

Il veut savoir si elle a déjà tenu une arme entre ses mains.

« Jamais.

— Parle-moi de ton métier.

— Reporter ? C'est une façon d'appréhender le monde.

— Mais tu n'as pas peur ?

— Non, j'aime ce que je fais, je sais pourquoi je pars. Ma seule vraie peur, c'est d'être prise en otage ou violée… Quand je suis sur le terrain, cette pensée devient vite obsédante. Est-ce que mon fixeur est un type fiable ? Tu te souviens de ce qu'ils ont fait à ce journaliste américain, Daniel Pearl, il y a quelques années ? Ça m'a traumatisée. De cela, oui, j'ai vraiment peur. Les journalistes sont des cibles privilégiées. Mais malgré tout, j'y retourne. Quand j'écris un roman, ce n'est pas vraiment plus apaisé, plaisante-t-elle.

— Raconte-moi comment tu travailles.

— Je tourne autour du texte… J'avance à tâtons comme si je cherchais à prendre possession d'un territoire, je ne connais pas encore la zone, je progresse dans le noir…

— Qu'est-ce qui t'a amenée à l'écriture ? Est-ce que tu te demandes pourquoi tu écris ?

— J'écris parce que la vie est incompréhensible. »

Ils restent deux jours à faire l'amour, enfermés dans cette chambre, n'en sortant qu'une fois pour se balader en pleine montagne. C'est une journée particulière, la neige est abondante, le soleil brûle les cimes, paradis blanc qu'ils arpentent serrés l'un contre l'autre. Mais Marion ne cache pas ses peurs, ce bonheur la terrifie, ça ne peut pas durer entre eux. « Tu vois ces gens là-bas ? » dit-il en désignant des alpinistes au loin, petits points colorés qui détonnent dans l'immensité laiteuse. « Imagine que nous sommes là-haut, tu es devant moi, en premier de cordée, tu ouvres la voie. Eh bien, moi je suis derrière, et j'assure ta progression. Si tu lâches, si tu as peur, je suis là. Notre but commun est le même : le sommet. En alpinisme, dans une cordée, on appelle cela l'engagement. » Ce mot – engagement – qu'elle interprète comme une promesse d'union, suffit à la rassurer, et elle s'abandonne. Mais au matin du troisième jour, elle dit qu'elle doit rentrer, son mari a essayé de la joindre plusieurs fois, il est inquiet, ils se sont disputés violemment avant son départ, c'est pourquoi elle est partie, elle lui a dit qu'elle avait besoin d'être seule.

« J'ai appris pour ton mari.

— Je n'ai pas envie d'en parler. Je me sens coupable. Je devrais être auprès de lui, à le soutenir, non ? Et au lieu de ça, je suis avec toi. Je ne sais pas ce qui m'arrive. »

Il lui dit alors que sa femme a quitté le domicile. À cette annonce, Marion se redresse, glaçante. Elle ne lui a rien demandé. Elle ne veut pas être responsable de sa séparation. Ils ne se connaissent pas vraiment. Il lui répète qu'il l'aime : « Je suis fou de toi, je veux vivre avec toi. » Mais elle a peur. « Toi, tu n'as pas peur ? — Non. » Il prononce ce mot avec détermination. Cette conviction l'impressionne. « Je n'ai jamais aimé comme je t'aime. » Entendant cela, elle se met à pleurer : « Je ne veux pas faire de mal à ta femme. » Il la serre contre lui : « Je sais ce que tu redoutes… mais ça n'arrivera plus jamais. »

10

À Paris, François est seul, Marion est partie quelques jours « pour faire le point » – amorcer la séparation, songe-t-il, au moment où il est terrassé. Le soutien public de Daniel Dean apaise la polémique, oh, trois, quatre jours à peine, car ces déclarations savamment orchestrées au nom d'un intérêt économique supérieur, cette connivence publique entre les deux hommes, l'un à Paris, l'autre à New York, réveillent le ressentiment d'une troisième personne, à Londres cette fois. Des années que la vie de François Vély était satellisée par le désir de vengeance de son ancienne collaboratrice, Sophie Kazal. Elle avait travaillé à ses côtés, l'avait aimé dans l'ombre pendant des années. Pour lui, elle avait renoncé à faire sa vie avec un autre, à avoir un enfant. Au cours de cette longue liaison où le privé se mêlait étroitement au professionnel, il lui avait assuré plusieurs fois qu'il quitterait sa femme ; et c'est ce qu'il avait fait un jour – mais pas pour elle. Une autre avait réussi en quelques semaines à peine ce qu'elle n'était pas parvenue à obtenir en près d'une décennie. Elle était jolie pourtant, intelligente, désirable : « Avec lui, je ne me suis jamais laissée aller, avait-elle raconté à sa psychiatre après la rupture. Jusqu'au dernier jour, j'ai dépensé une bonne partie de mon salaire en lingerie fine. Et tout ça pour quoi ? » Elle était la meilleure cliente de ces petites boutiques parisiennes où l'on vendait des dessous en soie sauvage, à cent euros la culotte, il fallait bien ça pour l'exciter, l'enseigne Fifi Chachnil, surtout, elle y choisissait ses dessous en fonction de leurs noms : culotte Forever minette, robe de nuit Mon Amant, porte-jarretelles Solange poupée rose, François aimait cette alliance de la poésie et de l'érotisme. Mais après avoir rencontré Marion, il l'avait évitée ; du jour au lendemain, il n'avait plus ressenti aucun désir pour elle et lui avait annoncé froidement qu'il préférait désormais que leurs relations fussent « limitées au registre professionnel ». Un adultère ordinaire, rompu aux mêmes codes, selon un déroulement classique : passion sexuelle-lassitude-rupture, sauf qu'elle travaillait pour lui, connaissait les secrets de la société, avait accès aux dossiers confidentiels – une maîtresse compromettante. Ce n'était pas une secrétaire ou une exécutante, non, plutôt l'un des cerveaux du groupe, une spécialiste en télécommunications d'une extrême habileté. Mais cette experte en analyses financières et sectorielles capable de dérouler des raisonnements complexes devant des conseils d'administration saturés de mâles dominants n'avait pas, dans sa sphère sentimentale, une approche plus évoluée que la lectrice d'un roman-photo des années 80. Elle l'avait passionnément aimé, comme une midinette en pâmoison, cédant à tous les pièges : l'espoir, l'attente, la docilité respectueuse, cherchant dans des guides pratiques ou sur Internet les meilleures façons d'agir pour « garder un homme ». Le soir, après la dernière réunion, elle tapait sur ses moteurs de recherche des phrases aussi simplistes que : « Votre amant a-t-il quitté sa femme pour vous ? », « Le secret des femmes qui savent se faire aimer des hommes », « Comment rendre un homme fou de désir ? ». Elle passait des heures sur les forums de discussion sous le pseudo Titi41 (Titi pour Titien, son peintre préféré ; le nombre 41 évoquait son âge) pour recueillir des avis émis par des hommes et des femmes aussi perdus qu'elle, la plupart du temps d'un niveau intellectuel très inférieur au sien, des solitaires, des amoureux abandonnés et en détresse, qui passaient ainsi leurs soirées à se consoler par le biais de messages truffés de fautes d'orthographe (« T'inkiète pas @Titi41, ton keum mérite pas 1 meuf kom toi »), voire à se faire insulter (« Les femmes comme toi @Titi41 qui volent les hommes des autres sont des salopes qui seront quittées un jour pour une plus jeune qu'elles et ça sera bien fait, faudra pas venir pleurer sur ce forum »). Elle souffrait d'une telle dépendance affective que tout amour-propre, toute lucidité, avaient été anéantis, elle n'était plus que cette petite femme soumise, entièrement dédiée à la reconquête d'un homme. Une fois, en fin d'année, alors que François passait ses vacances au Brésil avec sa femme et ses enfants, elle s'était même résolue à consulter une voyante dont elle avait trouvé les coordonnées sur Internet qui lui avait prédit « une année positive sur tous les plans ». En rentrant chez elle, elle s'était sentie tellement mal qu'elle avait avalé une barrette de lexomil – abrutie de médicaments, l'année commencerait bien. Elle avait tout essayé, en vain. Il avait fini par la quitter. Sur son historique de recherches, on pouvait lire les phrases suivantes : « Survivre à un chagrin d'amour en 5 étapes », « La rupture amoureuse, comment s'en remettre ? », « Oublier l'être aimé en 15 jours ». L'amour, pour Sophie Kazal, c'était l'affaiblissement de soi, l'intrusion du pathétique et de l'échec dans un parcours jusque-là dominé par la réussite et la performance. Elle était incollable sur le profil psychologique de ce qu'elle appelait avec une certaine gravité les « pervers narcissiques », catégorie dans laquelle elle englobait François, cette classification la rassurait, elle n'était qu'une proie, une victime, et lui, un malade mental, un psychopathe qui voulait la détruire. Après l'annonce de la rupture, elle avait été hospitalisée à l'hôpital américain, officiellement pour burn-out – c'était à la mode, ça passait bien dans les milieux d'affaires où il n'était pas rare de travailler quinze heures par jour, le chagrin d'amour était moins professionnel, il fallait éviter de le mentionner, plus personne ne se rendait malade pour un amour, on n'était plus au XVIIIe siècle. François n'était venu lui rendre visite que deux fois, dont une pour lui offrir une gigantesque boîte de chocolats alors qu'elle avait pris six kilos en un mois à cause des médicaments, elle y avait vu une tentative de meurtre, ça l'avait rendue folle, un cadeau aussi « impersonnel », elle pleurait, se grattait la tête jusqu'au sang et le médecin avait dû intervenir pour demander à François de cesser ses visites. Elle ne s'était vraiment relevée qu'à la mort de Katherine, puisant dans ce drame une force nouvelle, répétant qu'elle n'avait pas envie de finir comme cette femme, « un cadavre écrasé sur un trottoir » par la faute d'un « manipulateur qui n'aime personne à part lui ». Elle avait alors postulé pour travailler chez le concurrent direct de François, Martin Penn, le premier mari de Katherine, pensant que François ferait tout pour la garder au sein du groupe – rien de ce qu'elle espérait ne s'était produit, non seulement il n'avait pas cherché à la retenir mais il avait fait courir le bruit qu'il l'avait licenciée pour une faute d'appréciation financière « très grave » –, elle avait eu du mal à s'en remettre, des mois de psychanalyse et de psychotropes, et voilà que, du jour au lendemain, elle se retrouvait ridiculisée dans les journaux : quelle pourrait être sa chance de reconstruction ? Il la piétinait. Il y avait eu la publication de photos d'elle en Afrique à l'occasion de l'anniversaire de François – des photos ridicules dont elle aurait préféré oublier l'existence –, il y avait eu également cette mention sibylline et diffamatoire dans le portrait de François, qui laissait entendre qu'elle était une sorte de Mata Hari du CAC 40 alors que c'était lui qui, répétait-elle, l'avait sexuellement harcelée moins de deux mois après son arrivée dans le groupe, et surtout cette connivence publique entre Dean et Vély, l'un volant au secours de l'autre, parangon de solidarité virile, c'en était trop. Il fallait qu'elle parle. C'était le bon moment. Sa version des faits, elle allait la donner.

11

Ce qu'Osman redoutait est arrivé : le soir même, après le départ des invités, Sonia a préparé ses affaires et a quitté l'appartement. Sur le seuil de la porte, ils avaient eu une vive altercation, elle lui avait reproché de « se laisser aller », de « régresser ». Elle n'avait pas l'intention de fréquenter plus longtemps des gens « moyenâgeux » et de cautionner des « discours victimaires ». « Tu parles de mes amis, de ma famille. — Oui, et alors ? Je ne veux pas entendre de propos antisémites chez moi. — Je comprends, j'en suis désolé, je n'ai pas aimé non plus le discours d'Issa mais je n'ai pas osé le mettre à la porte, j'aurais dû. — Je crois que nous n'avons plus rien à faire ensemble. Je passerai prendre le reste de mes affaires quand tu ne seras pas là. » Le choc. La puissance du choc de l'abandon. *Elle m'a quitté.* Sur le moment, la douleur est si vive qu'il a l'impression qu'une main fourrage sa cage thoracique pour y presser le cœur sans pouvoir agir pour faire cesser cette torture. Il était seul désormais. Mais sans surprise. Depuis le jour où il avait rencontré cette fille belle et brillante, il savait qu'elle finirait par le quitter. Il avait toujours senti entre eux une forme de malaise dû à leurs différences de parcours et de milieux. Pour une fille avec un cursus aussi prestigieux, s'afficher avec un homme qui n'avait pas fait d'études, c'était une régression. Tant qu'il travaillait à l'Élysée, qu'il bénéficiait de la protection présidentielle, elle avait pu surmonter ses réticences, mais à partir du moment où il avait été exclu du cercle, il ne possédait plus les atouts nécessaires pour séduire et garder une femme comme elle, qui avait placé la consécration intellectuelle au-dessus de tout. Mais il y avait autre chose, les clivages culturels n'expliquaient pas tout. Il était également persuadé – sans avoir jamais osé en parler avec elle – qu'elle préférait être en couple avec un Blanc. Sa véritable ambition aurait été de se marier avec l'un de ces fils de bonne famille blanche qu'elle aurait rencontré dans une bibliothèque du Quartier latin, Sainte-Geneviève, par exemple, ou lors d'une conférence organisée à Normale sup, un intellectuel qui lui parlerait de Deleuze pendant des heures et lui ferait l'amour en deux minutes dans la chambre de bonne achetée par papa l'année de son entrée en sixième, une petite pièce mansardée avec tout le confort, sectorisée Henri-IV, bien sûr, c'était la seule condition qu'il avait posée à l'agent immobilier lors de sa demande de recherche d'appartement. Mais voilà, elle avait rencontré Osman à l'Élysée, il l'avait charmée, il l'avait fait rire, il y avait de la gaieté en lui, une forme de dérision qui détonnait dans l'univers corseté qu'elle avait fréquenté jusque-là, un goût pour la provocation aussi qui la décontenançait un peu, elle, l'élève studieuse et concentrée, et elle était tombée amoureuse de lui, c'était nouveau pour elle, elle n'avait jamais pu se lier sentimentalement à personne. Pendant quelques semaines, elle avait résisté, refusant ses invitations à déjeuner, à dîner, ne répondant pas aux innombrables messages pleins de sous-entendus qu'il lui envoyait à longueur de journée. Cette union avec un Noir, ça compromettait ses chances d'ascension sociale, elle pensait qu'être une femme noire au pouvoir était déjà difficile, alors un couple… Elle cherchait dans cette attirance pour Osman des explications psychanalytiques, tentant de se raisonner. Une de ses proches amies, une Antillaise, avait même osé lui dire, au risque de la choquer, qu'elle commettait une erreur : « Tu peux avoir qui tu veux, pourquoi lui ? » Beaucoup de femmes noires de son entourage cherchaient à se lier à un Blanc : qu'est-ce qui se jouait dans ces rapports de séduction ? « J'ai cru que nous pourrions surmonter nos différences, avait-elle dit à Osman en le quittant. Je me suis trompée. » Il avait essayé de la retenir. En vain. Il l'avait regardée s'éloigner sans être capable de dire autre chose que ces mots : « À bientôt. » Osman se sentait à la fois triste et plus serein, comme si ce départ le libérait d'une mise à l'épreuve. Avec le temps, cette relation avait montré son caractère toxique. Il voulait l'oublier, c'est pourquoi il avait accepté de déjeuner chez Issa, à Clichy-sous-Bois, le lendemain de la rupture, et peut-être passer dire bonjour à ses anciens voisins et amis de la cité. Issa était venu le chercher vers onze heures à bord de sa Porsche. Ils avaient roulé, musique à fond. Pour un homme qui avait passé ces dernières années sous l'emprise de ses obligations professionnelles, cette légèreté lui procurait une joie nouvelle. Malgré le départ de Sonia, il n'avait pas eu besoin de prendre un anxiolytique.

Les barres d'immeubles se succédaient, blocs percés de fenêtres, tous semblables. Quelques arbres écorcés, presque nus, étaient plantés sur un terre-plein envahi de ronces. Partout, un hérissement de pièces détachées et d'ordures. Depuis les émeutes de 2005, rien n'avait changé, les choses s'étaient même détériorées. Osman remarqua que beaucoup de femmes étaient voilées maintenant. Des groupes de jeunes adolescents étaient disséminés un peu partout. « Toujours à la recherche de shit ? » demanda Osman. « Du shit ? » Issa se mit à rire : « La Seine-Saint-Denis ne se drogue pas ! C'est Paris qui est camée ! Ce ne sont que de petits revendeurs.

— Ça n'a pas trop changé, en fait, ironisa Osman.

— Voilà ce que tu rates ! Voilà le paradis perdu ! s'écria Issa en désignant les immeubles grisâtres qui s'érigeaient comme de grands édifices mortuaires.

— Je vais y revenir...

— Quoi ?

— Oui, je veux refaire du social, travailler sur le terrain... Tu es bien resté, toi, alors que tu as une belle situation... Tu pourrais t'installer ailleurs.

— Ici, j'ai la paix, je suis chez moi. Depuis les émeutes, les flics ne viennent pas trop nous emmerder, ils ont peur que ça reflambe. »

Ce mélange d'attraction et de répulsion. Ce qu'il voit le désole et pourtant, ça le fascine, vieux réflexe d'animateur social peut-être, il a envie de revenir sur le terrain, d'aider les habitants de ces zones sinistrées ; il a envie d'être là où les choses se passent, où la société se fracture.

La mère d'Issa a préparé un plat chaud, du pain et des salades, Osman la remercie et dit à Issa qu'il lui fera envoyer des fleurs en rentrant. « Des fleurs ? Parce que tu crois que ton fleuriste va s'aventurer ici ? Nos femmes, nos mères, si on veut leur offrir des fleurs, on doit les apporter soi-même, mais si tu traverses la cité avec un bouquet, tu es sûr de te faire allumer. » Pendant le repas, ils parlent essentiellement de l'entreprise d'Issa, des contrats qu'il voudrait obtenir, des personnalités qu'il lui faudrait approcher et Osman lui dit qu'il aurait aimé l'aider mais qu'il n'a plus aucun contact : « Je suis un pestiféré, plaisante-t-il.

— Oh, pour toi, c'est passager. Eux ici, dans la cité, c'est tout le temps.

— Rien n'a changé en quelques années ?

— Rien. Tu vis à Paris, tu ne sais plus ce qui se passe à Clichy-sous-Bois.

— Je lis la presse.

— La presse et ses clichés. À croire que certains écrivent leurs papiers sans avoir jamais mis les pieds ici.

— Est-ce qu'au niveau de la médiation sociale, il y a des actions intéressantes ?

— Tu veux dire aussi intéressantes que lorsque tu étais là ? Oui, tout le monde bouge, sauf le gouvernement qui promet et ne fait rien. Il pense qu'il va résoudre les choses en repeignant les cages de nos immeubles, mais le problème est plus profond, y a pas de travail et pour rejoindre Paris, en transports en commun, il faut deux heures.

— Tu t'en es bien sorti…

— Oui, oui, dit Issa crânement.

— La prochaine fois que tu viens à Paris, je voudrais qu'on aille voir Farid à l'hôpital avec Romain…

— Je te l'ai dit, je ne veux pas les revoir.

— Même pas Farid ? C'était celui dont tu étais le plus proche. Qu'est-ce qu'il t'a fait ?

— Le musulman qui va en Afghanistan tuer ses frères, c'est un criminel, rien d'autre.

— Tu n'es pas musulman que je sache…

— Je m'intéresse à l'islam, je pense à me convertir… Mais si je le fais, c'est pour être un vrai musulman, pas un type comme Farid ou toi…

— Je n'ai pas de leçons à recevoir de toi…

— Ça va, je dis juste que si tu es un vrai musulman, tu ne combats pas contre un des tiens.

— Les talibans sont tes frères ?

— Quand les Américains balancent leurs drones avec l'appui des Français, qui sont les victimes ? Le peuple afghan. Des hommes, des femmes, des enfants.

— Ce sont des victimes collatérales, il y en a toujours au cours d'une guerre.

— Blablabla… Oui, et en Irak aussi, les Américains ont débarqué par amour de la démocratie. Ta propagande, pas chez moi… Je suis bien content de ne pas avoir été pris dans l'armée, jamais je n'aurais accepté de partir en Afghanistan ou en Irak tuer des croyants.

— Tu aurais sûrement fait un très mauvais soldat. »

Osman dit ces mots avec une certaine cruauté. Il sait que cet échec est encore une blessure pour Issa.

« De toute façon, je déteste les militaires… Les militaires, les flics et les sionistes. »

Osman se fige tout à coup. Ces commentaires le glacent. La mère d'Issa a tout entendu et n'a rien répliqué. Il se demande une fois encore pourquoi il est venu. Il n'a qu'une envie : se lever et partir, pourtant, il ne bouge pas comme si une fidélité morbide le liait encore à Issa, à ces lieux. « Vous avez une femme, Osman ? » demande la mère. Issa ne lui laisse pas le temps de répondre : « Si tu voyais sa copine, maman, il ne peut pas en placer une, elle le mène à la baguette… c'est une fille qui travaille avec le Président de la République. — Elle m'a quitté, précise Osman. — On va t'en trouver une autre », dit la mère. Osman sourit : « Je suis encore amoureux d'elle. » Issa se met à rire : « Tomber amoureux, c'est un luxe qu'on ne peut pas se permettre ici, un truc de riches. — Il vaut mieux épouser une fille de son milieu, de sa rue, et même de son immeuble », reprend la mère. Sonia lui manque terriblement. L'espace d'un instant, il fait défiler dans sa tête leurs moments d'intimité, leurs fous rires, sa beauté quand elle se déshabillait, leurs discussions jusque tard dans la nuit, cette rapidité intellectuelle qui le fascinait. C'est fini, elle l'a quitté, elle ne reviendra plus. « Mais pourquoi elle est partie cette femme ? » demande la mère d'Issa. Osman répond qu'il ne sait pas vraiment, n'osant pas avouer qu'il avait découvert cette loi tragique à laquelle toute personnalité publique était soumise tôt ou tard : quand vous n'étiez plus sous les feux de l'exposition sociale ou médiatique, plus rien ne retenait auprès de vous ceux qui prétendaient vous aimer.

12

Une histoire d'amour. Ça justifie qu'ils sabotent leurs vies, leur équilibre familial, créent du conflit là où régnait le calme, dynamite ce qui était ordonné – comment résister à l'attraction et au désir, à ce qui les revitalise au moment où tout, dans leur existence, les renvoie à leur mortalité ? Romain le répète : « J'ai la conviction très profonde qu'un jour nous serons ensemble » et Marion finit par le croire. On n'est pas dans le romantisme aveugle, il sait ce qu'il veut, où il va, on n'est pas dans l'idéalisation amoureuse, il perçoit objectivement les différences et les obstacles, ils subiront des crises, il sera un peu éloigné de son fils, c'est sûr, mais il ne peut pas vivre sans elle, il a choisi d'aimer cette femme tout en sachant qu'il eût été préférable de renoncer, plus raisonnable de conserver ce qui avait été acquis, construit patiemment, année après année, un mariage, une famille, un édifice social stable – de ceux qu'on montre en modèle. À cette sécurité, il préfère le risque, la sensation d'être vivant que seule procure l'alchimie sexuelle. Il le lui dit encore, le lui écrit, pour qu'elle ne doute plus, qu'elle n'ait pas peur : *je t'aime, je te désire, je veux vivre avec toi*. Et chaque fois elle répond que c'est impossible, le suicide de Katherine

Vély l'a traumatisée, elle ne se sent pas capable de construire son bonheur sur le malheur d'une autre, pas cette fois, pas de cette façon, elle connaît désormais la fragilité de ceux qu'on abandonne. Et puis elle ne pourrait pas quitter François au moment où il est mis en difficulté. Elle ne veut pas se laisser tyranniser par son désir, elle l'a trop reproché à François quand il l'a rencontrée, délaissant sa femme du jour au lendemain, provoquant malgré lui un drame dont ils portaient encore la culpabilité. Alors Romain dit qu'il attendra qu'elle soit prête.

Tu es faite pour moi, tu es tout ce que j'aime.

Ils font l'amour, Romain sent que les résistances de Marion sont en train de tomber, il est fort, serein, il la raccompagne en lui promettant de l'aimer toujours et quand, une ou deux heures après, il retrouve Xavier dans un petit bistrot, il est pris d'une irrépressible envie de raconter cet « amour fou ». Xavier paraît pâle, un peu nerveux. Romain comprend tout de suite que quelque chose ne va pas. Il traverse une passe difficile depuis leur retour d'Afghanistan mais il ne souffre pas d'un syndrome de stress post-traumatique, non, ce qui détruit lentement Xavier, c'est la culpabilité de ne pas avoir été sur le terrain le jour de l'embuscade. Il répète : « Je suis comme un joueur de foot qu'on a mis sur le banc de touche le jour du match. J'étais là, bien au chaud dans la base pendant que les autres se faisaient dézinguer. » Romain se montre compatissant, mais au fond ça l'ennuie. Ces atermoiements, alors que Xavier a sauvé sa peau quand Farid gît sur un lit d'hôpital, ça le révolte, il change brusquement de sujet : il doit lui confier quelque chose. Voilà, il est amoureux de Marion, la journaliste, il est « fou d'elle », il va quitter sa femme. Xavier commande une bière, puis deux. Il ne dit rien pendant quelques minutes, écoute sans manifester la moindre émotion, puis soudain réplique, catégorique : « Tu ne peux pas faire ça à ta femme.

— Je ne comprends pas.

— Tu ne peux pas la quitter ! Ça n'est pas possible, ça n'est pas envisageable. Ce n'est pas seulement moralement répréhensible, c'est condamnable. Ça fait six mois qu'elle t'attend. Elle t'est restée fidèle. Elle s'est occupée de ton fils. C'est une femme gentille, aimante, sans histoires, une qui ne te trompe pas pendant que tu es sur le terrain. Tu ne peux pas quitter une femme pareille. Elle a toujours été là pour toi. Depuis le début. Sans elle, tu n'aurais pas pu mener cette carrière. Elle est travailleuse, courageuse et tu voudrais la briser en lui disant que tu l'as remplacée ? Tu voudrais tout détruire pour une histoire de cul avec une fille que tu as vue trois fois dans ta vie ? »

Non, il ne peut pas dire ça. Ce qu'il vit avec Marion, c'est autre chose, une connexion évidente, une histoire simple, une intimité exceptionnelle : ils s'aiment et ils sont certains de ne jamais avoir aimé de cette façon, avec une telle force, une telle confiance. « Tu me parles de confiance alors que tu trahis ta femme. » Romain n'a pas le sentiment de trahir qui que ce soit, il n'a pas cherché cette aventure, « C'est venu comme ça, c'est tout. » Xavier se ferme un moment, puis réplique : « Tu as aimé ta femme, non ? » Oui, c'était vrai. Il l'avait aimée, mais sans passion. Il l'avait connue sur les bancs du lycée. Il était attaché à elle, il avait du respect pour elle, ils s'étaient construits ensemble, ils avaient un projet commun : élever leur fils. Il admirait la mère. En avait-il été profondément amoureux ? Non.

« Tu dis que tu t'entends bien avec Agnès, c'est déjà beaucoup.

— Avec Marion, c'est différent. Avec elle, je me sens vivant, tu comprends ? Je ne tremble pas. J'ai besoin d'elle. Agnès est comme une amie pour moi. Je l'ai connue à quinze ans. Je n'avais jamais été amoureux. Avec Marion, j'ai tout le temps envie de rire, de jouir.

— Je ne veux pas entendre ça. C'est amoral, ça me dégoûte, c'est à cause d'hommes comme toi que la cellule familiale est en train d'exploser. Si tu veux des émotions fortes, prends ton arme et va chasser, mais ne fous pas ta famille en l'air. »

La famille, la grande affaire de Xavier. Il était marié depuis dix ans à une jolie femme au foyer bigote et docile qu'il avait rencontrée lors d'une mission sociale organisée par le Secours populaire ; ils avaient cinq enfants.

« Ta morale chrétienne, tes valeurs pétainistes, épargne-les-moi, s'il te plaît...

— Tu es égoïste, injuste, tu ne penses qu'à ton plaisir.

— Il faudrait se contenter d'une vie où les désirs ne seraient pas satisfaits ? Une vie de renoncements ? Non. Je veux mieux. J'ai de l'ambition pour moi : être aimé, par exemple. Je suis injuste ? Peut-être. Mais la vie aussi est injuste, et personne ne se révolte. Un type de vingt ans perd ses membres sur une mine dans un pays étranger, pour rien, comme ça, il n'a pas eu de chance, et tout le monde s'en fout, mais un autre quitte sa femme et on s'indigne.

— Je te dis qu'il y a des valeurs plus importantes, c'est tout... Tu crois qu'on a le droit de tout détruire pour une simple promesse de bonheur sexuel ? Tu couches une fois, deux fois avec cette fille, c'est une révélation, tu n'as jamais rien connu d'aussi fort, est-ce que cela justifie que tu quittes tout pour vivre ce bonheur-là, qui ne durera peut-être pas ? La chose la plus importante, c'est de préserver sa famille.

— C'est bon, tu as fini ? Je vais te choquer encore plus : ma seule ambition désormais, c'est de baiser cette fille. »

Xavier ne réplique pas immédiatement, il avale quelques gorgées de bière, prend son temps.

« Tu crois peut-être que cette fille va quitter son mari qui est l'un des hommes les plus riches de France pour toi ? Mais tu rêves, Romain ! Regarde où tu vis ! Ton petit pavillon de banlieue que tu as retapé toi-même et acheté à crédit sur vingt ans, ta déco qui vient de chez Bricorama ou Ikea, ton jardin minuscule avec ta piscine hors sol parce que tu n'as pas les moyens de t'en construire une vraie, tu me fais rire… Cette fille a vu tout ce qu'il y a de plus beau au monde, elle évolue dans un milieu où l'esthétique est une obsession et tu voudrais qu'elle lâche tout ça ? Allons, sois sérieux, Romain, sois réaliste. »

Mais voilà, il n'a pas envie d'être réaliste ; le réel, c'est la guerre, la perte, la mort, le manque de désir, le réel, c'est l'ennui, la répétition. Marion lui propose peut-être un mirage, une fiction, mais « elle est du côté de la vie, quand tout en moi penche vers la mort ». Il le redit à Xavier : « Tu ne peux pas comprendre », et Xavier répond que si, il peut comprendre – le désir, les pulsions, la tentation sexuelle, il sait ce que c'est –, puis il se lance dans un plaidoyer pour la famille et la défense des valeurs catholiques, l'obligation de « résister à ses instincts primaires » pour préserver la paix conjugale.

« Je n'en suis plus là, réplique Romain. Au stade où j'en suis, c'est une question de vie ou de mort pour moi.

— Parles-en à un psy et raisonne-toi, les conséquences seront moins dévastatrices. Et surtout, ne détruis pas ta vie et celle de ton fils pour une histoire qui ne durera peut-être pas six mois. On tombe toujours amoureux de la personne qui n'est pas pour nous ou qui n'est pas libre. La déception sentimentale est une expérience de la vie, comme la maladie ou le deuil. Ça déstabilise mais on s'en remet.

— J'étouffe dans ma vie, tu comprends ?

— Ne quitte pas ta femme, elle est ta force. Quitte l'armée si tu n'en peux plus.

— Quitter l'armée ? Mais pourquoi ?

— Donne-moi plutôt de bonnes raisons d'y rester…

— Le goût du combat. La défense de nos valeurs.

— J'en ai marre de risquer ma peau pour des gens qui n'en ont rien à foutre de ce qu'on fait. Ils prennent pour de l'ingérence ce qui n'est que de la défense !

— Tu ne peux pas dire ça…

— On nous a pris pour des cons, tu le sais comme moi. On le sait tous ! On a risqué notre vie, certains sont revenus en morceaux et on nous remercie comment ? En nous demandant de fermer notre gueule… Regarde dans quel état on est… Toi encore, tu vas être décoré, on va te donner la Légion d'honneur, mais moi…

— Je me fiche des décorations.

— Oh, quand même, c'est pas rien… Mais moi j'étais à la base, ça ne compte pas… Même Farid va en avoir une… Quel est son mérite ? Avoir sauté sur une mine ? Il a eu de la chance au contraire, il aurait pu mourir, comme José ou Vincent.

— Ce que tu dis est ignoble…

— Farid ne voulait pas faire cette reconnaissance… Il avait soi-disant un mauvais pressentiment.

Moi, je crois surtout qu'il avait peur d'être obligé de tirer sur des musulmans.

— Je ne peux pas entendre une chose pareille.

— Tu ne veux pas entendre la vérité !

— Tu n'étais pas sur le front non plus le jour de l'embuscade, je te rappelle…

— Parce que j'étais malade ! Mais Farid, crois-moi, s'il avait pu, il n'y serait pas allé ! C'est ça l'armée française ! Un multiculturalisme de merde ! De toute façon, ce n'est plus mon affaire, je quitte l'armée, je te l'ai dit.

— Et tu vas faire quoi ?

— Je vais travailler pour le compte d'une entreprise de sécurité… Tu protèges des personnalités ou des sites sécurisés : des ambassades, des entreprises localisées en Irak, en Libye ou en Afghanistan, des journalistes, des ingénieurs, tous ces gens qui travaillent dans ces zones à risques et sont des cibles potentielles pour les insurgés. De nombreux soldats se reconvertissent dans cette activité, c'est très lucratif, y a plein de fric à se faire, c'est un bon plan, il y a des risques, c'est sûr, mais on est habitués, non ? Les culs-de-plomb, c'est plus pour moi. Et puis, là au moins, si on meurt, on a une bonne assurance, notre famille est à l'abri.

— Je ne comprends pas… Et ton engagement, les raisons pour lesquelles tu es devenu soldat…

— Mais enfin, tu as vu ce qui nous est arrivé en Afghanistan ? Tu te souviens de l'hommage rendu au soldat canadien qui avait été assassiné à coups de hache ? Au cours de la cérémonie, les chefs afghans qui avaient été invités n'avaient pas cessé de parler entre eux et de sourire, c'était insupportable… Depuis ce jour, je les hais.

— Je ne vois pas le rapport…

— Tu ne vois pas le rapport ? Mais pourquoi est-ce

que je prendrais le risque de crever pour des gens qui me détestent, qui haïssent l'Occident et la démocratie, nous considèrent comme des dégénérés et ne rêvent que de nous enterrer ? On est là pour les aider et eux, tout ce qu'ils veulent, c'est nous détruire ! Tout ce qu'ils font c'est de nous accuser d'être chez eux pour le fric ! Des types qui envoient leurs enfants se faire sauter devant nous ! Des hommes qui n'ont pas peur de la mort ! Et puis, sommes-nous aptes psychologiquement à affronter ces situations ? On pourrait très bien abandonner le monde à lui-même.

— Non, parce qu'on a des attentats sur notre sol. Nous sommes obligés de répondre au terrorisme... Je te rappelle qu'avant tout ça, il y a eu le 11-Septembre.

— Oh, la belle excuse pour envahir l'Afghanistan ! La vérité, c'est qu'on aurait dû sécuriser nos pays, bien fermer nos frontières, et les laisser dans leur merde ! Oh oui, l'Occident s'engage, mais sporadiquement... et pour quel résultat ?

— Nous n'avons pas d'autre choix, Xavier.

— Si. Il y a toujours le choix de la lâcheté. »

13

L'expiation par la parole. Sophie Kazal, l'ancienne collaboratrice et maîtresse de François Vély, convoque la presse, et voilà ce qu'elle affirme : non, on ne peut pas accuser son ex-employeur de racisme. « Il est manipulateur, cocaïnomane, pervers, opportuniste, calculateur, misogyne, séducteur, mais raciste, non. » Et elle précise : « Je le connais bien, j'ai été sa compagne cachée. Mais à quel prix… » Sa version ? François Vély l'aurait fait participer dix ans auparavant à une *party* à New York, organisée par la société Szpilman, une simple soirée comme il s'en déroule des centaines chaque soir dans les bars les plus sélectifs de la Grosse Pomme, sauf qu'au cours de cette partie fine où la coke et l'alcool circulaient librement, François aurait contraint sa collaboratrice à avoir une relation avec celui qui était à l'époque son patron, Daniel Dean : « Il m'a fait comprendre que ce serait bien si j'acceptais de coucher avec lui. » « Laisse-toi aller », voilà ce qu'il lui aurait dit. « Tu lui plais, tu vois bien que tu lui plais. » Sophie Kazal donne des détails, raconte la cocaïne en libre-service, les partouzes, les filles mises à disposition des jeunes banquiers et chefs d'entreprise présents. « Des putes, oui, mais pas seulement, on poussait aussi les filles qui bossaient au sein du groupe. Parfois, même, on les harcelait. » Elle raconte que c'était difficile d'y échapper : « Ils vous présentaient ça comme l'expression d'une liberté individuelle, une façon d'appréhender la sexualité sans tabou ni limites et je vous assure que Noirs ou Blancs, on ne faisait aucune différence. » Elle a connu ça et, comme les autres, elle n'a rien dit à l'époque, tout le monde se taisait, elle avait peur pour sa place, et même ce jour où Vély lui avait fait comprendre qu'il valait mieux qu'elle accède à la demande de Dean, elle ne s'était confiée à personne. Dans le milieu du grand patronat, on ne parle plus que de cela. François Vély nie. Ce qui n'était au départ qu'une affaire d'image devient un scandale racial où se jouent également les codes sociaux avec, en toile de fond, le spectre de la plainte pour harcèlement sexuel – l'une des plus grandes angoisses de l'homme de pouvoir américain. Daniel Dean sait qu'il peut tout perdre : son poste, sa femme, sa réputation – tout ce qu'il a bâti. Il sait aussi qu'il ne peut pas mettre en œuvre la stratégie de défense classique : déshonorer la victime pour diminuer la culpabilité, s'il attaque frontalement Sophie Kazal, il prend le risque d'avoir les féministes contre lui – faire passer la prétendue victime pour folle, par exemple, il n'y pense même pas, ce serait contre-productif. Alors il biaise, il ne dit pas s'il a eu ou non un rapport avec elle, il ne dit pas que ce soir-là, il a eu des rapports avec tant de femmes qu'il serait bien incapable de les reconnaître, il joue la carte identitaire, il se drape dans sa dignité d'homme noir blessé : « Pensez-vous qu'une femme de la stature de Sophie Kazal, une femme qui a un poste comme le sien, ne soit pas capable de dire non à un homme ? Elle est mon égale en négociations, elle n'est pas moins rouée, moins professionnelle que moi. Pourquoi accorder plus de crédit à la parole de cette femme qu'à la mienne ? Parce que je suis noir et qu'elle est blanche ? Cela serait impensable qu'elle soit consentante ? Vous insinuez que je serais obligé de contraindre une Blanche à coucher avec moi ? » Pour Sophie Kazal, être soupçonnée de racisme, c'est aussi mettre un coup d'arrêt à sa carrière, elle ne surenchérit pas, se fait discrète, dit qu'elle n'est plus très sûre, elle avait bu ce soir-là, pris de la coke. La peur a changé de camp et, contre toute attente, ça fonctionne.

Mais chez Szpilman, c'est la consternation. Les plaintes des actionnaires se multiplient. On évoque un « scandale ». On redoute une altération de l'image. Réunion de crise, on cherche la parade, le temps presse, il faut faire vite. Les hypothèses sont émises : si les actionnaires ne poussent pas Dean vers la sortie, ils donnent une image déplorable de la société auprès des femmes – cela sous-entendrait que des hommes de pouvoir avaient le droit d'abuser des employées qui travaillaient sous leurs ordres – mais s'ils le font, s'ils lâchent leur PDG, qui n'a jamais démérité en trente ans, qui a contribué à l'essor de la société dans le monde, occupant successivement tous les postes avant de prendre la tête du groupe, alors cette affaire devient un conflit racial qui pourrait rapidement s'embraser. En trente ans, pas une plainte contre le PDG du groupe créé par l'homme d'affaires américain David Szpilman. Pas un scandale. Peuvent-ils décemment acculer Dean à la démission sans être à leur tour accusés de racisme ? Tous les salariés de la société se doutent que Dean a sûrement couché avec Kazal, tout le monde couche avec tout le monde dans ce genre de soirées, mais ils ne croient pas qu'il l'ait forcée, elle aurait pu dire non. En revanche, la version plausible, c'est que Vély l'ait incitée à le faire pour des raisons professionnelles et qu'elle ait fini par accepter, par obligation, lâcheté, opportunisme – par faiblesse aussi, Kazal est une exécutante, le genre de femmes qui a construit sa carrière en privilégiant la protection des hommes, faut rester là, près d'eux, à chauffer la place, sourire-écouter-approuver, le tiercé de Celles-qui-minaudent, du côté des puissants, toujours, espérant se mettre sous leur protection et monter, monter – les escaliers de secours aussi mènent au sommet. La décision du conseil d'administration de Szpilman est prise : Daniel Dean est maintenu à son poste. La fusion, conservée. Kazal n'apparaît plus en public. On murmure que son silence a été négocié à prix d'or. L'affaire est close. Fin de partie.

Cette histoire est un coup dur pour François ; les conflits identitaires, c'est nouveau pour lui qui n'a jamais accordé la moindre importance à ces questions-là. La crise passe rapidement mais il répète qu'il a tout perdu, sans donner plus de détails. Des amis de longue date l'évitent, sa cour s'éloigne, il perd de l'influence. Sa fille Domitille ne lui parle pas, il n'a pas revu Thibault depuis leur dernière rencontre. Seule sa dernière fille est encore à ses côtés. Ses parents lui téléphonent de temps en temps. Jamais il ne s'est senti aussi seul que dans ce moment où son pouvoir faiblit.

14

Osman n'était plus l'homme qu'il avait été du temps où il vivait à Clichy-sous-Bois, ni celui que Sonia avait aimé au pouvoir. L'échec l'avait rendu plus lucide, plus combatif, aussi. Il relisait *Les damnés de la terre* de Frantz Fanon, ça l'ébranlait, il était persuadé que tout ce qui lui était arrivé n'était que le résultat d'un mépris racial, social. Ses parents avaient fait profil bas, tête baissée – raser les murs, ne pas faire de vagues : des réflexes de colonisés –, mais leurs enfants n'avaient pas voulu se soumettre, ils étaient français, nés en France et pourtant, les gouvernements successifs les avaient traités comme leurs parents – des étrangers –, en les parquant dans des zones enclavées dont il était presque impossible de s'évader pour se reconstruire ailleurs – des dominés.

Fanon : *La zone habitée par les colonisés n'est pas complémentaire de la zone habitée par les colons. Ces deux zones s'opposent (...) Elles obéissent au principe d'exclusion réciproque.* Osman se balade dans son quartier du VIIe arrondissement, cette enclave bourgeoise – *la ville du colon est une ville de blancs, d'étrangers* – et il repense à sa visite en banlieue, chez

Issa – *La ville du colonisé est une ville à genoux (...). Une ville de nègres, une ville de bicots.* Il se souvient de l'attitude de ses collaborateurs après l'incident avec le conseiller, la colère froide du Président – *La première chose que l'indigène apprend, c'est à rester à sa place, à ne pas dépasser les limites.* Il repense au désir qu'il avait alors de retrouver son poste à l'Élysée, d'être admis dans le cénacle du Président – *Le monde du colon est un monde hostile, qui rejette, mais dans le même temps c'est un monde qui fait envie.* Il a encore en mémoire les mots de Wojakowski : « Tu es trop susceptible. » *L'affectivité du colonisé est maintenue à fleur de peau comme une plaie vive qui fuit l'agent caustique.*

Il est interrompu dans sa lecture par son père qui surgit à l'improviste, traînant derrière lui un caddie rempli de victuailles : « Je t'ai fait le marché », dit-il en pénétrant dans le grand appartement lumineux. « Pourquoi t'es-tu dérangé ? Il y a tout dans le quartier. — J'ai vu les prix près de chez toi. C'est trois fois plus cher que chez les Chinois. » Osman prépare un café, son père s'assoit à la table de la cuisine. Il est venu, explique-t-il, pour rassurer son fils. S'il ne peut plus payer leur loyer dans le XIIIe, ils retourneront dans leur ancien logement, en banlieue. Il faut qu'il le sache. Osman confie à son père son désir de revenir à une activité sociale. Il ne veut plus faire de politique. Il a vite compris qu'il ne pourrait pas changer les choses et qu'il ne ferait jamais partie d'aucun clan. Il va relancer son mouvement Banlieue 34 et libérer cet appartement dans le VIIe qu'il avait loué à la requête de Sonia. Trop grand, trop cher. Et puis, il ne s'y est jamais senti bien. Il ne s'est pas habitué à ces grandes artères bourgeoises où le silence règne dès vingt-deux heures. Dans un premier temps, peut-être qu'il habiterait chez eux. Puis, il verrait. Son père part après avoir rangé toutes les courses dans le réfrigérateur. Osman reprend sa lecture de Fanon : *Le colonialisme est la violence à l'état pur et ne peut s'incliner que devant une plus grande violence.*

15

Les plaisirs d'une vie familiale sereine, la connivence conjugale, la consécration professionnelle, l'argent et les libertés qu'il procure, les charmes du voyage, la force des amitiés anciennes – tout ce que la société a défini précisément comme étant les éléments de l'épanouissement personnel, cette mythologie du bien-être enrichie par le poids de la morale est sans effet face à la puissance corruptrice du désir. Romain ne peut pas lutter contre l'intrusion de l'érotisme dans sa vie, il aime Marion, il la désire, c'est ça ou la folie, ça ou la mort lente, il n'envisage plus la vie sans elle, il s'organise dans sa tête, il va louer un appartement. Il souhaite vivre avec elle, se réveiller auprès d'elle. Xavier lui a dit que c'était utopique, impossible – et alors ? Il sait ce qu'il veut et ce qu'il est prêt à faire pour l'obtenir. L'intimité aveugle, le plaisir sexuel corrompt. Dans un lit, ils se disent des choses auxquelles ils ne croiront plus quand ils seront dehors, dans le métro, dans la rue, quand ils verront leurs relevés de comptes bancaires et feront des recherches d'appartement sur Internet, ils n'avaient pas imaginé que c'était si cher, un loyer, à Paris, qui peut se payer ça ? Et c'est toujours elle qui le dit :

« Je pense qu'on ne sera jamais ensemble. Regarde objectivement la situation, mon mari est en première ligne, je ne peux pas le quitter maintenant.

— Quand tu dis ça, tu me tues.

— Tu y crois, toi ?

— Oui, je suis sûr qu'un jour nous serons ensemble. »

Des arguments qui s'opposaient à leur histoire, elle en proposait des dizaines, elle œuvrait contre elle-même, croyant se protéger du sentiment d'insécurité qui avait rendu son enfance si toxique, mais il la rassurait et elle restait. Ou alors, elle s'éloignait, et il la rappelait au bout de quelques jours : « Tu me manques. C'est trop douloureux d'être loin de toi. » Et elle cédait : « Toi aussi, tu me manques. Je t'aime. » Leur amour était comme un appareil de haute fréquence dont ils ne savaient pas régler l'intensité. « Je n'ai jamais vécu quelque chose d'aussi fort », il ne cesse de le répéter ; avec elle, tout semble décuplé, amplifié *parce que je t'aime*. Il lui dit qu'il ne se souvient pas d'avoir ressenti un sentiment aussi puissant pour sa femme. Il serait capable de la quitter, il n'a pas peur, non, le plaisir sexuel a ce pouvoir de rétracter les angoisses, de magnifier les projections, tout paraît simple et évident. Il ne vivrait plus désormais que dans le désir de lui faire l'amour. Il le lui écrit, dix, vingt fois : « Je t'aime. » Elle tente de le dissuader : « Tu es marié, tu as un fils, tu le verrais moins, tu as une vie agréable. » Il contredit tous ses arguments : « C'est avec toi que je veux être. J'ai une vie confortable, oui, mais c'est toi que j'aime. » Il l'embrasse encore et encore, prenant son visage entre ses mains : *je suis fou de toi, je te veux pour moi* – la litanie mystificatrice du désir – mais quand il quitte Marion et arrive à proximité de son domicile, tout change : effacement des données amoureuses, remise des compteurs à zéro, rien n'a été dit – que vaut la loi orale ? Rien, ou pas grand-chose, puisque le désir sexuel l'a viciée. Il voit de la lumière dans le salon – un halo chaud et familier. Dans un premier temps, il est en état d'alerte, arc-bouté vers l'avant, prêt à attaquer, puis très vite, il se rassure, reconnaît la silhouette de sa femme et celle de son fils qui se détachent dans le clair-obscur, il ne s'attendait pas à les trouver là, Agnès avait emménagé chez sa mère quelques jours plus tôt ; depuis, ils n'avaient échangé que quelques messages qui concernaient Tommy, elle ne l'avait pas prévenu de son retour, mais c'est bien eux, il aperçoit leurs ombres mouvantes derrière le rideau qui ondule, voile transparent, il les observe et ça le rend heureux. Il a, spontanément, la réaction de quelqu'un qui n'a pas vu ses proches depuis des mois et qui s'apprête à les retrouver, il sent que sa place est là, chez lui, avec sa femme et son fils ; s'il n'y va pas, il le regrettera, écrasé par la culpabilité, les devoirs qu'il n'a pas honorés, le manque de son fils. Il franchit le seuil de sa maison sans aucune hésitation et rentre, il a oublié les conflits, l'éloignement, les mots durs, il est là, sa femme et son fils se tiennent devant lui ; derrière eux, la table est dressée, « Surprise ! » crient-ils, et il les serre aussitôt contre lui, les embrasse, « Vous m'avez manqué », et il pense : *c'est ma famille*. Agnès dit qu'elle revient chez eux, elle ne veut pas l'abandonner, elle ne le quittera jamais, ils ont surmonté tant d'épreuves – l'attachement, ses artifices, sa force, etc. –, et ils s'étreignent plus fort, leur fils accroché à leurs jambes. Cette harmonie familiale le bouleverse, et, quand il reçoit un SMS de Marion quelques minutes plus tard, il ne répond pas. Ce qui lui a paru évident quand il était dans un lit avec elle – son désir de vivre avec elle, de quitter sa femme – devient moins sûr une fois rentré chez lui. L'obsession amoureuse s'est éteinte ou momentanément déplacée, il est ailleurs, avec les siens, dans la chaleur et l'intimité de son foyer, il oublie le reste, ce qui est volage et fugitif, violent et incontrôlable – l'amour, c'est l'insécurité, quand tout son être réclame de la stabilité. Il est allongé sur le canapé, auprès d'Agnès, apaisé, porté par leurs souvenirs communs, leur histoire personnelle, les épreuves qu'ils ont traversées ensemble, les projets qu'ils ont faits, elle est sa femme, son amie, un peu moins son amante, peut-être, mais il faudrait savoir se contenter de cette symbiose-là et la sérénité qu'elle propose. Au fond, il a besoin de cette conjugalité amicale, l'amour l'expose et c'est trop pour lui qui, dans son exercice professionnel, est sans cesse soumis au danger. Quand il part en mission, il n'est jamais sûr de revenir vivant, et il perçoit que cette attirance un peu pathogène pour Marion le fissure, que cette passion exige trop de lui. Ce que l'amour requiert – ces preuves, cet investissement total, cette forme d'énergie presque hystérique que ravive et entretient le désir sexuel selon son mécanisme alternant fusion totale et repli – il ne peut pas le donner. Dopé par cette passion, il a cru en être capable, il s'est senti fort, puissant, il s'est trompé. Il doute, se demande à présent s'il serait capable de détruire sa cellule familiale pour une histoire aussi récente, une femme qu'il n'a vue qu'à quelques occasions, toujours dans une chambre, et il conclut très vite que non : il en meurt d'envie mais il est paralysé, déchiré par une décision qui les engagerait tous – peut-être vers un chaos irréversible. Il ne s'est jamais senti aussi vulnérable qu'à l'heure de ce choix. La reconnaissance de cette nouvelle fragilité le perturbe, elle implique de modifier l'image qu'il a de lui-même, celle d'un homme de parole, courageux, résistant, tenace, un homme sur lequel on peut compter, mais cette réévaluation de ses capacités le renvoie dans le camp des Intègres et des Purs, ceux qui ne cèdent jamais à leur désir, qui ne font pas d'excès de vitesse, ceux qui ont choisi la voie du confort conjugal, de la tranquillité et de la rectitude sociale – droit, serein, responsable, on vit mieux, croit-il.

Ils commandent des pizzas et des sodas, sélectionnent un dessin animé qu'ils regardent avec leur fils, et le soir, une fois que le petit est couché, ils font l'amour, toutes lumières éteintes, un peu mécaniquement peut-être, c'est sa femme qui a pris l'initiative, mais Romain comprend que sa place est auprès d'elle. Qu'il ne peut pas la quitter et se résoudre à moins voir son enfant. Cette réconciliation, c'est une rémission. Pas de tremblements, pas d'angoisses. Ce soir-là, Romain et sa femme s'endorment en chien de fusil, pleins de tendresse l'un pour l'autre, leur chambre est plongée dans l'obscurité, tout est paisible, mais ça ne dure pas ; soudain, en pleine nuit, ils sont réveillés par les pleurs de Tommy entrecoupés de cris stridents et aussitôt ils sont dans sa chambre, *on est là, papa et maman sont là*. Tommy est debout, ses joues sont rouges, ses yeux, noyés de larmes et, quand Romain le prend contre lui, l'enfant se débat avec une force étonnante. Agnès le serre contre elle, lui donne un antalgique mais Tommy crie de plus belle ; ils décident de l'emmener aux urgences. Il est deux heures du matin, l'attente est interminable et finalement, au bout de trois heures, l'enfant est enfin ausculté. Le médecin de garde leur dit que ça va aller, Tommy a eu un virus peut-être, rien de grave, les résultats sont normaux, et quand, une fois rentré chez lui, Romain rallume son portable, il voit qu'il a reçu plusieurs messages de Marion dont l'un attire son attention : « Tu m'as dit que nous serions ensemble le jour où je me sentirais prête – je crois que je le suis. » Mais voilà, lui ne l'est plus. Il y a quelques heures encore, il pensait l'être. Entre-temps, les choses avaient changé. Il avait revu sa femme. Il avait eu peur de perdre son fils. Il ne voulait pas s'éloigner de lui, lui faire du mal, il n'avait pas supporté de le voir souffrir à l'hôpital, alors, au milieu de la nuit, il répond laconiquement à Marion, il est froid, presque glacial, il marque la distance, et quand il se réveille, il découvre un nouveau message. Elle ne comprend pas, hier encore, il l'aimait, disait qu'il l'attendait, qu'il allait tout quitter pour elle et aujourd'hui, il paraît absent, indifférent, ce passage du chaud au froid la déstabilise. Il ne réplique rien, ce silence, c'est sa seule possibilité d'expression à cet instant, et c'est elle qui écrit qu'elle ne souhaite plus jamais le revoir, elle ne veut pas qu'il essaye de la contacter et il répond enfin, il trouve la force de répondre que oui, c'est mieux pour tout le monde, leur amour est impossible, cela le rend triste mais oui, elle a raison, il vaut mieux se quitter.

16

L'effet domino. Une pièce avait été déplacée et tout l'édifice social de François s'écroulait sans qu'il pût rien faire pour en empêcher ou ralentir la désagrégation. Les photos prises en Afrique avaient suscité la colère des partenaires africains, d'importantes négociations avaient été gelées. Pendant la nuit, un site d'information avait révélé que plusieurs sous-traitants – des centres d'appel travaillant pour le compte du groupe Vély dans différents endroits du globe – étaient soupçonnés d'exploiter des travailleurs issus de pays du tiers-monde. Une ONG spécialisée dans la protection et la défense des victimes de crises économiques avait annoncé qu'elle avait déposé plainte contre le groupe Vély, l'accusant d'une forme moderne d'esclavage et d'une violation flagrante des droits de l'homme. L'ONG précisait que des conditions de travail et de logement « indignes » auraient été imposées aux ouvriers employés ainsi qu'une rémunération dérisoire, « sans rapport avec le travail fourni ». Elle reprochait également au groupe d'avoir conservé les passeports de certains employés, les empêchant ainsi de quitter le site. Cette suspicion d'esclavage moderne au lendemain des accusations de racisme est un nouveau coup dur pour François et son groupe. Nouvelle réunion de crise avec ses conseillers en communication. Les accusations sont graves, il faut dénoncer point par point les griefs, François donne une interview dans un quotidien national. Il qualifie cette attaque d'injuste et de violente, regrette la stigmatisation de son groupe ainsi que « l'instrumentalisation à visée politique » dont il estime être l'objet et annonce qu'il porte plainte pour diffamation. Après avoir exprimé publiquement ses regrets, il précise que « toute la lumière sera faite sur cette affaire » et rappelle la réputation de probité acquise par son groupe au fil des années. « Nos sous-traitants doivent respecter nos règles, dit-il doctement, c'est pourquoi tous nos contrats ont des clauses sociales très strictes et que des audits sont régulièrement réclamés. » Mais le lendemain matin, dans un quotidien national, un journaliste d'investigation écrit un article au vitriol en utilisant des extraits du journal de Domitille, la fille de François, calqué sur la *Lettre au père* de Kafka, et dont il avait retrouvé une trace sur Internet : *Qui peut survivre à tant de froideur et d'égoïsme ? Tu as été ignoble avec maman et ignoble avec moi. J'ai pour toi toute la haine du monde et tous les conflits des hommes réunis sur ta tête. Je pense parfois aux pauvres soumis à ton service, je pourrais même dire à tes sévices, tu les traitais comme des esclaves.*

Tu les traitais comme des esclaves – la phrase est reprise partout, accompagnée de la photo où l'on voit François sur l'objet qualifié de « chaise raciste ». Domitille a beau pleurer, présenter ses excuses à son père, le mal est fait – la flétrissure est totale : *Voilà, je suis fini*. Le suicide ? Non, le suicide n'est pas une option possible pour François ; en se tuant, son ex-femme lui avait par ricochet ôté tout droit de mort sur sa propre vie, un couple parental n'a le droit qu'à un ticket pour l'au-delà, il n'envisageait pas de confier ses enfants à une institution, il pourrait toujours s'enfoncer, boire, se droguer, faire un séjour dans une clinique privée, dopé aux calmants, mais mourir, non – quel processus expiatoire s'était enclenché ?

Dans la journée, il y avait eu un rassemblement devant le siège parisien de la société. Une quarantaine de femmes en majorité noires scandaient son nom. Qui étaient-elles ? Qui fomentait dans l'ombre cette rébellion et contre qui ? Contre quoi ? Il ne se sentait coupable de rien. « Je ne suis pas raciste ! C'est l'accusation la plus absurde et la plus injuste qui m'ait été adressée ! Quant aux conditions de travail imposées par mes sous-traitants, j'ai demandé une enquête en interne. » « Vély ! Lévy ! » François Vély les observait de son bureau, ça le tétanisait. Certaines tenaient des pancartes sur lesquelles elles avaient écrit : « Nous ne sommes pas vos esclaves ! », ou encore des photos de François avec cette mention en lettres rouges « esclavagiste moderne ». François resta enfermé dans son bureau toute la journée. Dehors, les manifestantes criaient toujours, rejointes par des dizaines d'autres personnes : « Vély ! Vély ! Nous ne sommes pas vos esclaves ! »

17

Reprendre la lutte. Contourner les obstacles. Réintégrer des sphères d'influence par d'autres moyens, Osman y aurait renoncé s'il n'y avait été poussé, incité par tous ceux qui avaient cru en lui, et c'est ainsi qu'il s'était retrouvé à une soirée de gala organisée par un club composé d'une élite noire et qui visait principalement à « mettre en lumière les réussites afro-françaises », à créer un « réseau de l'élite issu de la diversité ». Plusieurs personnes de son entourage en faisaient partie. On y rencontrait principalement des hommes d'affaires, des acteurs du monde économique, des hommes et des femmes aux parcours exceptionnels, tous soucieux d'une meilleure visibilité des Noirs au sein des sphères de pouvoir et déterminés à aider les plus défavorisés à obtenir des bourses d'excellence. C'était son frère, Driss, qui l'avait encouragé à y aller, il ne sortait plus beaucoup, et il s'était finalement laissé convaincre moins par intérêt que par désœuvrement, il errait sans but dans son appartement, attendant des sollicitations qui ne venaient pas, persuadé d'avoir été victime d'un racisme primaire et résolu à ne pas en accepter l'issue avec fatalité. Il avait convaincu Wojakowski de l'accompagner en invoquant le potentiel électoraliste de ces réunions. Ils étaient arrivés vers 21 h 30 à cette soirée organisée dans un grand hôtel parisien, Osman retardait le moment de sa participation au jeu social qui l'avait vu perdre et tomber, et, à peine avaient-ils pénétré dans la grande salle de fêtes décorée pour l'occasion, qu'il avait dit à Wojakowski qu'il regrettait d'être venu. Wojakowski avait ri : « C'est une version noire du dîner du CRIF ? — Oui, avait répondu Osman, sauf qu'ici tu ne vois pas un membre du gouvernement. — Parano ! » Il y avait là un public essentiellement noir et Osman ne pouvait pas se départir d'un sentiment de malaise. Il comprenait la nécessité, la légitimité d'un tel club – d'autres communautés n'étaient-elles pas elles-mêmes organisées en groupes de réflexion, d'influence ? –, mais une inclination profonde à la solitude, son refus de la grégarité, le retenaient de se lier aux personnes présentes : *je ne veux pas en faire partie.* Wojakowski refusa de faire demi-tour, et ils s'installèrent à leur table, n'adressant la parole aux convives que pour répondre aux questions qu'ils leur posaient. Si Osman n'aimait pas être dans un monde exclusivement blanc, il ne supportait pas non plus de se retrouver au milieu d'un groupe composé de Noirs. Au fond, ça le démoralisait d'être contraint au communautarisme au nom de la désertion de l'État, de l'échec des valeurs républicaines – « Je suis passé du ghetto au gotha », ironisait-il. À table, les invités évoquaient des accords économiques avec l'Afrique. Il était né en France et n'était allé que trois fois en Côte d'Ivoire, avec ses parents, pour les vacances, il n'avait pas de liens affectifs particuliers avec l'Afrique. Du tourisme, rien de plus. Pas un lieu d'ancrage. Pas une référence. Il entendait autour de lui quelques personnes évoquer la « diaspora afro-française », lui se sentait français, d'origine africaine, mais français.

Au moment du dessert, une jeune femme âgée d'une petite trentaine d'années vint saluer une personne de leur table. Wojakowski lui proposa de se joindre à eux. C'était une entrepreneuse qui avait créé une société axée sur la beauté des femmes noires, elle-même était une très belle femme, grande, mince, avec de longs cheveux auburn tressés de mèches dorées. Elle leur demanda s'ils avaient déjà participé à l'un de ces dîners de gala, elle ne les avait jamais remarqués auparavant. Osman expliqua qu'il venait pour la première fois – et la dernière.

« Vous n'aimez pas le fonctionnement du club ?

— C'est un peu communautaire, non ?

— Non, je ne crois pas. Il s'agit simplement d'organiser des forces vives, de s'unir pour détruire enfin les plafonds de verre qui empêchent certains d'accéder aux postes les plus élevés.

— Vous êtes une idéaliste, dit Wojakowski en souriant.

— Vous ne croyez pas cela possible ? »

Il rit.

« Qu'est-ce que vous faites dans la vie ? demanda-t-elle.

— Je travaille à l'Élysée, répondit Wojakowski.

— Même chose mais à l'imparfait », répliqua Osman.

Wojakowski commença à discuter avec elle de manière plus personnelle. Osman ne se mêlait pas à la conversation, il se sentait las et fatigué, Sonia lui manquait. Osman dit qu'il allait appeler un taxi et rentrer chez lui. Wojakowski souhaitait rester, la fille avait de sérieux atouts. Il se pencha vers l'oreille d'Osman et lui dit, dans un demi-sourire : « Tu sais ce que disent les hommes blancs entre eux lorsqu'ils évoquent les femmes noires ? *Once you go black, you never come back.* Si tu vas une fois avec une Noire, tu ne reviens jamais. » Osman réagit par un sourire mais il n'aimait pas cette phrase et les sous-entendus dont elle était chargée. Cliché de blanc, pensait-il. Il lui dit au revoir, se leva et partit. Au moment du dessert, Wojakowski avait proposé à la fille de finir la soirée ailleurs mais elle avait décliné l'invitation en souriant puis s'était éclipsée sans même lui laisser sa carte de visite.

18

Le processus obscur de la raison, droit vers le renoncement. Romain ne sait plus où il en est ni ce qu'il veut vraiment. Il n'écrit pas à Marion ni ne l'appelle comme il avait l'habitude de le faire. Cette histoire a montré ses limites, elle implique trop de conflits et de souffrances. Il n'est pas libre, il ne peut pas blesser sa femme ni renoncer à voir son fils chaque jour. Il se sent redevable – cette dette affective corrompt jusqu'à son désir, absorbe son amour : il *fallait* finir. C'était la *meilleure* solution. Le premier jour, il se sent serein, presque apaisé, il assume l'éloignement et sa décision, *j'ai fait ce qui était bon pour mon fils.* Il reprend le sport – un marathon de plus de trente kilomètres qu'il finit exsangue mais moralement renforcé. Pendant quelques jours, il est cet homme pondéré, fataliste, et il se préfère dans ce rôle du bon père de famille, mari aimable et disponible, fils serviable ; il tire une certaine fierté d'avoir résisté à la tentation du saccage car la passion sexuelle est une aliénation, il en est sûr maintenant, cette histoire a failli le rendre fou.

Les jours qui suivent la rupture avec Marion sont une succession d'heures douloureuses. Passé le moment du contentement de soi, l'emprise de la morale se fait moins forte, le désir monte en puissance, la distance amplifiant le manque et tout ce qui lui a semblé dérisoire, vain, superficiel, toute cette mystique amoureuse dont il a cru pouvoir se passer, revêt tout à coup une importance capitale. Il peut se remémorer le film de leur histoire pendant des heures : chaque moment ensemble, le rire enfantin de Marion, ses poses sérieuses, ses baisers passionnés, son corps qui semblait s'ouvrir pour lui. Loyal, droit, fidèle, raisonnable – il souffre. Ses tremblements et ses crises de panique reprennent. Ses nuits sont agitées, entrecoupées de cauchemars. Il se réveille en sueur, terrifié, plein de remords. Retour à la peur. Il avait renoncé à l'amour. Il faudrait se contenter de l'affection de sa famille, ce lot de consolation.

19

Sale juif ! François ne se souvient plus du nom de celui qui l'a insulté en premier sur les réseaux sociaux ni précisément comment les choses ont dégénéré. « Sale juif ! » – en quelques jours, l'insulte se répand partout. Il y a des variantes : « raciste », « esclavagiste » ou encore « Lévy, le juif négrier » – Vély n'existe plus. On évoque le changement de nom : « Des juifs honteux ou des convertis, des marranes ». Il ne sait pas ce qui le choque le plus : qu'on le traite de raciste et d'esclavagiste ou qu'on le qualifie de « juif ». Il ne se souvient pas d'avoir participé à une seule fête juive et la seule fois où il est entré dans une synagogue, c'était pour le mariage religieux d'un collaborateur du groupe. « Lévy », il a le sentiment qu'on parle d'un autre. « juif » – ce qualificatif lui collait à la peau comme un linge mouillé porté par grand froid. Il en parle à Étienne qui lui rappelle une affaire ayant impliqué un acteur américain traité de « sale gay » ; à défaut de manifester sa réprobation, il s'était empressé de préciser qu'il n'était pas homosexuel. Que devait-il faire ? S'offusquer d'être injurié ou préciser publiquement qu'il n'était pas juif ? « Ne dis rien, c'est mieux, lui recommande Étienne, ne réagis pas à la haine et à la provocation, attendons, ça finira par passer. » Ça ne passe pas. L'affaire prend rapidement une ampleur incroyable, les pires clichés antisémites ressurgissent sous la forme de caricatures, de lettres anonymes envoyées à son bureau ou dessinées sur les murs de son immeuble. Chaque élément de sa biographie, chacun de ses choix était analysé en fonction de sa prétendue appartenance : on le disait proche de Rahm Emanuel, le chef de cabinet de Barack Obama, un homme politique américain dont le père avait été membre de l'Irgoun, ce groupe armé sioniste qui avait mené des actions punitives en Palestine mandataire (« Je ne l'ai croisé qu'une fois chez des amis communs »). On racontait qu'il ne consommait pas de porc (« Je suis végétarien »), qu'il refusait toutes les invitations le vendredi soir comme tous les juifs pratiquants (« C'est mon jour de yoga ») et qu'il versait des sommes colossales à une association veillant au bien-être de l'armée israélienne (« Faux. Vérifiez mes comptes. Je n'ai jamais soutenu Israël. Je n'ai même jamais mis les pieds en Israël »). Le soir même, harcelé par un détracteur qui l'accuse de financer des entreprises établies dans des colonies israéliennes par le biais d'une sous-traitance accordée à une entreprise de télécommunications implantée dans la région d'Hébron, il décide de recenser toutes les œuvres caritatives auxquelles il a versé de l'argent ces dernières années : Action contre la faim, le fonds du lycée Louis-le-Grand, de l'école Polytechnique, l'association de lutte contre la mucoviscidose. Il montre la liste à son père, qui ne cache pas son effarement : « Tu n'as aucune raison de te justifier ! »

C'est la première fois qu'il est traité de « sale juif », peu de gens connaissent son histoire familiale, son père avait toujours été assez discret sur la judéité de sa famille. Il se sentait sonné, cassé, incapable de réagir.

Consolider les acquis – la confiance, l'estime de soi, la sérénité – quand tout vous ébranle, vous renvoie à vos erreurs, vos fêlures, quand tout vous rappelle que vous êtes devenu hors système, le passé se pavane devant le présent – médiocre ! Pendant plus de vingt ans, vous avez travaillé jusqu'à vingt heures par jour, voyagé plusieurs fois par semaine pour rencontrer des clients à travers le monde, réalisé des transactions dont les montants atteignaient des milliards de dollars, ça remplissait votre vie. Et en quelques instants, tout ce que vous avez patiemment construit est pulvérisé. François est très atteint mais ne montre rien. Le devoir de maîtrise. Savoir se tenir droit dans l'attaque ou l'épreuve – un certain état d'esprit. Le soir, quand il rentre, il ne dit pas un mot à Marion, elle a l'air triste, assise sur le canapé, les genoux ramenés contre son torse, le regard perdu dans le vide. « Ça ne va pas, Marion ? » Non, elle ne va pas bien, il le voit mais il a beau la questionner, elle reste évasive. Il pense qu'elle est affectée par son affaire et il n'insiste pas. Il sent bien qu'elle s'éloigne, qu'elle ne l'aime plus, mais il n'a pas la force de susciter un nouveau conflit. Elle finit par s'endormir sur le canapé du salon. Il la regarde, il constate qu'elle a pleuré, sa peau est gonflée et rougie. Il s'approche d'elle et la porte jusqu'à leur lit. Elle ne l'aime plus. Il le sait. Il avait fait exploser sa famille pour elle. Il ne pouvait pas lutter, trop accaparé par ce nouveau drame.

Le soir, il rejoint son avocat à son cabinet, un type d'une intelligence redoutable, un peu râblé, toujours l'air affaireux. L'avocat expose sa thèse : On a voulu faire de lui un juif pour l'abattre. On lui a fabriqué une « identité mortifère » pour mieux le détruire. Ces propos convainquent François : il a commis une erreur, d'accord, mais rien ne justifie cette stigmatisation, cette campagne de calomnie, rien ne légitime ces diatribes antisémites. « C'est abject et je pense que toute cette campagne de diffamation a été orchestrée par quelqu'un. Qui avait intérêt à ce que la fusion soit annulée ? — Beaucoup de gens. » Son avocat ne décolère pas : « Tu es victime d'antisémitisme, François. Tu dois l'invoquer devant les actionnaires. — Mais je ne suis pas juif. — Peu importe, tu dois te défendre. Tu as vu le nombre de courriers antisémites que tu as reçus ? Tu sais comment les gens parlent de ton affaire ? Ils disent *l'affaire Lévy*. Ça te dépasse, je le comprends, mais tu ne peux pas nier la place qu'a prise ton ascendance juive dans cette histoire et c'est ce qui est le plus inquiétant. » Pour François, c'est de la folie : il ne veut pas, pour se dédouaner, invoquer une identité à laquelle il ne se réfère pas : « Ce serait comme renier ce que je suis profondément, tu comprends ? Ce serait céder au piège de l'assignation identitaire. J'ai toujours cru en la capacité de l'homme à inventer sa vie, je ne fais pas partie de ceux qui pensent que tout est figé, imposé. Mon père en est le meilleur exemple. » Son avocat se lève, lui propose une cigarette que François prend aussitôt, puis en glisse une entre ses lèvres. « Réfléchis, François. Revendiquer cette judéité te protège. Être juif, c'est désormais ta seule porte de sortie. »

20

Osman est allongé sur son canapé, somnolent, téléviseur allumé sur une chaîne d'information, bouteille d'alcool et paquets de cigarettes entamés à ses pieds, quand il est réveillé par la sonnerie de son portable. C'est Laurence Corsini. « Tu dors ? » demande-t-elle. Il répond d'une voix ensommeillée, il ne met pas les formes – à quoi bon ? « Il est seize heures, Osman. Il faut que je te voie. Tout de suite. » Elle dit ces mots et elle raccroche. Il a toujours aimé cette détermination, cette capacité à donner des ordres sans brusquer, cette confiance. Il fait ce qu'elle attend de lui. Il prend une douche, s'habille à la hâte – pantalon en toile, chemise et blouson de cuir –, sort, enfourche son scooter et, trente minutes plus tard, il arrive devant ses locaux professionnels au cœur du VIIIe arrondissement de Paris, un hôtel particulier à deux pas du Grand Palais. Quand il entre, son casque de moto à la main, la jeune femme à l'accueil se lève et lui tend un paquet. Il dit sèchement qu'il a rendez-vous avec son « amie Laurence Corsini », l'hôtesse pose son paquet, tentant de réparer sa méprise, il a compris qu'elle avait cru avoir affaire à un coursier. Il s'éloigne, grimpe le grand escalier en marbre qui mène aux bureaux sans attendre d'être annoncé, *la honte*. Corsini est dans le couloir, vêtue d'un tailleur-pantalon noir, un paquet de documents à la main. Dès qu'elle l'aperçoit, elle se dirige vers lui, l'embrasse et lui demande de la suivre.

« Comment vas-tu ?

— La fille de l'accueil m'a pris pour le coursier, mais ça va… »

Corsini sourit : « Je vais la virer pour faute grave. »

Elle ouvre en grand la fenêtre de son bureau, sort un paquet de cigarettes de sa poche.

« Tu en veux une ? »

Osman saisit une cigarette, la porte à sa bouche. Laurence Corsini lui tend une boîte d'allumettes à l'effigie de sa société de communication.

« Tu ne te rases plus ? »

Il ne répond pas.

« Il faut que tu te ressaisisses, Osman. On dirait un islamiste radical. Tu as eu des nouvelles de l'Élysée ?

— Non, aucune. »

Ils s'assoient sur de grands canapés en toile de lin gris taupe parés de coussins brodés. Le café est servi dans des tasses en porcelaine. Des macarons multicolores et des chocolats noirs sont posés sur la table basse. Corsini lui en propose, il refuse, quand soudain elle lui demande ce qu'il pense du scandale Vély. Osman masque mal son étonnement, elle l'a fait venir en urgence pour lui parler d'« un fait divers » ? Elle se ferme tout à coup, son regard devient dur. Il se trompe, il ne s'agit pas d'un fait divers mais d'une affaire politique.

« Tu lis encore la presse ou tu ne sors plus de ton lit ? Tu en penses quoi ?

— Comme tout le monde… Que c'est un de ces grands patrons tellement déconnectés de la réalité qu'il n'a pas vu le mal qu'il y avait à s'asseoir sur une sculpture représentant une femme noire érotisée à mort… C'est un héritier, un dominant, un de ces types qui n'ont aucune conscience sociale, un grand bourgeois blanc, pétri de préjugés, j'en connais plein… Rien de nouveau sous le soleil.

— Tu penses qu'il est raciste ?

— Non, pas forcément… Je ne suis pas sûr qu'il l'ait fait délibérément… Mais en soi, c'est pire…

— Pourquoi ?

— Parce que ça veut bien dire que les esprits sont encore marqués par la colonisation, le vieil héritage de la pensée esclavagiste. L'image du Noir soumis est intacte… Et toi, tu en penses quoi ? C'est un de tes clients ?

— Non, mais ça m'interpelle… Un homme pose sur une œuvre d'art, c'est maladroit peut-être, mais ça n'est que de l'art et l'art est par nature contestataire et dérangeant… Surtout, pourquoi rappeler les origines juives de ce patron ? En quoi le fait qu'il soit juif est important dans cette affaire ? Il y a quelque chose de très malsain qui est en train de se produire dans notre société, tout est vu à travers le prisme identitaire. On est assigné à ses origines quoi qu'on fasse. Essaye de sortir de ce schéma-là et on dira de toi que tu renies ce que tu es ; assume-le et on te reprochera ta grégarité.

— Oui, c'est vrai, mais il a commis une erreur…

— Pas si grave…

— Comment peux-tu dire cela ? Cette photo a blessé des gens… Personnellement, ça m'a choqué… et je vais même aller plus loin, ça me dégoûte… Qu'un Blanc, riche, s'assoie sur une sculpture représentant une femme noire, une pute, une esclave, peu importe, sans se rendre compte qu'il pourrait heurter la sensibilité des autres… Vély, c'est le genre de type habitué à ce que tout le monde se prosterne devant lui. Tout ce que je déteste !

— Je veux que tu prennes publiquement sa défense. »

Osman a un mouvement de recul, il se fige, comme tétanisé par la demande.

« Tu rêves !

— Je veux que tu le défendes. Oui, écoute-moi… Qu'est-ce qu'il a fait, Vély, à part poser sur une œuvre d'art ? Rien. On lui a dit de s'asseoir là, et il a obéi. C'est une erreur de communication, une maladresse, une connerie, ce que tu veux, tous les chefs d'entreprise en font un jour ou l'autre et je suis payée pour les aider à les réparer, mais on ne peut pas y voir un acte raciste. Il est lynché. Ça vire à l'antisémitisme primaire, et tout ça pour quoi ? Une photo dans le supplément d'un magazine d'information… Crois-moi, tu as tout à gagner à prendre sa défense.

— Sa défense ? Mais tu te rends compte de ce que tu me demandes, Laurence ?

— Laisse-moi parler ! Voilà ce que tu fais : tu lui apportes publiquement ton soutien en écrivant une tribune dans la presse, ça te donne une stature d'intellectuel, ça te place…

— Oui, c'est ça… c'est le "J'accuse" du XXIe siècle… Tu es sûre que tu vas bien ?

— En prenant sa défense, tu t'imposes comme un Gaston Monnerville, un homme d'État. Tu te souviens de son discours, "Le drame juif", en 1933 ? Les gens ont oublié tout ça, mais il fut un temps où un homme politique noir de premier plan prenait la défense des juifs menacés. Cette solidarité humaine était exceptionnelle. Vély est traité de "sale juif" sur les réseaux sociaux, tu devrais réagir.

— Il n'a jamais revendiqué sa judéité ! Il n'est même pas juif, c'est ce qu'il clame partout !

— Ce n'est pas grave, il est visé en tant que juif, tu dois le défendre en tant que tel. »

Qu'est-ce qui se joue dans cette partition commanditée par Laurence Corsini ? Osman la soupçonne de vouloir approcher Vély, d'avoir pour unique objectif d'obtenir un contrat de conseil avec son groupe.

« Tu vas écrire un grand texte, mon équipe t'aidera, on va suer sang et eau mais ça fera du bruit, crois-moi, et tu remonteras sur le ring.

— Je refuse…

— Ne me donne pas ta réponse tout de suite. Réfléchis. Pense à ton avenir.

— Mon avenir ? Mais de quoi parles-tu ? »

Corsini regarde sa montre, se lève comme pour lui signifier qu'elle doit prendre congé. Il la suit. « Pourquoi fais-tu ça, Laurence ? » demande-t-il, mais elle garde le silence. Sur le seuil de la porte, Osman pose sa main sur son épaule et lui dit que s'il faisait cela, s'il écrivait cette défense à laquelle il ne croyait pas, il aurait l'impression de se trahir. Corsini sourit : « La morale est toujours à géométrie variable, Osman. Surtout en politique. À ceux qui lui reprochaient ses ambiguïtés, François Mitterrand avait coutume de dire que la vie n'est ni blanche ni noire… elle est grise. »

21

Sans Marion, Romain ressent un vide immense. Ce manque, ce manque d'elle, du matin au soir, sans répit – l'enfer, le vrai. Dans la hiérarchisation des épreuves qu'il avait traversées ces dernières années, un échec sentimental ne méritait qu'une place accessoire ; pourtant, il le meurtrissait, allant jusqu'à susciter chez lui un élan de tristesse tel qu'il n'en avait connu que dans les périodes les plus critiques de sa vie. Il se sent lâche et coupable d'avoir promis à Marion qu'ils seraient ensemble, de lui avoir donné confiance. Il s'est soumis à la loi sociale, il a capitulé par peur de faire souffrir les siens, il a obéi au code moral, il a fait ce qu'on attendait de lui. Sauf qu'au bout de quelques jours, il n'en peut plus. Il recommence à lui envoyer des messages auxquels elle ne répond pas ; ça le rend fou, alors il décide d'aller la voir, stationne sa voiture près de chez elle et attend plusieurs heures jusqu'à ce qu'enfin elle apparaisse, vêtue d'un jean et d'un petit blouson vert brillant. Elle marche vite, il démarre, approche son véhicule, ouvre la fenêtre et lui demande de monter. Elle recule, refuse. Il insiste. Elle répète qu'elle ne montera pas. Alors il klaxonne. Le gardien les observe. Elle le voit, elle ne veut pas faire un esclandre dans ce quartier où l'on achète sa tranquillité à prix d'or. Elle pénètre dans le véhicule et lui demande de rentrer chez lui et de ne plus chercher à la revoir. Romain ne dit rien, roule pendant quelques minutes et stationne son véhicule à proximité du parc Monceau. Il dit qu'il regrette ce qu'il s'est passé. Il ne veut pas rester sans elle. Il l'aime. Il n'aime qu'elle. Mais elle ne réagit pas, son visage est fermé, sa main est crispée sur la poignée de la porte. Il tente de l'embrasser, elle le repousse, elle dit qu'elle doit rentrer, que tout est fini entre eux.

« Je t'aime, je suis fou de toi. »

Elle ne répond pas.

« Tu entends ce que je te dis ? Je t'aime !

— Tu dis ça sous l'emprise du désir mais ça ne dure pas.

— Je vais tout lâcher pour toi.

— Ce n'est plus ce que je veux, je n'ai plus confiance. Et puis, j'ai trop de problèmes personnels.

— Pourtant je vais le faire ! »

Et c'est ce qu'il fait le soir même. Après avoir raccompagné Marion chez elle, il annonce à Agnès qu'il ne sait plus où il en est, il ne se sent pas prêt à reprendre la vie commune, il a besoin de temps, de distance, il est désolé, il va mal, il faut qu'il se soigne et pour cela, il doit être seul. Pour Agnès, c'est l'effondrement. Elle avait cru contrôler à nouveau sa vie. Surtout, elle ne comprend pas ce qui a pu se produire en quelques jours et, sans vraiment réfléchir, dans une sorte d'impulsion où se mêlent le désir et la jalousie, elle lui demande s'il y a quelqu'un d'autre. La question le surprend, il pourrait mentir pour la préserver mais il répond spontanément que « oui. Oui, il a rencontré quelqu'un, à Paphos ». Elle veut savoir qui et il le dit. Elle pleure, il la console, ça dure une heure, peut-être plus. Que compte-t-il faire ? Il ne prend pas le temps de la réflexion cette fois et il réplique, sans penser à la douleur que cette révélation pourrait causer à sa femme : « Je vais m'installer ailleurs. » Elle pleure, le supplie de rester, il essaye de la calmer et, au bout de quelques minutes, elle retrouve le contrôle d'elle-même, essuie son visage d'un geste volontaire, elle a besoin de silence, elle doit d'abord penser à préserver son fils, elle va se reposer dans la chambre. Il la regarde s'éloigner, il entend son pas, et c'est le moment qu'il choisit pour appeler Marion. Il sort dans le jardin, compose son numéro, elle répond tout de suite et il lui annonce qu'il a quitté sa femme. Au téléphone, elle est froide et distante comme si cette histoire ne la concernait plus, elle a peur sans doute, car après avoir raccroché, il reçoit un message d'elle dans lequel elle lui dit qu'elle l'aime. Il lui écrit qu'il viendra la chercher le lendemain matin et qu'ils partiront ensemble à la montagne. Il rentre chez lui, la maison est silencieuse, il se dirige vers sa chambre à coucher pour y récupérer des draps et des habits, il dormira cette nuit-là dans le salon. Quand il entre dans la pièce, il trouve Agnès profondément endormie, allongée sur le ventre, vêtue d'un survêtement, les cheveux attachés en chignon. Il prend quelques affaires puis retourne dans le salon où il prépare une petite valise qu'il pose dans l'entrée. Il s'allonge sur le canapé puis envoie un dernier message à Marion : « À demain, mon Amour. »

22

Il y a le besoin de comprendre ce qui se joue, tout à coup, dans cette vindicte antisémite, cette redistribution des rôles en fonction de diktats identitaires et, naturellement, comme il le fait toujours quand il est confronté à des choix cruciaux, François se rend chez son père.

Quand il arrive dans le bel appartement que son père occupe au cœur du XVIIe arrondissement de Paris, à quelques mètres de la place Wagram, il se sent déjà mieux. Une douce lumière filtre à travers les stores en bois légèrement entrouverts et diapre le plafond. L'atmosphère feutrée est renforcée par les tapis persans au sol et les lourds rideaux aux couleurs pourpres. Sur le guéridon de l'entrée, des photos de famille : son père dans le maquis de l'Yonne, sa mère en robe de mariée, et, au premier plan, une photo de François en habit de polytechnicien au côté de son père. « Je suis dans le salon, François ! » Son père l'attend, assis sur son fauteuil en velours parme, enveloppé d'une robe de chambre de chez Charvet. François s'approche de lui, l'embrasse, il aime cette odeur de vétiver, il a porté le même parfum toute sa vie avec la constance de ceux qui ont des goûts si sûrs qu'il n'est point besoin d'en changer. « Assieds-toi près de moi. » François parle vite, dit qu'il est touché au cœur, il ne comprend pas ce qui se passe, il a peut-être fait une erreur de jugement mais les réactions lui semblent disproportionnées.

« Partout, j'entends "sale juif !" C'est même écrit sur les murs de ma société.

— Ça devait arriver tôt ou tard… Ça finit toujours par arriver. »

Lui qui aime la littérature se souvient : c'est Albert Cohen se remémorant la première insulte. C'est Derrida, devenu soudainement un sale juif dans une rue d'Alger. Et voilà, c'est son tour.

« Sauf que moi, je ne suis pas juif.

— Pour certains, tu l'es certainement.

— Mais toi, tu ne te sens pas juif, n'est-ce pas ?

— Disons que ça n'a jamais été une préoccupation centrale.

— J'ai l'impression de vivre un cauchemar. Tu sais que, pour ne rien arranger, mon fils est en train de se convertir au judaïsme orthodoxe ?

— Il me l'a dit, je crois qu'il attendait mon assentiment.

— C'est toi qui lui as mis ces idées en tête ?

— Non.

— C'est le suicide de sa mère qui l'a fragilisé.

— Peut-être qu'il y a de ça aussi dans son retour au religieux. Comment l'en blâmer ?

— Mais en quoi cela me concerne-t-il ? Je suis désolé mais je ne suis pas juif.

— Tu as raison, ta mère ne l'est pas et tu as été baptisé.

— Je ne le suis pas et pourtant il n'y a pas un jour où je ne reçois pas une lettre d'insultes antisémites…

— Jamais je n'aurais cru voir une telle résurgence

de l'antisémitisme. Jamais. Après la Shoah, après tout ce travail de mémoire...

— Tout ça pour une photo, maladroite, peut-être, mais...

— C'était de très mauvais goût, François...

— Je sais, je ne m'en suis pas rendu compte sur le moment.

— Malgré toi, tu as touché des points de friction : la concurrence victimaire, le mythe de la domination juive, le juif puissant contre le Noir exploité, le capitalisme contre le tiers-mondisme, vagues héritages du colonialisme. Tu t'es retrouvé au cœur d'une rivalité malsaine que j'appelle la compétition des peines. Certains considèrent que seules les souffrances juives ont été reconnues et indemnisées alors que les victimes de l'esclavage, elles, n'ont pas eu ce traitement. Sur l'échelle de la souffrance humaine, la vie d'un juif aurait plus de valeur... Tu as fait une erreur en posant sur cette sculpture de femme noire, c'est tout, tu as présenté tes excuses, tu n'as pas imaginé que cette photo aurait des conséquences aussi dévastatrices.

— On me traite partout de négrier, d'esclavagiste, tu imagines la violence ?

— Ça ne change pas... »

Il dit cela sur un ton flegmatique.

« Ça ne te choque pas plus que ça ?

— Bien sûr que ça me choque ! Mais ces discours fleuretés de moralisme économique et social s'articulent toujours selon la même rhétorique, l'obsession d'une pseudo-puissance juive, les époques changent, le discours reste le même. C'est pathétique, que dire de plus ?

— Je vis un cauchemar... L'indignité est totale. »

Entendant cela, Paul Vély se ferme tout à coup.

« L'indignité, la vraie, ce n'est pas ça, François.

L'indignité, c'est quand un innocent comme le capitaine Dreyfus traverse la cour militaire sous les insultes et les huées.

— Oui, tu as raison, mais quand même, nous sommes en France, au XXIe siècle, plus de soixante ans après la Shoah.

— J'avais un ami avant la guerre, un avocat prometteur, un résistant, Léon-Maurice Nordmann. Il était l'un des membres du réseau du Musée de l'Homme, il a été fusillé au mont Valérien en février 1942. Eh bien tu sais ce qu'il a dit, en 41, à une avocate, Lucienne Scheid, qui plus tard prendra la défense de René Bousquet ? *Entre les juifs et la France, c'est une grande histoire d'amour qui a mal tourné.* »

23

Osman écrirait cette tribune en faveur de François Vély. La collaboratrice de Corsini, une normalienne agrégée de lettres classiques qui avait longtemps été plume d'hommes politiques, avait rédigé une première mouture : un texte structuré, sobre, profond, un peu trop littéraire peut-être, auquel Laurence Corsini avait ajouté quelques éléments de communication politique sur les effets dévastateurs des commentaires postés sur les réseaux sociaux, mais quand Osman eut le discours entre les mains, il dit qu'il ne l'assumerait pas. Ce n'était pas lui cette voix empruntée, d'un lyrisme un peu technique, on devinait la patte du professionnel quand lui voulait un texte rageur, une tribune personnelle et frontale qui lui ressemblerait, pas un discours politique maîtrisé, lissé – *propre*. La collaboratrice avait proposé une nouvelle version, plus nerveuse – sans succès, Osman avait une idée très précise de ce qu'il désirait et il ne trouvait pas, dans le texte écrit par une autre, l'intensité qu'il recherchait – *faut que ça porte*. Laurence Corsini lui avait suggéré d'écrire un premier jet à partir duquel ils retravailleraient, c'était lui, et lui seul, qui devait décider du contenu de la tribune. Cette confiance le valorisait à un moment où plus personne ne croyait en lui. Il avait emporté toute la documentation que les collaborateurs de Corsini avaient recueillie : des textes sur l'antisémitisme, le racisme, l'humanisme, extraits de discours, coupures de presse, il avait passé une partie de la nuit à les lire et à prendre des notes. Il avait rapidement écrit une version, raturant peu, il dénonçait la vindicte, l'acharnement contre Vély, mais dans cette charge il y avait une part de sa propre colère. Il n'avait plus le sentiment de trahir qui que ce soit en écrivant cette défense d'un homme qu'il ne connaissait pas et dont il avait désapprouvé la parade médiatique, non, il agissait comme un homme politique qui voit à long terme, et ce changement, c'était à Laurence Corsini qu'il le devait. Au milieu de la nuit, au bord de l'épuisement, il tenait enfin une première mouture qui le satisfaisait : sombre, puissante, incisive. Sonia lui manquait. Ce texte, il aurait aimé le lui envoyer, avoir son avis. Le lirait-elle à la parution ? Il était bien déterminé à le lui faire parvenir d'une façon ou d'une autre.

Vers neuf heures, après avoir dormi quatre heures, Osman remit son texte à Corsini. Sa réponse ne se fit pas attendre, elle l'appela aussitôt, le félicita et lui dit qu'il fallait encore apporter quelques corrections. Elle le fit reprendre par deux de ses collaborateurs : « Trop exalté, l'exorde est pompeux, tu es revenu au lyrisme que tu dénonçais… Un peu manichéen par moments, quelques erreurs de syntaxe çà et là. » Après des dizaines de relectures, ils parvinrent à se mettre d'accord sur une version. Il en lut le contenu plusieurs fois, à voix haute, cherchant le meilleur rythme, déplaçant un point, une virgule. C'était un patchwork réussi d'idées et de suggestions émanant de toutes les personnes qui avaient collaboré à la rédaction. Il s'y retrouvait pleinement. Il avait proposé sa tribune au journal *Le Monde* qui avait accepté de la publier. Ce fut Osman qui avait eu l'idée de citer Frantz Fanon, pour conclure. Reprenant les paroles de son professeur de philosophie, Fanon avait coutume de dire : « Quand vous entendez dire du mal des juifs, dressez l'oreille, on parle de vous. »

24

Le drame s'était déroulé dans la nuit. Trois officiers de police arrivèrent aux alentours de cinq heures du matin après avoir reçu un appel alarmant ; au bout du fil, ils percevaient une voix féminine, vibrante, nerveuse, qui hurlait au secours, les implorait de venir : « Nous avons entendu des coups de feu chez les voisins ! » Ils étaient accoutumés à ces appels nocturnes, mais cette nuit-là, l'affaire avait ceci de particulier qu'elle se produisait dans une petite rue pavillonnaire d'Épinay-sur-Seine, réputée pour son calme, une de ces zones urbaines protégées, composées de petites maisons, en meulière pour la plupart, avec jardinet un peu bétonné à l'avant et fleuri à l'arrière, assez d'espace pour déjeuner dehors par beau temps, organiser un barbecue, les voisins étaient compréhensifs, on y vivait bien, pas trop loin des cités, avec la conscience tranquille de ceux qui n'ont pas cédé aux sirènes de la capitale, des gens issus de la classe moyenne, préoccupés par l'avenir écologique, l'égalité sociale, le bien-être de leurs enfants et qui aimaient dire : *on étouffe à Paris, ici, on respire*, mais qui suffoquaient quand même dans les sous-sols qu'ils faisaient aménager en salle de jeux pour leur progéniture, on y jouait de la batterie, généralement, ça défoule – *au moins, ils peuvent crier, on ne les entend pas.*

Réveillés par le son des sirènes des camions de police et de pompiers, les voisins étaient sortis de chez eux pour observer la scène, commentant ce qu'ils voyaient, émettant leurs hypothèses : malaise, crise conjugale, *des gens sages*, pourtant. *Les Roller, un couple sans histoire. Jamais une dispute. Lui est lieutenant dans l'armée, elle travaille dans une parfumerie, ils ont un enfant.* Quand les policiers avaient fait irruption dans la maison plongée dans l'obscurité, ils avaient trouvé Agnès Roller derrière la porte. Elle n'était pas assise ou cachée mais debout, réactive, elle parlait vite, expliquait, d'une voix entrecoupée de sanglots, que son mari était quelque part dans la maison, « il est armé », dit-elle, avant de préciser « d'un revolver ». On fit aussitôt appel au GIGN. Dans cette petite zone pavillonnaire où vivaient les Roller, un quartier où les voisins se disaient cordialement bonjour, s'invitaient les uns chez les autres, se rendaient divers services, l'idée qu'un habitant pût posséder un revolver avait suffi à faire monter d'un cran le niveau d'angoisse. L'information commençait à circuler, des journalistes avaient été dépêchés sur place : « Un homme armé est enfermé chez lui. » Mais Agnès était maintenant dehors, son mari ne l'avait pas directement menacée, leur fils n'était pas là, il avait dormi chez ses grands-parents maternels. À l'un des policiers qui l'avait prise en charge, elle raconta que son mari était un soldat de retour d'Afghanistan et qu'il souffrait d'un syndrome de stress post-traumatique, elle avait prévenu l'armée, il était suivi par un psychiatre militaire, il était même en arrêt maladie, mais elle le soupçonnait de ne pas prendre son traitement. Vers deux heures du matin, elle était descendue dans la cuisine, elle avait eu une insomnie : « Avec lui, je suis toujours sur le qui-vive, j'ai peur qu'il n'arrive quelque chose » ; elle s'était préparé une tisane, elle avait fait chauffer de l'eau et quand la bouilloire avait émis son sifflement strident, elle avait vu son mari surgir dans la cuisine, une arme à la main en hurlant « À terre, à terre », il l'avait poussée vers le sol, puis il s'était élancé dans toute la maison à la recherche d'ennemis imaginaires, tirant à trois reprises : « Il disait qu'une grenade allait exploser, que les insurgés étaient cachés quelque part. » Le policier lui demanda si c'était la première fois qu'un tel événement se produisait. Elle mentit : « Oui, dit-elle. Oui. » Elle avait peur qu'il ne la tue dans son sommeil, voilà ce qu'elle répétait. Elle avait peur pour son fils « qui n'était pas là, Dieu, merci ». Elle leur dit également qu'il y avait probablement d'autres armes dans la maison. L'un des hommes tenta d'établir un contact téléphonique avec Romain mais il ne répondit pas. Il utilisa un haut-parleur. Au bout de quelques secondes, Romain sortit en leur disant que la maison était peut-être piégée par les talibans, il fallait s'éloigner mais à peine eut-il avancé vers les hommes du GIGN qu'il fut maîtrisé et menotté.

Les hommes le firent pénétrer dans l'un des fourgons. Avant de partir, Agnès récupéra la valise que Romain avait laissée dans l'entrée en vue de son départ avec Marion. Pendant le trajet, elle consulta sur le téléphone portable de Romain les SMS qu'il avait reçus pendant la nuit : il y en avait trois, tous envoyés par Marion. Elle l'aimait, elle le désirait, elle l'attendait : « Tu dors, mon Amour ? » Elle les effaça puis rédigea en réponse un bref message : « Ne m'écris plus. Ne cherche pas à me revoir. »

Après la visite médicale qui confirma le choc post-traumatique et la dépression sévère, elle signa tous les documents attestant de la perte d'autonomie mentale de son mari. À cinq heures du matin, Romain fut interné dans l'unité psychiatrique de l'hôpital des armées. Agnès fut autorisée à ranger ses affaires. Elle vida sa valise : il y avait les vêtements qu'il avait prévu d'emporter, des habits neufs pour la plupart, des chemises qu'il avait dû acheter pour l'occasion, une bouteille de parfum, une photo de leur fils. Au fond, dissimulé sous un nécessaire de toilette, elle trouva un petit boîtier rouge. Elle l'ouvrit : il contenait une paire de boucles d'oreilles en or blanc, en forme de petites feuilles incrustées de diamants sertis de pétales en saphir. Elle la referma, les larmes lui montaient aux yeux. Sur la table de chevet, elle posa la photo de famille qu'elle conservait dans son portefeuille. Puis elle sortit de son sac à main un livre de Sun Tzu qu'elle avait trouvé dans les affaires de Romain quelques jours plus tôt : *L'art de la guerre*. Ça l'avait passionnée. Elle s'assit sur le rebord du lit, saisit le livre et parcourut le passage qu'elle avait souligné au crayon de papier : *Prévoyez tout, disposez tout, et fondez sur l'ennemi lorsqu'il vous croit encore à cent lieues d'éloignement : dans ce cas, je vous annonce la victoire.*

25

François a laissé Marion seule, il ne l'a pas appelée pour savoir si elle allait mieux, il n'a pas la force de la consoler – et pourquoi paraissait-elle si accablée ? Il ne veut pas le savoir. Dehors, il est surpris par une pluie drue qui fouette les passants. Son chauffeur l'attend devant le domicile de son père, il est tard mais il a rendez-vous avec son fils. C'est lui, Thibault, avec cette grande calotte noire sur la tête, ce costume traditionnel qui semble sorti d'un shtetl de Pologne, et ces fils blancs qui pendent de son pantalon ? C'est quoi ? Un habit rituel ? Des signes d'une appartenance sectaire ? Il ne sait pas. Plus tard, son fils lui expliquera que ce sont des *tsitsit*, un petit tricot de corps auquel sont nouées des cordelettes qui rappellent les six cent treize commandements divins, elles doivent être apparentes car celui qui les porte a le devoir de les regarder pour se souvenir de ce qu'elles représentent – rappel du sens moral, à tout moment de la journée, n'importe où. Cette nouvelle judéité l'encombre et l'écrase – il voudrait dire non à son fils, pars d'ici, je ne veux plus te voir mais voilà, il y a eu le drame de sa mère, cette blessure, et il sait qu'il ne peut pas – sans prendre le risque de le détruire totalement – le rejeter. « Explique-moi, Thibault, parce que je ne comprends pas. » Thibault ? *Non, Mordekhaï, papa*. C'est bien son fils, cet homme au regard ombrageux, à la barbe noire et mal taillée ? Ça lui donne un air sévère qu'il ne lui connaît pas. Le revoir, ça le trouble. De quelle révolution intérieure se revendique ce travestissement, cette transformation radicale ? Thibault est assis dans ce café où ils se sont donné rendez-vous. François l'observe avec incompréhension en pensant : Pourquoi *ça* ? Pourquoi *à moi ?* Son fils est venu « pour lui parler », il a débarrassé ses affaires de l'appartement de la place Vauban comme son père le lui a demandé (« J'ai quand même laissé la mezouza pour emmerder les voisins ») et va bientôt partir à New York, dans le quartier juif orthodoxe de Brooklyn, pour y étudier la Torah au sein du mouvement Habad-Loubavitch. « Lou, quoi ? — Loubavitch », il n'a jamais entendu ce mot ? « Cela signifie "la ville de l'amour fraternel" en russe. Habad est l'acronyme des mots *Hokhma, Bina, Daat* : sagesse, compréhension, connaissance. C'est parmi les membres de ce mouvement que je vais vivre. » Thibault le lui avait déjà dit mais l'entendre le répéter, confirmer son désir, c'est une épreuve. Il ne comprend pas ce qui peut le pousser à suivre les préceptes d'un mouvement créé en Russie il y a deux cent cinquante ans. Il ne comprend pas non plus ce qui incite un homme de son âge à renoncer à ses études, à un mode de vie moderne pour lire un texte vieux de plus de trois mille ans avec des hommes qu'il ne connaît pas et ne viennent pas de son milieu. La part de délire mystique ? Totale, mais il y avait chez Thibault, dans ce désir désespéré de judaïser sa famille, une tentative de se sauver du chaos, de l'anéantissement et de la pulsion de mort. Il avait assisté au suicide spectaculaire de sa mère en Australie, et après ça il faudrait continuer à vivre comme avant ? On pourrait travailler, aimer, rire, sortir, se baigner, discuter ? On pourrait aller au cinéma et disserter sur les intentions du metteur en scène ? Non. Les contingences humaines sont réduites au minimum : manger, dormir, dire bonjour-au revoir. Et puis il y a autre chose au-delà du drame : l'effet de surprise, l'intrusion de l'horreur dans un monde fortifié, pacifié ; la noirceur a recouvert la pureté originelle. Dans ce genre de familles ultra-privilégiées, on ne meurt pas sur le trottoir d'une rue étrangère, on meurt chez soi, enroulé dans un plaid en cachemire Ralph Lauren. Éventuellement dans une suite de l'hôpital américain à Neuilly ou Mount Sinai à New York. Mais *ça*, Thibault n'y est pas habitué. Il a vécu pendant vingt ans sous une cloche de verre. Sa mère lui a mis de la crème solaire indice cinquante jusqu'à ce qu'il soit en âge de se l'appliquer lui-même. Elle lui a appris à nager à cinq ans. Elle n'a jamais oublié d'attacher sa ceinture de sécurité dans la voiture. Elle lui a apporté son chocolat chaud au lit jusqu'à l'âge de quatorze ans. Ses vacances scolaires, il les passait dans des hôtels cinq étoiles où un personnel souriant veillait à son bien-être, déposait sur son lit aux draps frais, changés tous les jours, un peignoir de bain et des chaussons moelleux, une petite peluche douce. Il préférait des frites extra-larges au lieu de pommes allumettes ? Aucun problème. Le « chef » les lui préparerait. Il n'a jamais porté autre chose que du coton bio, du lin, du cachemire, de la laine vierge et des chemises brodées à ses initiales. Il n'a été confié qu'à des baby-sitters qui répondaient à chacune de ses demandes, des femmes que sa mère sélectionnait en fonction de leurs aptitudes psychologiques, des Douces, des Bienveillantes, des Tendres, des Souriantes. Il n'a jamais été battu, humilié. Le Mal, il l'a découvert à la télévision, dans les journaux, à la rubrique des faits divers, de manière fortuite, dans des films, des romans ou des livres de philosophie, mais dans sa vie, non. La Shoah ? On lui en a parlé à l'école, mais à la maison, jamais. Il n'a connu qu'une représentation manichéenne du monde : il y a le Bien, il y a le Mal, il appartient à la caste des Bienheureux. Et puis un jour, il découvre qu'on lui a menti. Le monde n'était pas ce cocon chaleureux et doux où les gens vous passaient les plats en souriant. L'enfance était une imposture dont il découvrait les ressorts ineptes à l'âge adulte. Il avait été manipulé comme les autres, et il devrait rentrer chez lui finir son assiette comme s'il n'avait rien vu ? Il a tout vu, il en veut à la terre entière, il ne comprend plus rien. Alors il cherche des explications. Il remonte le cours des origines. Le judaïsme ne lui offre pas de réponses mais il a les questions – toutes les questions – et les commentaires – des millions. Ça suffit à atténuer ses angoisses. Il a lu *Le livre de Job* et il a pensé qu'il n'était plus seul. Qu'un homme avant lui avait *autant* souffert. Les autres peuvent bien le prendre pour un illuminé, il sait qu'il a trouvé sa voie. « Ton problème, papa, c'est que tu ne veux pas entendre ce qui se dit depuis ce portrait qui a paru dans ce journal... On dit de toi *c'est François Lévy*, et moi je suis le fils de Lévy. Tu peux toujours t'en offusquer, ça t'énerve, je le sais, c'est pourtant vrai, et je ne vois pas pourquoi, moi, je devrais avoir honte de mes origines. » François se défend. Ce n'est pas une question de « honte » ou d'un quelconque « refus », il n'a pas rejeté sa judéité puisqu'il n'en a jamais été le dépositaire, il est chrétien, c'est ce qu'il affirme tandis que son fils répète le mot « juif » avec une régularité et une conviction qui l'assomment. « Nous sommes juifs, dit Thibault, tu as cru fuir ça ? Tu ne peux pas.

Tu vois, ils ne t'ont pas lâché. Ils ont recherché le juif en toi après plusieurs générations et ils ont fini par le trouver. » François lui dit alors qu'il l'accompagnera à New York, il l'aidera à s'installer, il remplira ses devoirs de père, son fils est libre, il est majeur, son choix le « détruit », c'est un « échec personnel », il ne le comprend pas, mais il le respecte. Thibault n'en demande pas plus. Il embrasse son père et s'en va.

26

Le lendemain de la parution de l'article d'Osman Diboula, des dizaines de personnalités issues du monde politico-médiatique saluent son courage et son engagement. Devant l'enthousiasme des réactions, il doit faire face aux nombreuses demandes d'interviews : radios, télés, presse – raz de marée médiatique qui l'emporte. Il sélectionne les meilleures propositions, il a le choix, il est dans la lumière, enfin, après des semaines de purgatoire. L'excitation. Il ne comprend pas vraiment ce qui se passe, il ne l'a pas prémédité, il avait imaginé une forme de reconnaissance, d'approbation, mais pas cette déferlante médiatique, pas cette exaltation un peu suspecte. Corsini ne paraît pas surprise : « Un Noir qui défend un juif, ça porte, c'est un signe de réconciliation et de rassemblement ; or, c'est ce qu'ils veulent, un apaisement, fût-il de façade. » Qui est ce « ils », elle ne le précise pas. Osman ne partage pas cette affirmation, il n'a jamais été partisan d'un communautarisme revendiqué, l'idée de voir ainsi réduite la portée de son texte le déprime un peu ; pourtant, il ne contredit pas Corsini : il sait ce qu'il lui doit, ce que, sans elle, il serait devenu. Ce retour victorieux, elle l'a orchestré, il en est sûr, à des fins qui lui échappent un peu. Par amitié ? Non. Il n'y croit plus. Au pouvoir, l'affectivité ne doit pas être un territoire investi. Elle n'est qu'un moyen d'obtenir quelque chose qui pourrait servir des intérêts supérieurs, il avait mis beaucoup de temps à le comprendre. Il y avait bien des affinités électives, oui, mais sans effusion. La tentation du cynisme ? Non. Mais il avait vu le pouvoir de près, il en avait saisi les codes. Il était sûr à présent de ne pas tomber dans les pièges d'une proximité factice. « Tu vas voir, ça n'est que le début, dit Corsini. Tu es beau, jeune, prometteur. Tu as de la chance : un Président métis vient d'être élu à la Maison-Blanche et ta compagne est une politique douée, on vous verra désormais comme les nouveaux Obama, tu n'imagines pas la puissance du mimétisme médiatique ! L'opinion publique a besoin de repères, de modèles à admirer, à copier. » Il lui annonce qu'il n'est plus avec Sonia et Laurence a cette réponse expéditive : « Récupère-la, on réussit mieux en couple aujourd'hui. Avec elle, tu gagneras dix ans. » Il savait qu'elle avait raison. Il avait assisté, au sein même de l'Élysée, mais aussi dans d'autres sphères d'influence, les médias notamment, à l'ascension de ces couples de pouvoir, union des Beaux, des Brillants, des Importants, liés par des parcours communs, des histoires d'amour ou, plus simplement, des affinités intellectuelles, sexuelles – addition des carnets d'adresses, des sources d'influence, ce pouvoir-là compte double. Mais il renonce à rappeler Sonia, elle l'a quitté à un moment où il vacillait, il n'a plus jamais reçu la moindre nouvelle d'elle, elle ne reviendra pas, question de dignité et d'amour-propre. Qu'espère-t-il au fond ? Reconquérir une première place ? Réintégrer une sphère dont chaque élément l'a profondément déçu ? Il a gardé cette fierté constitutive un peu puérile, l'arrogance de ceux qui n'ont pas toujours eu la vie facile, une morgue qui trahit le désavantage social plus qu'il ne le masque. « À un certain niveau, il n'y a pas de place pour les états d'âme. En politique, il faut avoir le cuir épais », lui dit un peu froidement Corsini.

Il donne quelques interviews, les échanges sont bons, il argumente, Corsini lui a prodigué deux, trois conseils, il joue sa partition – il la joue bien –, porté par le souffle de la reconquête, et dès le lendemain, un journal de gauche le contacte pour faire son portrait. Il dit oui, bien sûr. Un tel portrait, s'il est positif, peut être une consécration. Son passé de médiateur social plaide pour lui mais sa présence dans un gouvernement de droite, il le sait, ne joue pas en sa faveur. Un homme engagé dans les mouvements sociaux, le cœur ancré à gauche, qui rejoint l'équipe de conseillers d'un Président de droite, c'est au mieux un ambitieux, au pire un opportuniste, un de ces types rusés, à la manœuvre, prêts à tout pour occuper un poste à responsabilités. Il anticipe les reproches et prépare ses réponses : on avait fait appel à lui, il n'avait pensé qu'à ce qu'il pourrait apporter, il note quelques mots clés : « utilité », « adaptabilité ». Il s'y prépare comme pour un grand oral, sauf que lui n'en a jamais passé. Il n'a pas eu la formation adéquate, ces séances d'humiliation collectives ou individuelles au cours desquelles un ou plusieurs professeurs vous mettent en difficulté pour vous déstabiliser, tester vos connaissances, votre résistance au stress et prévoir si un jour vous serez ou non en mesure d'assumer une charge publique lourde. Mais Corsini le rassure : « Tu ne risques pas grand-chose. Ils vont t'égratigner et tant mieux, rien de plus contre-productif que les panégyriques. Mais ils ne te saliront pas. Aujourd'hui, tu es un symbole.

Tu as porté la plume dans l'une des plus grandes plaies de la République : l'antisémitisme. Demain, ce sera une autre histoire. »

Il s'inscrit sur les réseaux sociaux : Twitter, Facebook, met en ligne messages et photos, ça le grise. Ce soir-là, il sent que sa vie va changer, que quelque chose est en train de se passer, son téléphone ne cesse de sonner. Des gens qu'il respecte, et même, qu'il admire, lui disent leur approbation. Il vit un nouvel adoubement. Pour la première fois depuis son éviction du pouvoir, il est serein, de nouveau au centre des choses. Il se surprend à croire en un avenir meilleur, il répond à d'anciens conseillers qui lui avaient tourné le dos, il le fait avec naturel, comme s'il n'avait jamais été ce paria. Il revient avec la conviction d'être plus fort – son image n'a jamais été aussi positive. Il a, en apparence, évincé le ressentiment, ainsi que le lui a conseillé Corsini : sourire, sourire.

27

Le réveil dans une chambre d'hôpital aux côtés d'un autre patient, un homme d'une trentaine d'années, ancien courtier à Londres, qui ne quittait jamais son lit (« dépression sévère à la suite d'un burn-out », avait dit Agnès, qui semblait être informée de toute la vie du service). La camisole chimique contenait la confusion mais aussi les éclats de lucidité, Romain alternait les moments de calme – il pouvait alors raisonner sur ce qu'il vivait –, et de crise, pendant lesquels il pleurait sans raison ou revivait des scènes traumatiques, luttait contre des hallucinations. Il savait où il était, il comprenait ce qui lui arrivait et la façon dont il avait été amené dans ce service psychiatrique fermé, c'était sa femme qui détenait la clé de sa libération à présent. Il serait peut-être déclaré inapte. Il ne pourrait plus jamais combattre. Il ne reverrait plus Marion. Il passerait le restant de sa vie à tenter de réparer ce qui avait été altéré sans savoir que la blessure était radicale : la seule rééducation possible après l'épreuve, c'était l'acceptation d'un moi déformé, mutilé, transformé par la souffrance. En signant l'acte d'internement, Agnès l'avait jeté en prison. Romain n'avait pas le droit de téléphoner, son portable lui avait été confisqué et qu'aurait-il pu dire à Marion ? *Je suis dans un asile, mon Amour.* Elle avait dû l'attendre avant de comprendre qu'il ne viendrait plus.

Ses journées étaient désormais rythmées par les entretiens avec les médecins, les soins du personnel et les visites d'Agnès. Elle arrivait à l'ouverture du service et partait bien après la fermeture. Pour la première fois de sa vie, il avait peur – une peur physique qui le ravageait, engendrant vomissements et nausées. Il ne mangeait presque plus. Il entendait les cris des autres patients, ça le terrifiait. Il ne voulait pas finir comme eux, dans une chambre capitonnée, fermée à double tour. Un danger pour les autres. Il se revoyait sur le terrain, imperturbable, sûr, confiant. Il ne reconnaissait plus son corps, cet animal mort, il n'avait plus aucune force physique. Il avait confié ses craintes au psychiatre de l'hôpital : « Je n'arrive pas à me faire à l'homme que je suis devenu. »

Il haïssait Agnès de l'avoir fait enfermer, elle lui répétait qu'elle avait fait cela pour son bien. Mais le bien, hélas, n'est pas toujours une option supportable.

28

Enfin seul, François lit une nouvelle fois la tribune que vient d'écrire ce conseiller politique qu'il ne connaissait pas – Osman Diboula. Qui est cet homme dont il n'a jamais entendu parler ? Une sorte de justicier indépendant qui n'a pas cru bon de l'informer de sa démarche, un électron libre qui chercherait à canaliser l'attention ? Il fait quelques recherches sur lui – rien qui l'impressionne. Mais le texte est bon. Il ne partage pas son contenu mais c'est vrai, il est fort. Une réserve toutefois. Cette défense est censée lui faire plaisir ? Elle le décourage. Tout ce qu'il redoute se produit. Il est le juif qu'on vient sauver. Il se sent « dénoncé, désigné », et si Étienne ne l'en avait empêché, il était probable qu'il eût à son tour écrit un article pour dénoncer la stigmatisation dont il était l'objet. « Sois au-dessus de ça, lui dit Étienne. Cet article, c'est ta chance. L'attention publique va se reporter sur ce type. Dans quelques jours, on n'entendra plus parler de ton affaire. » C'est ce qu'il croit, mais quelques heures plus tard François reçoit un appel de Daniel Dean, le PDG de Szpilman. Il souhaite le rencontrer, dit-il, pour faire le point sur la fusion ; les accusations d'esclavage compromettent le bon déroulement des opérations. François se montre conciliant, il accepte de faire le déplacement, il a prévu d'installer son fils à Brooklyn, il en profitera pour rencontrer Dean. « Tu n'as pas pris la décision de tout annuler ? » demande toutefois François. Daniel Dean reste évasif : « Ne parlons pas de ça par téléphone. »

29

La confiance d'Osman s'étiole vite, car après avoir reçu d'innombrables messages de félicitations, alors qu'il est allongé sur son canapé, occupé à y répondre, il reçoit un appel d'Issa Touré. Le ton est nerveux, il a lu son article, il en a eu connaissance : « Autour de moi, on ne parle que de ça. » Osman répond froidement tandis qu'Issa hurle dans le combiné : « Tu n'as pas trouvé d'autre cause à défendre qu'un feuj raciste ? Tu n'es qu'un traître, une grosse merde arriviste ! » Osman vacille, il avait oublié la charge haineuse et cette corruption du langage. « Tu prends la défense d'un juif de merde ! Un raciste ! Un esclavagiste ! Un capitaliste sioniste qui écrase les Noirs ! Ça ne leur suffit pas de massacrer les Palestiniens, faut aussi qu'ils plantent leurs gros culs sur nos femmes ? » Pour Osman, c'est la consternation, il est incapable d'articuler le moindre mot. « Tu as oublié ce que tu as dit de ce type le soir où on était chez toi ? Tu as dit : "Je vais descendre ce petit patron de merde." Ces mots, tu les as prononcés. Je n'ai pas rêvé. Il y a des témoins, on peut demander à ta famille. Tu as retourné ta veste comme un crevard ! On t'a promis quoi en échange ? Une promotion ? Du fric ? Tu t'es laissé manipuler par le lobby sioniste ! Tu me dégoûtes ! » Osman reste silencieux. Oui, c'est vrai, son intention première était d'attaquer Vély, mais pas en tant que juif, pas en raison de ses origines. Ce qu'il avait dénoncé, c'était plutôt cette légèreté, cette arrogance de l'homme de pouvoir blanc – une forme d'inconséquence, un déséquilibre dans le jeu des forces sociales en présence, rien de plus, rien qui justifiât le sentiment antisémite qu'Issa continuait à exprimer comme s'il s'agissait d'une banale opinion, comme si la seule personne de François Vély cristallisait des années de tension et de ressentiment, devenait l'objet d'une haine radicale et inexplicable – une sorte de maladie mentale. Osman n'a pas le temps de répondre – et d'ailleurs, que pourrait-il dire ? Il est tétanisé. Issa enrage : « C'est à cause de ce genre de patrons véreux, toute cette mafia juive internationale, que ma société est en liquidation judiciaire. Ils s'entraident, tu comprends ? Les banques sont tenues par des juifs et font crédit aux entrepreneurs juifs, ils s'enrichissent sur notre dos. Les autres, ils les laissent crever. Je vais tout perdre, tu entends ça ? » Nouvelle information. Une prospérité de façade. Avec sa voiture, les clubs qu'il fréquentait, l'argent qu'il dépensait, Issa avait fait illusion. « Ah oui, ces feujs ont les meilleurs postes et nous traitent comme leurs larbins ! Mais ça suffit pas, faut aussi que tu lèches leurs culs ! Tu es comme tous ces macaques prêts à tout pour manger à la table des Blancs, eh bien moi je dis non : ils ne veulent pas de nous et nous ne voulons pas d'eux. Un jour nous aurons la peau des intégrationnistes honteux comme toi et des chiens de sionistes comme François Lévy ! » Entendant ces mots, Osman raccroche. Il tremble, retient difficilement les tressaillements de sa jambe gauche – l'angoisse. Il lui faut cinq, dix minutes pour retrouver sa sérénité. Il avait bien perçu chez Issa un fond d'antisémitisme, sans imaginer qu'il prendrait la forme de ce délire paranoïaque. Son téléphone sonne à nouveau et il s'apprête à appuyer sur la touche « éteindre » quand il lit le prénom « Sonia » sur l'écran. Il laisse sonner une fois, deux fois, puis éteint son téléphone. Il n'est pas en état de répondre. Il n'est même pas sûr d'avoir envie de reprendre leur histoire. Il se sent sali par les propos d'Issa qui tournent dans sa tête, vont et viennent – *je n'ai pas rêvé*. Il se précipite dans la salle de bains, se déshabille comme s'il se débarrassait de vêtements en feu, torche vivante, entre dans la cabine de douche et laisse couler l'eau tiède sur sa tête, son corps – processus expiatoire et purificatoire qui, croit-il, le sauve de la férocité d'un monde qu'il déteste.

30

« Il fallait bien faire quelque chose de cette violence, alors je me suis mis à boire. Je ne sais plus à quel moment ça a commencé. Peut-être à mon retour d'Afghanistan. Je buvais parce que je ne supportais plus rien. C'était le seul moyen que j'avais trouvé pour rester en vie. C'était l'alcool ou le suicide, vous comprenez ? Je ne cherchais plus à vivre, seulement à survivre. Boire me permettait de tenir. Si je ne buvais pas, je ne pouvais même pas me lever. Je buvais et je me sentais un peu mieux. Jusqu'au prochain verre. » Assis sur un fauteuil, dans le bureau du psychiatre de l'hôpital, Romain cherche ses mots, sa gorge est sèche, il a soif – effet des médicaments, sans doute. De temps à autre, il le regarde dans les yeux, sans s'attarder, incapable de le fixer trop longtemps.

« Vous êtes là parce que vous avez pris la décision d'arrêter…

— Je suis là parce que je vais mal, non ? J'aurais pu disjoncter en Afghanistan mais non, j'ai attendu d'être en France.

— Comment s'est passé le retour chez vous ?

— Mal. Mon fils ne m'a même pas reconnu.

— Et avec votre femme ? »

Il reste silencieux, réfléchit longuement avant de parler.

« C'est comme si la guerre avait révélé des failles, des détails auxquels je n'avais pas fait attention auparavant. Je la soupçonne d'avoir organisé mon internement. Elle savait que le sifflement de la bouilloire me rappelait celui des bombes. Disant cela, j'ai peur de passer pour un paranoïaque.

— Si vous le souhaitez, je peux la rencontrer en même temps que vous et en discuter avec elle.

— Non, je n'y tiens pas.

— Vous l'aimez ? »

Pour toute réponse, Romain hoche la tête de gauche à droite puis tape son pied contre le sol :

« Je sais ce que vous n'osez pas me demander : est-ce que nous avons toujours des rapports elle et moi ? La réponse est non. C'est arrivé une fois, mais sans désir. »

Il se tait un instant puis reprend :

« Ma femme m'a fait interner le soir où je lui avais annoncé que je la quittais.

— Vous aviez l'intention de la quitter ?

— J'ai rencontré une femme à Paphos. Je voulais la rejoindre.

— C'était peut-être précipité.

— Vous n'avez jamais été amoureux ? »

Romain s'interrompt. Des larmes se mettent à couler aux coins de ses yeux. Il les essuie aussitôt d'un revers de la manche.

« Je suis désolé. Ce sont les effets secondaires des médicaments, je pleure comme un gosse.

— Vous avez été blessé et je suis là pour vous aider.

— Non, moi je n'ai pas été blessé. Mes hommes l'ont été. Certains sont morts, moi je suis vivant et je dois vivre avec cette injustice. Je n'ai pas su les protéger.

— Vous avez fait ce que vous avez pu.

— Qu'en savez-vous ? »

Il se tait un instant puis ajoute :

« Je n'ai pas pu les sauver. Je me sens indigne de vivre.

— La vraie question est : jusqu'à quel point peut-on se protéger et protéger les autres ? Quand vous êtes sur le terrain, vous calculez les risques, bien sûr, mais vous n'êtes jamais sûr de revenir intact, le risque zéro n'existe pas... La guerre vous renvoie à la réalité de votre vulnérabilité alors que tout, dans votre parcours, vous en éloignait.

— Je croyais que nous étions préparés à ça. Mais non. Aucun homme de vingt ans n'est préparé à émettre ses dernières volontés : choisir entre inhumation et incinération ; choisir le type de pierre tombale, le passage de la Bible qui serait lu à l'enterrement, la musique qui serait jouée et jusqu'à la liste d'effets personnels avec lesquels on voudrait être mis en terre. Personne n'est préparé à dire au revoir à ses parents, sa femme, ses amis en pensant qu'il s'agit peut-être d'un adieu définitif. Personne n'est préparé à voir le corps de son meilleur ami déchiqueté, entrailles à l'air. Personne n'est préparé à cette rencontre avec la mort.

— Mais vous êtes là, vous êtes revenu vivant.

— Non, une part de moi est morte en même temps que mes hommes, je ne serai plus jamais le même, il m'a fallu faire le deuil de l'homme que j'étais.

— Vous devez réapprendre à vivre avec cette nouvelle donne.

— Vous voulez dire que je dois renoncer à combattre ?

— Pour le moment, oui.

— Ça signifierait renoncer à ce pour quoi je suis fait. »

Le médecin laisse s'écouler un long silence.

« Je vais vous poser une question – une seule. Est-ce que vous pourriez repartir au front, là, tout de suite ? »

Romain détourne alors son regard et dit, d'une voix atone :

« Si on me mettait une arme chargée entre les mains, je me tirerais une balle dans la tête. »

31

François reste prostré dans son bureau. Il comprend que sa vie privée ne sera pas épargnée par cette polémique ; tôt ou tard, Marion partira, c'est une question de mois ou de semaines. Depuis quelques jours, elle ne lui parle plus et erre à travers l'appartement, le visage défait, les yeux éteints, vêtue d'un jean déchiré et d'un tee-shirt. Il a essayé d'en parler avec elle mais pour toute réponse elle lui a dit qu'elle subissait le contrecoup de son voyage en Afghanistan. Il n'insiste pas, ce jour-là, il a rendez-vous avec Osman Diboula au bar de l'hôtel Meurice. Quand il arrive, Osman est déjà là, vêtu d'un jean bleu marine, d'une chemise blanche et d'une veste en lin grise, il a belle allure, il dégage une grande confiance et ça plaît à François qui lui serre la main avec chaleur avant de s'installer face à lui. Il est un peu contrarié, sa table a été proposée à un trio de riches Japonaises, et Osman s'est assis à une autre table, à la meilleure place, face à la salle, si bien qu'il peut voir et être vu – alors que c'est habituellement la sienne, le serveur le sait, et il se demande si le scandale médiatique n'est pas étranger à cette nouvelle organisation de l'espace.

Il y a tout de suite un bon contact entre eux, l'un comme l'autre sait séduire, ils ont mille choses à se raconter et finalement, l'épisode qui les concerne ne retiendra que quelques dizaines de minutes dans une conversation où il sera question du pouvoir, du groupe Vély, des amitiés communes. En ce qui concerne ce que François appelle « l'affaire », il dit simplement qu'il le remercie d'avoir publiquement pris sa défense mais précise qu'il l'a, sans le savoir, enfermé dans une identité qui n'est pas la sienne : « Je ne suis pas juif, énonce-t-il sur un ton monocorde, mais force est de constater que ce ne sont pas des origines qui peuvent s'effacer. » Osman repense aux termes du conseiller du Président qui avait évoqué ses « origines noires » devant les autres collaborateurs. La tragédie des origines. François veut savoir pourquoi il a écrit cette tribune. Osman explique qu'il a été choqué par les réactions antisémites.

« Mais qu'est-ce que vous attendez de moi, Osman ?

— Rien.

— Si je peux vous aider en quoi que ce soit, je le ferai, dit François en sortant de sa poche une carte de visite qu'il lui tend.

— Vous êtes au Siècle ? » demande Osman.

Cette remarque intrigue François, oui, il en est membre, où veut-il en venir ? Osman explique qu'il aimerait lui aussi faire partie de ce club. François répond qu'il proposera d'être son parrain, il fera ce qu'il pourra, puis regarde sa montre.

« Je dois y aller. »

Il se lève, serre la main d'Osman et s'éloigne. Quand Osman hèle le serveur, ce dernier lui dit que l'addition est déjà réglée.

32

C'est une expérience humaine – passer d'un lieu à un autre, pénétrer un nouvel espace, quitter la légèreté pour la douleur, la superficialité pour la profondeur, la vie pour une petite mort –, un apprentissage violent. Après avoir quitté le faste du bar de l'hôtel Meurice, Osman se retrouve à l'hôpital militaire. Dans le hall lumineux surmonté d'une immense verrière, des hommes très jeunes, vingt, vingt-cinq ans peut-être, paraplégiques, tétraplégiques ou amputés font une pause auprès de leurs familles venues leur rendre visite. Osman aperçoit un couple au regard triste, la femme pousse une chaise roulante sur laquelle est installé son fils, les membres déformés, le visage figé dans un rictus étrange, les yeux dans le vide. Osman a la gorge nouée en pénétrant dans la chambre d'hôpital où Farid gît sur son lit. Il est venu à la demande de Romain. Il n'avait ni le courage ni l'envie de revoir Farid handicapé après toutes ces années. Romain avait insisté et il n'avait pas eu le courage de dire non.

Il entre et il est bouleversé. Il ne reste rien de l'adolescent qu'il a connu : l'énergie vitale qui caractérisait Farid avait disparu. Il s'approche de lui, prend sa main dans la sienne. « Hé, l'animal ? T'as voulu nous épater ? Bravo ! T'es un vrai héros. Avec ce coup-là, tu vas au moins décrocher la médaille militaire. » Farid est ému. Au bout de cinq minutes de conversation informelle, il commence à parler, comme il le faisait dans son local, il raconte la guerre, ces longues semaines où il ne se passait rien. « On se disait : c'est ça la guerre ? C'était si calme ! On n'avait encore rien vu et la mission s'achevait. On rêvait d'aller au contact, on ne pensait qu'à se battre, et puis un jour, alors qu'on ne s'y attendait pas, on a été pris en embuscade et voilà. » Osman évoque son courage, son sens du devoir, il dit son admiration pour un parcours « exemplaire », il répète plusieurs fois le mot « héros » mais Farid s'emporte un peu : « De quoi parles-tu ? Où est le héros ? Je ne suis plus qu'un chiffon, regarde-moi. Et même un chiffon peut avoir son utilité, moi, non. » Osman l'observe : on dirait qu'il va rompre tant il est faible, on lui a rasé la tête avant l'opération de sa boîte crânienne, la cicatrice, épaisse, barre son crâne, son regard est fuyant ; tout a changé en lui sauf sa voix, grave et rocailleuse. Farid se met à parler de plus en plus vite, comme s'il fallait en finir, il dit sa hantise d'être paralysé à vie, de ne plus avoir de projet, d'envie, de désir, il n'a pas peur de mourir, car il meurt déjà, « de désespoir et de rage ». Osman cache mal son émotion. « Regarde ce massacre, l'invalide que je suis devenu, tu te souviens de mes jambes ? Tu te rappelles au foot ? Je vous explosais tous. Puis il y a eu l'armée, la guerre, l'engagement, et tout ça pour quoi ? Qui se souviendra de ce qu'on a fait ? » Il pleurait à présent : « C'est des mecs comme toi, des politiques qui nous ont envoyés au champ de bataille et vous, vous étiez où pendant ce temps ? » Il inspire difficilement puis reprend son monologue :

« Pardonne-moi d'être si dur, tu n'y es pour rien, je suis très touché que tu sois venu, mais dis-moi, quel pourrait être mon avenir ? Quelles sont mes chances de rebondir ? Aucune, ma vie est fi… », mais Osman n'entend pas la dernière syllabe, son téléphone vibre et sur l'écran, il voit apparaître le nom du secrétaire général de l'Élysée, incroyable. Il n'écoute plus Farid, cette scène n'existe pas, il se détourne et répond d'une voix enjouée, maîtrisée. Retour à la comédie sociale : « Oui, c'est moi. Non, vous ne me dérangez pas du tout », puis, n'entendant plus rien, le voilà qui se met à marcher à travers la pièce comme un automate, son téléphone collé contre l'oreille, répétant « Allô ? Allô ? » pour être sûr de ne pas perdre le fil de la conversation, indifférent au dessin placardé sur les murs qui rappelle que l'usage du portable est interdit dans l'enceinte de l'hôpital, ne pensant qu'à maîtriser les caprices du réseau, sortant précipitamment de la chambre – répondre à cet appel, il n'y avait plus que *ça* qui lui importait.

Le secrétaire de l'Élysée lui dit que le Président désire le voir dans trente minutes, c'est urgent, et Osman répond : « Oui, oui, j'arrive. Je serai là. » Il raccroche, excité par ce rendez-vous : on y est. Dans le taxi qui le transporte vers l'Élysée, il téléphone à ses parents et leur raconte que le Président l'attend. Ils ne montrent aucune joie particulière, se contentant de répondre : « Sois prudent. » Quelques minutes plus tard, Laurence Corsini, entendant cette même information, répliquera : « Sois exigeant. » Il se rend compte qu'il est en jean avec une simple veste en lin, impossible de se présenter ainsi, impossible non plus de rentrer chez lui, il n'a pas le temps, il panique tout à coup, il connaît les règles du protocole, il sait l'effet que sa présence, dans cet accoutrement, pourrait produire, et c'est alors qu'il a l'idée d'appeler Wojakowski qui lui dit aussitôt qu'il est au courant. Osman lui décrit sa situation, il entend le rire de Wojakowski dans le combiné : « On a toujours besoin d'un bon tailleur juif ! On se retrouve dans le café à côté de l'Élysée dans cinq minutes, je t'apporterai un costume et une chemise. » Et il est déjà là quand Osman arrive, une grande housse de costume posée sur la chaise voisine. « Je savais que tu avais des affaires de rechange, tu me sauves la vie. » Osman commande un café, qu'il ne boit pas. « On dit que le Président prépare un prochain mini-remaniement… — J'aimerais déjà retrouver mon poste de conseiller. » Osman emporte les affaires aux toilettes et, quand il en ressort, Wojakowski l'observe en riant : « Avec ça, tu vas au moins décrocher les Affaires étrangères. » C'est l'heure, Osman le quitte après l'avoir remercié.

Quand Osman arrive à l'Élysée, il sent immédiatement que quelque chose est en train de changer, il est reçu avec déférence, on le salue, on lui sourit, le Président ne le fait pas attendre et vient le chercher en personne : « Ah ! Osman ! Je suis si content de te voir ! Ton texte était magnifique ! Vraiment, magnifique ! Tu m'as impressionné. C'est à toi que j'aurais dû demander d'écrire mes grands discours. » Osman a très envie de répondre : « Le discours de Dakar, par exemple ? », mais il s'abstient, il sait que le Président n'aime pas l'ironie quand elle est dirigée contre lui. Longtemps, il a osé lui tenir tête, mais il est affaibli par l'épreuve. Il le suit, s'assoit à ses côtés, ainsi qu'il le lui a demandé. Les faits, rien que les faits. Il ne devait pas, disait le Président, avouer à la presse qu'il avait été congédié, il représentait un atout important, il avait besoin de lui, l'incident était oublié. Il répète plusieurs fois ce mot « oublié » – mais pour qui ? Osman n'effacerait pas ces semaines d'humiliation et d'isolement. Le Président dit qu'il y a autre chose, il veut « plus grand » pour Osman, il mérite « mieux ». Osman est fébrile, il pense à un ministère régalien, ça palpite en lui. « Je pense à toi pour le secrétariat d'État chargé du Commerce extérieur, de la Promotion du tourisme et des Français de l'étranger », avant de préciser : « Tu dépendrais du ministre des Affaires étrangères, qu'en penses-tu ? » Le Président se détourne tout à coup, il répond à plusieurs SMS sans un regard pour Osman… Quelques minutes s'écoulent, interminables ; Osman se souvient de la douleur de ne plus être dans l'axe du Président – ce moment où il vous regarde, vous parle… Vous êtes important, vous êtes unique –, quand soudain, le Président s'anime : « C'est un très beau poste et tu seras chapeauté. » Pour Osman, ce terme « chapeauté » trahit le manque de confiance, le paternalisme, c'est insupportable, pourtant il se contente de sourire quand le Président lui donne une tape familière sur l'épaule pour lui signifier qu'il doit prendre congé. « Réfléchis. »

33

Romain n'a rapidement qu'une obsession : sortir de l'hôpital. Il prend son traitement, ne manque aucun entretien avec le psychiatre, les infirmiers ; tout ce qu'il veut, c'est retrouver sa liberté, et contre toute attente, son psychiatre accepte de le suivre en service ouvert – sous contrôle médical strict. Il parvient à persuader Agnès de l'opportunité de rentrer à la maison et elle ne s'y oppose pas.

De retour chez lui, Romain tente de joindre Marion – sans succès. Il n'a pas le courage de la surprendre comme il l'avait fait une fois, il se contente de lui écrire un long message dans lequel il lui explique ce qui s'est passé. Il donne tous les détails, insiste pour la revoir. Mais pour toute réponse, elle lui dit de ne plus chercher à la contacter. Leur amour n'avait été qu'une histoire empêchée, son message soudain et cette tentative d'intimité ne suffiraient pas à réparer ce qui avait été défait, apaiser ce qui était toujours à vif. Retrouver la légèreté après le drame, la confiance après l'abandon, le désir après l'éloignement, déstabiliser ce qui avait été reconstruit sur des sables mouvants, remuer ce qui s'était liquéfié avec le temps, raviver la peur de ne plus être aimée, la douleur de Ceux-qui-n'ont-pas-été-choisis, c'était impossible à présent. Dès le début de leur relation, Marion avait tenté de garder ses distances pour échapper à l'émotion corruptrice, à la vulnérabilité – le piège de l'attachement. Elle avait échoué. Romain pense que ça pourrait être un recommencement, pas Marion. Car entre-temps, il s'est produit quelque chose qu'elle n'avait pas prévu, pas même pressenti comme si son enfance auprès d'une militante anarchisante l'avait naturellement préservée du risque de la stigmatisation et du préjugé, comme si la haute idée qu'elle avait d'elle-même, la foi en des convictions humanistes l'avaient instinctivement amenée à poser sur le monde un regard juste, bienveillant, et qu'elle ne s'exposerait jamais au risque du mépris social puisqu'elle l'avait subi, ce mépris, elle en avait fait un livre rageur, oui, après avoir reçu le message de Romain, elle a eu une réaction qui l'a surprise, et même déçue. Elle s'est découverte vassalisée par ses habitudes bourgeoises, terrifiée tout à coup à l'idée d'être liée à quelqu'un qui ne lui offrirait aucune sécurité matérielle, qui n'évoluait pas dans un milieu intellectuel et aisé, un homme avec lequel, une fois passé le temps de la passion sexuelle, il ne resterait peut-être que le sentiment d'avoir commis une terrible erreur. Et si cette histoire n'était qu'une simple démonstration du pouvoir de l'attraction sexuelle, la preuve de son immaturité ? Elle invoquait la charge des enfants de François, son sens du devoir et des responsabilités – le réflexe du repli et du renoncement. Elle expliquait qu'elle n'avait plus confiance. C'était faux. En réalité, elle avait peur de s'engager avec un homme fragile. Elle pensait avoir résisté au formatage social, elle imaginait qu'elle serait au-dessus de tout ça : elle ne l'est pas. Elle est attachée à sa zone de confort.

L'interdit a mythifié leur amour mais maintenant qu'il est possible, envisageable, maintenant que Romain est libre et qu'il est sorti de l'hôpital, elle n'est plus aussi sûre d'elle. Elle le désire, elle l'aime, mais est-ce que ça suffit pour construire une vie, une de ces existences stables et équilibrées dont inconsciemment elle a toujours rêvé ? Il n'a pas d'argent ; à titre personnel, elle n'en a pas non plus, je vais finir comme ma mère, voilà ce qu'elle se dit, et pour une femme comme elle, la répétition du schéma maternel est bien la situation la plus angoissante à imaginer. Son passé n'est qu'une histoire de l'insécurité. Son avenir professionnel, la voie de l'écriture, c'est le choix de l'incertitude. Elle s'est sentie vulnérable toute sa vie et elle devrait maintenant s'exposer à ce qui est aléatoire ? Elle aimerait envisager une fin heureuse, vivre avec Romain, se persuader que l'amour et la promesse de bonheur sexuel qui y était associée suffiraient à la combler, mais c'est impossible. Ce serait sans doute romanesque. Ce n'est pas réaliste. Dans la prise de décision amoureuse vient toujours un moment où la raison l'emporte sur le désir, c'est arrivé pour Romain, c'est à son tour de douter – le pouvoir de l'illusion faiblit, on reste seuls à déplorer la pulvérulence d'un amour dont on vantait pourtant la solidité. Alors elle se convainc : il est toujours marié, il n'a plus de travail, il sort d'un séjour en hôpital psychiatrique et elle devrait tout quitter pour lui ? Elle va avoir vingt-neuf ans, elle a envie d'autre chose et surtout, d'être préservée. Ce serait un suicide, et tout ce qu'elle redoute, c'est bien cette mort orchestrée par la société elle-même qui trie et abat, élit les meilleurs, les plus résistants, broyant les autres, elle connaît ça, son père en est mort, et elle veut être du côté de la vie. Elle recule alors même qu'elle aimait Romain – cette intimité exceptionnelle, elle ne la retrouverait plus jamais. Avec personne.

Leur histoire resterait inachevée. Ils poursuivraient le cours de leur existence avec le sentiment de ne pas avoir été à la hauteur de ce qui leur avait été donné, ne se reproduirait plus, ou de façon parcellaire, circonscrite, dépassionnée. Il ne leur faudrait pas seulement renoncer à ce qu'offre l'amour quand il est prodigue : un bonheur total, la jouissance, mais aussi à toutes ces projections qui soudain devenaient mensongères, absurdes, artificielles et s'éteignaient par la seule force du désaveu. C'était fini – processus effroyable de la rupture quand elle n'est pas dictée par le délitement sentimental mais par des paramètres moraux, d'autres formes du conditionnement social ou, plus simplement, par les revirements que les hommes opèrent quand ils ne se sentent pas capables de modifier la trajectoire d'une vie qu'ils ne supportent plus.

34

Soudain, la domination de l'irrationnel. La remise en cause d'un cartésianisme qui a jusque-là montré sa supériorité. François se demande même, dans un moment de désespoir, s'il ne doit pas croire à des forces occultes qui œuvrent contre lui depuis le jour où il a annoncé à son ex-femme qu'il se remariait. Il a le sentiment d'être au cœur d'une mécanique déprédatrice, chaque jour apporte sa part féroce. Il se disait : ça va s'arranger, mais c'était pire. Pas un jour ne s'écoulait sans qu'il reçût des lettres de menaces de mort ou d'insultes, des messages antisémites. Chaque matin, le rappel de l'horreur, de la haine pathologique.

La veille de son départ à New York, tétanisé à l'idée d'affronter Daniel Dean, il reste prostré chez lui, refuse toutes les invitations, répond rarement au téléphone. Ses proches lui conseillent de se « ressaisir », lui prédisent qu'il va « rebondir » alors qu'il n'a plus aucune prise sur lui-même. C'est l'extinction intime. « Tu vas t'enfoncer si tu t'isoles », lui avait dit Étienne. Et alors ? songeait-il. Il avait, depuis l'enfance, navigué dans les hautes sphères, épargné par la douleur, le malheur, il était temps, à plus de cinquante ans, de tester les profondeurs.

À New York, François a réservé deux suites au Carlyle, une pour lui et Marion, une pour ses enfants. Mais Thibault décline l'invitation et s'installe dans une maison d'étude qui appartient au mouvement juif orthodoxe dont il lui a parlé. Il explique à son père que c'est important pour lui de se retrouver avec ce qu'il appelle « sa communauté », de prendre part aux offices, de tisser des liens avec les autres étudiants et François n'insiste pas. « La communauté », un mot étrange, quasi abscons pour François qui a passé sa vie à fuir les groupes – excepté les cercles d'influence. Ils doivent dîner, le soir même, en famille, avec la mère de François, mais Thibault impose ses conditions : pas de viande, pas de fruits de mer, les poissons doivent avoir des nageoires et des écailles, le vin consommé ne peut être que cacher et, même s'il l'est, la bouteille ne peut pas être ouverte par quelqu'un d'autre que lui, un juif à la rigueur, qui respecte le shabbat, surtout pas un goy. Pour la mère de François, c'est l'incompréhension, puis la panique. Bien. Les coquilles Saint-Jacques, on y a droit ? Non, pas de fruits de mer. Est-ce que la lotte est cachère ? Non. Le hareng, la sole ? Oui. Et le Saint-Pierre, il a des écailles, non ? « Ce poisson est en discussion. Il fait l'objet de contestations.
— En discussion ? Mon Dieu, comment peut-on se fier à une religion qui place un poisson au centre de débats métaphysiques ? » La mère de François cache mal son effroi : « On peut contester une décision, une mesure politique, mais la pureté d'un poisson, quand même… » Elle ne veut pas changer ses habitudes, ça la choque, ça la révulse même, les juifs à barbe et papillotes, d'accord, mais pas chez elle, si

cela ne convient pas à son petit-fils, qu'il reste chez lui à se nourrir de harengs fumés. Marion tente de s'interposer, elle ne voit pas d'inconvénient à dîner dans un restaurant cacher si cela peut faire plaisir à Thibault, et elle propose un *delicatessen*, mais la mère de François se braque, non, pas question, elle ne veut pas être « réduite à manger du salami ». L'affaire prend une tournure tragique, et après que Thibault a appelé son rabbin pour savoir ce qu'il convenait de faire en pareille circonstance, la décision est annoncée : Thibault dînera à la yeshivah. François suggère alors de réserver une table chez Cipriani, la mère préfère le restaurant *uptown*, plus classique, les filles, le Cipriani *downtown*, à Soho, elles se disputent, ça dure près d'un quart d'heure et finalement, la mère cède et se range à l'avis de ses petites-filles. Au restaurant, elle boude, ne touche pas à son Bellini et fait un esclandre parce que ses pâtes sont trop cuites. Marion ne parle pas, prétexte la fatigue du décalage horaire. François évoque ses déboires. Il raconte la cabale antisémite, l'acharnement, et c'est sa mère qui lui conseille de revenir à New York. Cette possibilité le séduit. Il retournerait vivre aux États-Unis où il a ses repères et ses habitudes, il s'éloignerait du tumulte parisien, d'un monde qui l'avait vu sombrer et, à peine rentré à l'hôtel, François fait part à Marion de cette idée. Il s'attend à un refus et au fond, peut-être même qu'il l'espère, elle n'a pas donné son avis au cours du repas, il sait qu'elle préfère la France, que son travail, ses contacts sont là-bas, il pense qu'elle va invoquer des attaches affectives, professionnelles, mais non, elle lui dit simplement qu'elle n'est pas sûre de pouvoir vivre dans le monde que sa mère a créé pour lui, « cette société codifiée, blasée, protégée de tout, ce New York de nantis ». Il a du mal à garder son sang-froid. Il n'a jamais supporté les leçons de morale, en particulier quand elles émanent de ceux qui profitent du système qu'ils dénoncent. Thibault a sans doute raison, on n'échappe pas à ses origines. Elle a été nourrie à l'idéologie de l'extrême gauche radicale et, même si elle ne parle jamais de sa mère, elle est bien le fruit de cette éducation anarchiste, anticapitaliste et libertaire. Il s'emporte : elle est « si dure, si catégorique, si violente », et, il le lui avoue, il s'est souvent demandé d'où venait cette rage que l'on sent dans son livre. « Elle vient bien de quelque part, sans doute de tes origines… — Le déterminisme social, parlons-en… Tu n'as jamais combattu pour obtenir quelque chose. Tu as fait des études, d'accord, c'est vrai, mais dans les écoles les plus élitistes, celles où l'on n'entre pas sans parrainage, combien de professeurs particuliers t'ont porté ? Tu n'as jamais eu aucun mal à obtenir une place, un rendez-vous. Tu n'as jamais eu faim – et je ne parle pas de ce terme au sens littéral, non, avoir faim, devoir se battre pour y arriver, en vouloir : tu as tout eu avant même de l'avoir réclamé, je dis cela sans mépris, ce sont les hasards de la naissance. » Entendre cette diatribe, alors qu'il est à terre, c'est insupportable. Elle cherche à prouver quelque chose, mais quoi ? « Tu es toujours en guerre, Marion », voilà ce qu'il lui dit. Il espère qu'elle va se radoucir mais non, c'est pire, son discours devient dur, à la mesure de l'hostilité qu'elle a de plus en plus de mal à contenir : « Oui, la guerre a lieu partout… tout le temps… et en chacun de nous, la guerre sociale, tu ne sauras jamais ce que c'est… tu auras beau assister à des dîners caritatifs au cours desquels est diffusé un petit film pour te tirer des larmes et t'inciter à sortir ton chéquier, des dîners où tu seras placé à côté d'une actrice de moins de vingt-cinq ans habillée en Dior ou en Chanel venue faire sa promo et une bonne action, coup double, *c'est excellent pour ton image,* lui a dit son agent, tu auras beau signer des pétitions pour des causes humanitaires, tu ne sauras jamais ce que c'est que de devoir se battre pour trouver sa place... Tu vis dans ton monde, François, un monde qui se limite à quelques rues dans trois arrondissements parisiens ou artères new-yorkaises, et c'est pourquoi tu n'as toujours pas compris que tu pouvais blesser des gens avec cette photo ! »

Le coup de grâce. Il est convaincu alors qu'elle lui cache quelque chose et le soir, après avoir vérifié qu'elle dormait, il emprunte son téléphone portable, essayant d'y trouver des informations. Il lit des messages qu'elle a omis de supprimer – tous les messages qu'elle avait adressés à Romain. Il n'est même pas étonné, il repose le téléphone et sort de la chambre d'hôtel. Dans le hall, il appelle un ami à Paris. Il réclame des éléments précis sur Romain Roller, puis, après avoir raccroché, fait des recherches sur Internet. En vain, il n'y a rien d'autre qu'un profil Facebook auquel n'a été intégré aucun cliché. Il tente d'imaginer le visage de cet homme qui a séduit sa femme. Il ne pense plus qu'à ça, il a oublié son drame personnel. Il sort, marche pendant des heures à travers la ville, ne s'arrêtant que pour acheter des cafés à emporter, et quand il rentre à l'hôtel, il retrouve Marion endormie. Il ne veut pas qu'elle le quitte. Après ce qu'ils ont vécu, ils ont l'obligation de tout mettre en œuvre pour rester ensemble. Il se déshabille, s'allonge près d'elle comme s'il allait la réveiller pour lui faire l'amour. Ils feraient semblant de s'aimer, de se désirer comme la plupart des couples. Quelle importance ? La vie conjugale n'était qu'un des nombreux visages du mensonge social.

35

« Tu salues le secrétaire d'État chargé du Commerce extérieur » – c'est la première chose qu'Osman dit à Sonia en arrivant dans ce café où elle lui a donné rendez-vous, à quelques mètres de l'esplanade des Invalides. Elle l'avait appelé cinq, six fois, et il avait fini par lui répondre. Quand il entre, il la voit tout de suite, assise sur la banquette en skaï bordeaux, les cheveux tirés en arrière, vêtue d'une blouse blanche très austère boutonnée jusqu'en haut, le regard un peu perdu, elle appréhende cette rencontre, il le sent immédiatement, et pour la première fois depuis des semaines, il a l'impression d'être enfin maître du jeu. Il est là parce qu'elle le lui a demandé. Il s'assoit après l'avoir embrassée du bout des lèvres et sur les joues comme une vague connaissance, lui dit qu'il est heureux de la voir « pour fêter la nouvelle de son retour au pouvoir » et elle sourit, rictus crispé qui trahit une tristesse soudaine. Il ne s'attendait pas à ce que les choses aillent si vite pour lui, c'est ce qu'il répète dans un état d'exaltation qu'elle ne lui connaît pas, il doit se rendre dans ses nouveaux locaux ce jour même pour apporter ses affaires, il lui dit qu'il va les « emmerder jusqu'au bout maintenant », et il a déjà sa première requête : faire changer tout le mobilier de son bureau. « Tu as une idée de ce que je pourrais choisir au mobilier national ? » Il raconte le déroulement de ces dernières semaines entre accablement et effervescence, le soutien de Laurence Corsini, la publication de sa tribune, l'extraordinaire médiatisation, « C'est surréaliste, non ? ». Il se sent mieux, ça le grise, il a de nouveau confiance, et finalement, au bout de quinze minutes d'un monologue entrecoupé d'appels téléphoniques auxquels il répond, il lui demande comment elle va et elle réplique qu'elle est fatiguée. Il fait mine de s'intéresser à elle mais au fond, il est déjà ailleurs, il a de nouvelles responsabilités, la charge de travail est importante, ce nouveau poste est la chance de sa vie, et il a du mal à lui pardonner d'être partie au moment où il avait eu le plus besoin d'elle – que pourraient-ils reconstruire ? Rien, ou une union de façade, temporaire et artificielle. Par politesse, il insiste : « Dis-moi ce qui ne va pas », et elle lâche ces mots : « Je suis enceinte. » Le coup. Il ne s'attendait pas à cela, ils n'ont jamais évoqué la possibilité d'avoir un enfant, elle prétendait ne pas en vouloir avant l'âge de quarante ans pour ne pas entraver sa carrière, et il pensait qu'elle prenait la pilule. Oui, mais elle a oublié de la prendre quand elle était à l'étranger en déplacement professionnel. Il pose sa main sur la sienne et lui dit qu'il est désolé, qu'il sait à quel point c'est difficile pour elle. Il assumera tous les frais d'avortement et l'accompagnera à la clinique de son choix.

« Je ne suis pas encore sûre de ma décision.

— Comment ça ? Tu n'as pas l'intention de le garder ?

— Et pourquoi pas ?

— Mais ta carrière ? Tu viens d'avoir une promotion…

— Et alors ? On ne pourrait pas travailler et avoir des enfants ?

— Ce n'est pas raisonnable.

— Je dois prendre ma décision aujourd'hui.

— Tu ne peux pas le garder, Sonia. Tu ne peux pas !

— Et pourquoi ?

— Parce que je ne le veux pas. »

Entendant cela, elle ramasse ses affaires, se lève et sort du café. Osman ne la retient pas. Il reste un long moment immobile. Il n'a pas du tout envie d'être père. Il ne se sent pas prêt et n'est plus très sûr de ses sentiments. Il hésite à rappeler Sonia mais il se persuade qu'il vaut mieux attendre quelques heures pour réfléchir à la meilleure façon de la convaincre de se faire avorter. Il est en train de payer l'addition quand il reçoit un appel d'Issa. Il appuie aussitôt sur la touche « ne pas répondre ». Mais deux minutes après, il reçoit un SMS : Issa souhaite lui faire des excuses et le supplie d'accepter son appel. Le téléphone sonne à nouveau, Osman répond cette fois, sur un ton détaché. Issa explique qu'il n'aurait pas dû s'emporter de cette façon l'autre soir, au téléphone. Il avait un peu bu, il est désolé, il s'en veut. Osman est lui-même si désemparé qu'il réplique froidement que ce n'est pas grave, il a déjà oublié et il a « d'autres problèmes ». Issa insiste pour savoir, le questionne, se montre prêt à l'aider et Osman lui raconte la grossesse non désirée de Sonia : « Je suis désespéré, dit-il, je ne sais pas comment la convaincre de ne pas garder cet enfant. » Au bout du fil, c'est l'étonnement. Issa explique qu'il doit assumer cet enfant et prendre ses responsabilités. « Mais au nom de quoi ? C'est un accident ! Nous ne sommes même plus ensemble et je ne veux pas d'un enfant. Je veux qu'elle avorte !
— Mais c'est interdit par l'islam ! C'est un crime !

Ne fais surtout pas ça ! Tu serais maudit. » Osman ne sait plus ce qu'il doit répondre, il est effondré, effaré, alors il réplique qu'il n'a plus rien à lui dire. « Ne m'appelle plus, s'il te plaît. Plus jamais. On n'a vraiment rien en commun. » Et il raccroche.

36

Romain ne se rend plus à l'hôpital militaire. Il reçoit plusieurs appels du psychiatre de l'hôpital mais il ne répond pas. Puis il explique à Agnès qu'il va repartir, en Irak cette fois, en tant qu'agent de sécurité. Il ne peut pas consentir à rester cloîtré et il n'a pas l'intention de céder à ses menaces. La guerre lui manque. Le terrain, l'action, l'adrénaline. Il devrait se contenter de cette vie simple et angoissante ? Cette petite mort ? Il ne peut pas. Agnès s'emporte. Comment vivrait-elle encore avec la peur de la perte, avec l'attente ? Elle n'avait plus cette résistance-là. « Tu veux finir comme Farid ? Oui, vas-y, c'est ça, retournes-y, je n'en peux plus, de toute façon. » Elle ne comprend pas. C'est l'équilibre ronronnant du quotidien qui le tue, pas l'action, pas le combat. Elle disait partout *je ne le reconnais plus, il est devenu quelqu'un d'autre*, l'éloignement créait une distance affective qui se renforçait à chacun de ses déplacements. Leurs amis compatissaient, se rangeaient de son côté – *il est malade*. Il dit qu'il pourrait gagner jusqu'à dix fois son salaire de lieutenant, il reviendrait vite et plein aux as, il répète le discours de Xavier, *il y a du fric à se faire*. Elle le regarde un long moment sans dire un mot : « Qu'est-ce que tu as ? Ça ne va pas ? — Non, ça ne va pas. Si tu pars cette fois, je le sens, tu ne reviendras plus. »

37

Le week-end dans la maison familiale de Southampton, au cœur de la zone très convoitée de Gin Lane – un immense manoir à l'imposante toiture en bardeaux gris ardoise d'une superficie de plus de mille mètres carrés, face à l'océan, toutes les chambres donnent sur la mer, une demeure bordée de charmilles qui appartenait aux grands-parents maternels de François et qui allait être mise en vente chez Sotheby's, *plus personne n'y vient, à quoi bon la conserver, elle est vide depuis des mois*. François, Marion et les filles arrivent dans la matinée sans Thibault qui a choisi de rester à Brooklyn puisqu'il est, a-t-il dit, « persona non grata ». Après avoir salué la mère, François et Marion s'installent dans la chambre principale, une pièce mansardée décorée dans les tons de gris. Ils s'affairent chacun de leur côté, ils n'ont rien à se dire. Une heure plus tard, ils descendent dans la salle à manger principale où la mère est déjà attablée. François explique pourquoi il préférait East Hampton, un coin animé, moderne, il ne venait plus à Southampton parce qu'il s'y ennuyait un peu, « trop de républicains », plaisante-t-il. « Eh oui, regrette sa mère. Les républicains et les démocrates ne se mélangent plus ! » Ils viennent de finir leur dessert quand François reçoit un message de l'ami qu'il a missionné pour obtenir des informations sur Romain Roller. Il prétexte un appel à passer et s'isole. Il apprend que l'homme est un lieutenant de l'armée française. Qu'il est marié et a un fils. Il a même reçu une photo de Roller en uniforme, il ne remarque que sa jeunesse, qui le renvoie à son propre âge. Quand il revient à table, il ne peut pas s'empêcher d'observer Marion. Il l'imagine avec cet homme en train de faire l'amour. Il détaille sa bouche, ses mains, ses seins, sa peau que cet homme a dû caresser. Elle discute avec sa mère en riant, cette fausse connivence, cette joie factice l'exaspèrent. Il lui dit qu'elle parle trop fort, le visage de Marion se fige mais il insiste : il a mal à la tête, elle n'est pas obligée de crier, c'est insupportable. Marion ne réplique rien, pose sa serviette, se lève et disparaît en direction de la chambre. La mère de François prend aussitôt la défense de Marion. Elle est choquée, dit-elle, par la violence avec laquelle il s'est adressé à sa femme devant elle. Elle ajoute qu'il l'a mise mal à l'aise, elle n'a pas envie d'assister une fois de plus à l'une de ses innombrables crises conjugales. François s'emporte, accable Marion, raconte qu'elle l'évite et même qu'il la soupçonne d'avoir une liaison. C'est alors que sa mère a cette phrase malheureuse : « Tu n'as jamais été capable de garder une femme. Tu ne peux pas t'empêcher de les faire souffrir. Regarde où ton attitude a mené la dernière. »

« Je ne m'attendais vraiment pas à ça en venant ici. Je cherchais du réconfort après ce que j'ai traversé.

— Moi aussi, j'espérais autre chose. Une forme d'harmonie, je suis seule la plupart du temps, tu aurais pu m'épargner le spectacle de tes déboires conjugaux.

— Pourquoi ? Toi, tu m'as épargné ? »

Sa mère ne réplique rien, ne lui opposant plus qu'un visage marmoréen. Une femme égoïste qui n'a vécu que pour son épanouissement personnel. Qui ne s'est jamais intéressée à lui.

« Je suis désolé, nous n'aurions sans doute pas dû venir. »

Elle ne le contredit pas. Ils échangent quelques banalités sur les enfants de François, puis, à la fin du repas, il affirme qu'il est fatigué avant de se diriger vers sa chambre. Il enfile une tenue de sport sans un regard vers Marion, claque la porte, sort et court jusqu'à la plage. Seul, au bord de l'océan, sur l'immense étendue de sable, il se sent bien. Il se persuade qu'il devrait commencer une nouvelle vie. Il est porté par un espoir extraordinaire qui s'éteindra peut-être dans quelques heures, mais pour le moment, il n'y a que le soleil et la brise sur son visage, les ondulations de la mer, ses iridescences, le sol sablonneux sous ses pieds et la possibilité de la reconstruction.

38

Sonia ne veut pas avorter, elle a trente-cinq ans, c'est le moment ou jamais d'avoir un enfant, elle va le garder, elle est sûre de sa décision. « Je ne te demanderai pas de le reconnaître. Tu peux partir maintenant. » Non, il ne partira pas, c'est ce qu'Osman répond sans même réfléchir. Il assumera cet enfant et il lui propose de reprendre la vie commune, de donner une nouvelle chance à leur histoire. Est-ce qu'il pense à ce que lui a dit Corsini, à l'avantage de s'afficher auprès d'une femme puissante, de former un couple de pouvoir ? Sonia n'a jamais été aussi influente, elle fait partie du premier cercle et participe à l'écriture des discours les plus importants. Alors il dit ce qu'elle veut entendre : « Je veux vivre avec toi. Je veux que tu deviennes ma femme. La venue de cet enfant, c'est un signe ».

Ils déménagent en quelques jours aux Pavillons-sous-Bois – « le VIe du 9-3 », ironisent le frère et la sœur d'Osman en apprenant la nouvelle, une petite commune de vingt-deux mille habitants située en Seine-Saint-Denis –, Osman savait qu'il serait épinglé par des journalistes s'il conservait son grand logement dans le VIIe arrondissement et avait donc loué, à contrecœur, un petit pavillon avec jardin dans un quartier résidentiel. La semaine où Sonia et lui avaient emménagé, ils avaient organisé une grande crémaillère, ils étaient fiers de montrer qu'ils n'avaient pas cédé aux attraits de la capitale mais de nombreux Parisiens avaient décliné l'invitation : *la Seine-Saint-Denis, la nuit, c'est trop dangereux*. Ceux qui avaient accepté l'avaient fait avec réticence en demandant si *on* n'allait pas *leur casser la voiture*. Régulièrement, sur les réseaux sociaux, Osman mettait en ligne des photos de son environnement sous un jour radieux – photos d'arbres fruitiers, de zones verdoyantes fleuretées de marguerites et de coquelicots, ambiance champêtre – avec ces commentaires : « le vrai 9-3 » ou encore « la vie dans le 9-3 », c'était beau, paisible, ça disait le désir de mixité sociale, démontait les clichés, ça donnait envie. Quand on l'interrogeait, il disait : « J'habite sur le terrain, je vois ce qui se passe, j'écoute les habitants, je ne veux pas être déconnecté des réalités ; contrairement à ce que certains laissent croire, on vit tranquillement ici, y compris dans les cités. » Il espérait être élu aux prochaines élections, obtenir un mandat local. Ce choix de vie avait été une source de tensions entre lui et Sonia. Elle n'était pas favorable à ce déménagement, elle n'aimait pas ce nouvel environnement mais c'était le prix à payer pour s'implanter politiquement dans la région. « Que va-t-on faire quand notre bébé entrera à l'école ? — Il n'est même pas né, Sonia. — Ça va arriver très vite. Pour certaines écoles privées, les dossiers doivent être constitués dès la naissance de l'enfant. On n'aura pas de place ! » C'était un sujet de discorde entre eux. Il y avait, chez Sonia, une obsession de la réussite, l'apprentissage scolaire devenant une formation quasi militaire, quand Osman privilégiait l'épanouissement physique et moral. Sonia considérait la mixité sociale comme une menace pour l'évolution intellectuelle de son futur enfant.

« On réussit mieux en couple aujourd'hui », avait dit Laurence Corsini, il avait retenu le conseil, s'affichant partout avec Sonia, et rapidement, un célèbre hebdomadaire politique le contacte ; le journaliste explique qu'il prépare une enquête sur les couples de pouvoir : « Ils sont ministres, secrétaires d'État, plumes, conseillers, en pleine lumière ou dans l'ombre, tous exercent une influence au plus haut niveau de l'État : Qui sont ces couples qui font la France ? » Cinq couples politiques ont été choisis, parmi lesquels Osman et Sonia. Il demande à réfléchir, en parle à Sonia qui hésite et, finalement, se laisse convaincre : « Si on est portés par l'opinion publique, on a plus de chances de rester en place et de durer. » Ils acceptent. La séance photo a lieu dans le bureau de Sonia à l'Élysée. Ils sont debout, il la tient par la taille, elle porte une robe noire et sage qui met en valeur son ventre à peine arrondi. Il est vêtu d'un costume noir, d'une cravate en crochet bleu foncé et d'une chemise blanche. L'article qui les concerne est intitulé : « Les Obama français ». C'est leur photo qui se retrouve en couverture avec cette mention : « LES COUPLES DE POUVOIR. CEUX QUI FONT LA FRANCE ». Les ventes de l'hebdomadaire s'envolent.

« L'ANECDOTE A SES ACCENTS TRAGIQUES : Quand Osman Diboula, le jeune secrétaire d'État chargé du Commerce extérieur, de la Promotion du tourisme et des Français de l'étranger, est arrivé à l'Élysée, nommé par le nouveau Président en qualité de conseiller à la jeunesse, un des conseillers déjà en place lui avait dit avec sérieux : *on va te présenter Sonia, elle est comme toi.* Osman Diboula raconte alors qu'il s'attend à rencontrer une femme politique au parcours similaire au sien, issue de la Seine-Saint-Denis, et c'est là qu'il comprend, en voyant Sonia Cissé, que le conseiller ne faisait pas allusion à son profil politique mais à la couleur de sa peau. *J'étais effaré qu'à un tel niveau de l'État, on en soit réduit à cette stigmatisation, car j'allais très vite le découvrir en discutant avec elle, à part notre goût pour la chose publique, je n'avais aucun point commun avec Sonia : elle était normalienne, elle avait tout de suite travaillé dans la fonction publique, elle avait cinq ans d'ancienneté en cabinet, elle avait grandi à Locquirec, en Bretagne, dans le milieu de la petite bourgeoisie catholique. Rien, dans notre parcours ni nos origines sociales, ne nous rassemblait.* Non, elle n'était pas comme lui, *mais j'en suis tombé instantanément amoureux.* Lui, le petit prodige des élites issues de la diversité, interlocuteur direct des émeutiers au moment des grandes fractures de 2005 à Clichy-sous-Bois, et elle, l'une des plumes préférées du Président, diplômée de l'école des Chartes et de Normale sup, un cocktail détonnant dans les milieux policés et uniformes de l'administration française. Sonia concède en souriant : *Je suis la technocrate du couple, Osman est un homme de terrain, il est très instinctif, il a un regard intéressant sur la politique que nous devons appliquer. Il est moins formaté que la plupart des conseillers politiques ou des ministres, en majorité des énarques et des membres des grands corps administratifs.* Ces deux-là s'admirent et s'aiment. Il dit d'elle : *Elle minore son influence parce qu'elle est discrète, mais elle est la femme la plus brillante que j'aie rencontrée.* Quand on leur demande comment ils parviennent à mener sans rivalité leurs carrières respectives, ils esquivent : *On est heureux quand l'un de nous obtient une victoire.* Sur la question de savoir qui s'occupera de leur enfant, la réponse est plus tranchée : *Nous deux !* Bien qu'ils s'en défendent, on imagine que l'idée d'être comparé au couple Obama n'est pas pour leur déplaire : *Michelle Obama est une femme de tête qui connaît les arcanes du pouvoir et a toute sa place à la Maison-Blanche, mais elle ne fait pas de politique*, tempère Sonia. Prochaine étape ? L'Élysée ? Ils rient. *Continuer de servir mon pays et mener à terme ma grossesse*, dit-elle quand lui répond, dans un sourire : *Aménager mon nouveau bureau.* »

39

Un restaurant, à Pigalle, situé dans une petite artère peu fréquentée. Canapés en velours rouge, poufs, tentes berbères, lumières tamisées, menu à dix euros tout compris et même, en fin de soirée, danseuse orientale. Le lieu a été privatisé pour l'occasion. Des dizaines d'hommes s'y retrouvent dans l'espoir d'avoir un contrat d'agent de sécurité à l'étranger – d'anciens soldats pour la plupart, venus pour partager une cuite, fumer de l'herbe, du narguilé, et tenter leur chance ailleurs, en Irak, en Afghanistan, *où ça chauffe.* Des types jeunes, vigoureux, sportifs, tous les inadaptés à la vie civile, ceux qui veulent du souffle, du sang, de l'action, et qui aiment avoir peur sur le grand théâtre des opérations internationales. On trouve aussi d'anciens mercenaires – de petites prises qui ont roulé leur bosse sur toutes les zones de conflits du monde, et des plus grosses, des barbouzes qui ont participé à des coups d'État, des opérations de libération d'otages, des nationalistes souvent, qui pleurent sur la grandeur perdue de la France. Il y avait également des policiers qui voulaient tenir entre leurs mains *des M4 et des AK-47, et plus des Flash-Ball, tirer pour de vrai* ; des paumés qui n'avaient plus rien à perdre, en rupture familiale, et qui passeraient sans doute par une formation, il y en avait de très nombreuses : Texas, Russie, Kazakhstan, Pologne – où se trouvait le plus grand camp d'entraînement d'Europe –, trois semaines d'instruction intensive sur des bases gardées secrètes, dirigées par d'anciens soldats d'élite ou des membres des services secrets reconvertis dans le lucratif marché de la sécurité privée. Contre-terrorisme, extraction de cibles, techniques de déminage, mise en condition physique et psychologique, combats rapprochés, des formations à trois mille euros en moyenne pour quinze jours qui leur permettaient de postuler dans les sociétés privées que la multiplication des conflits internationaux avait vu fleurir un peu partout, des milliards de dollars de contrats rien qu'en Irak – une manne, cette guerre. Dès fin 2003, les milieux de la sécurité et du mercenariat avaient engagé des stratégies offensives.

Quand Romain et Xavier arrivent, la salle est déjà presque comble. Des hommes de tous âges boivent des bières et de l'alcool de figue en évoquant leurs parcours. Il y a les nouveaux et les anciens. Romain suit Xavier qui semble connaître les lieux, les gens ; lui est un peu dérouté – pas son monde. On n'est plus à l'armée, avec son organisation structurée. Ici, c'est la jungle, on ne sait pas qui l'on a en face de soi, ça paraît convivial mais la fraternité qui l'avait lié à ses frères d'armes ne prenait dans ce contexte que la forme d'une communauté d'intérêts. Ils s'assoient près de types qu'ils ne connaissent pas, ils se présentent : l'un, Tony, la petite quarantaine, est agent de sécurité pour une société française, il a travaillé en Afghanistan et en Irak à partir de 2004. L'autre, plus jeune, Loïc, vient de suivre une formation de trois semaines en Russie avec les forces spéciales :

« On t'apprend essentiellement les techniques de protection en zone de conflits armés, sécurisation de sites, etc. Mais tout ça, si tu es soldat, tu connais par cœur… Après, tu poses ta candidature, ça peut aller très vite, si tu es accepté, tu pars en mission dès que tu obtiens ton visa. — Tu peux gagner un maximum d'argent en très peu de temps, explique Tony. Par contre, t'es pas sûr de revenir vivant, et puis là-bas une vie humaine a moins de valeur qu'un véhicule à cent vingt mille dollars. Cela dit, c'est moins risqué qu'avant. Fin 2003, quand les premiers Français qui avaient des connexions avec les Américains ont commencé à y aller, croyez-moi, là, c'était vraiment dangereux. Il n'y avait aucune règle. Ça vous choque ? C'est le système. On est dans le capitalisme de guerre. Faut prendre ce qu'il y a à prendre et se tirer vite fait sans regarder derrière soi. » *Sans regarder derrière soi*, dans leur jargon, ça signifie quoi, concrètement ? Tony ironise : « Des bavures, en Irak, vous allez en commettre chaque jour. — Il n'y a jamais eu autant de fric à se faire qu'aujourd'hui, explique Xavier. Il paraît qu'en tant qu'agents de sécurité, on peut gagner jusqu'à dix fois ce qu'on a comme soldats, vigiles ou gardes du corps. » Loïc tempère : « Sur le papier, ça a l'air génial, mais il y a un bémol, c'est ton environnement. Ça, on l'a bien compris au cours de notre stage. Tu peux te retrouver avec des psychopathes, des criminels de guerre, des miséreux prêts à tout, c'est aussi ça la mondialisation, les sociétés de sécurité privées recrutent partout et parfois n'importe qui. Plus personne n'a envie de se faire sauter la tête en Irak, à commencer par les soldats des armées régulières eux-mêmes. Il faut avoir vraiment faim ou aimer l'action. Attendez-vous à avoir peur de votre propre équipe ! Voilà ce qu'on nous a dit. » Xavier ajoute que ce constat est aussi valable dans l'armée : « La moitié des soldats de l'armée américaine présents sur place sont des contractuels de sociétés privées. Et parfois même les Américains recrutent dans leurs propres prisons... L'avantage ? Si tu meurs, tu n'apparais pas dans leurs statistiques officielles, tu n'as jamais existé ; si tu tues, l'entreprise qui t'emploie écrira peut-être un rapport, les autorités irakiennes réclameront des comptes, mais tu ne risques pas grand-chose. Tu peux aussi te retrouver avec des types qu'on a embauchés uniquement pour leur haine des musulmans et leur expérience de la guérilla en milieu urbain, reprend Loïc. Ces gars-là ouvrent le feu sans raison pour le simple plaisir de tuer... On les appelle *les cramés.* — Je veux bien être un cramé, clame Xavier en se levant et en se dirigeant vers le bar. Je rapporte des bières ? — C'est plein de nationalistes ici, dit Loïc en regardant Xavier s'éloigner. L'extrême droite est bien représentée dans le secteur... Ce ne sont pas mes idées, moi je fais ça pour le fric, j'ai envie à court terme d'avoir ma propre boulangerie, ma femme est pâtissière... Je dois tenir encore six mois et après j'arrête. C'est très dur. Tu comprendras quand tu seras là-bas... Quand tu verras des *contractors* bourrés tirer sur la première voiture qui passe sans se demander s'il s'agit de civils, tu te demanderas ce que tu fais là... Je crois que ça s'est calmé aujourd'hui, le général Petraeus a fait le ménage, mais quand j'ai commencé il y a cinq ans, il y avait beaucoup de scandales et de dérives : des types qui s'étaient fait prendre en photo avec des cadavres d'Irakiens ou d'insurgés nus, placés dans des postures obscènes, d'autres qui tiraient sur n'importe quelle cible... Au cours du stage, on nous a dit que c'était bourré d'agents infiltrés qui travaillent pour le compte de la CIA et qui, sous couvert d'activités de surveillance, étaient là pour assassiner des chefs terroristes. — Comment savoir ? — Ne parlez pas trop, soyez discrets, faites votre boulot et tout se passera bien… »

Xavier revient, deux bières à la main, accompagné d'un homme au corps massif, au teint mat. Il porte une cicatrice au niveau de la bouche. Lui aussi est agent de sécurité en Irak. Il se présente sous le nom de Pac-Man : « On a tous un nom de code ici. » « Et pourquoi Pac-Man ? » demande Loïc. « Parce que je dois buter le maximum d'insurgés, comme le petit héros du jeu qui avale ses proies. » Xavier sourit. Pac-Man dit qu'il est chargé de recruter des candidats pour le compte d'une société franco-britannique : « Normalement, les Américains et les Anglais embauchent surtout des compatriotes mais il y a aussi quelques places pour des Français qui ont des aptitudes particulières, qui parlent l'anglais ou l'arabe, par exemple, ou pour les soldats, mieux formés. Ces sociétés payent bien et sont les plus professionnelles. » En quelques phrases, il résume le marché des sociétés privées, l'émergence de quelques entreprises françaises. « Vous êtes prêts ? » Oui, ils le sont. Pac-Man ricane : « C'est ce qu'on dit tous avant de partir… Mais vous êtes prêts jusqu'à quel point ? En Irak, vous allez vraiment au-delà de vos limites. Est-ce que vous supporterez la chaleur, quarante-cinq degrés à l'ombre ? Êtes-vous prêts à vous prendre une tempête de sable, à réagir aux attaques de nuit, de jour, vous êtes des cibles permanentes, vous ne serez en sécurité nulle part, n'oubliez jamais ça. Si vous êtes touchés, pas sûr que vos gars viennent vous ramasser, là-bas, c'est chacun pour soi ; si vous êtes attrapés par des insurgés, vous passerez le restant de vos jours enfermé dans un cachot de deux mètres carrés, personne ne saura où vous retrouver, vous crèverez lentement, vous deviendrez fous, pensez-y… Êtes-vous prêts à manger n'importe quoi si vous êtes éloignés de votre base, à boire dans des points d'eau infestés ? Vous avez des cadavres sous les yeux mais vous devez laper la mare d'eau dans laquelle ils flottent pour survivre… Et les insurgés sont partout, ne rêvant que de vous dézinguer la tête, et si vous crevez, vous n'apparaîtrez même pas dans les statistiques des tués, vous n'êtes rien, des hommes sans identité, même pas des numéros, des Invisibles. Vous pouvez mourir à chaque coin de rue. » Quelle importance, pensait Romain. Mort, il l'était déjà un peu.

40

François avance son rendez-vous avec Daniel Dean, à New York, et rentre. Il a prétexté une urgence professionnelle et est parti après avoir adressé un vague « au revoir » à sa mère, Marion a accepté de le suivre pour ne pas perturber les filles, mais ils ne se parlent plus. Arrivé au Carlyle, François s'enferme dans les toilettes, il prend un peu de coke, il doit se contrôler, convaincre Daniel Dean de ne pas reporter la fusion, il a discuté longuement au téléphone le matin même avec Étienne et leurs avocats – cette rencontre un peu informelle est désormais son seul espoir de retrouver sa confiance. Il s'apprête avec soin, achète des cadeaux pour les enfants de Daniel, mais quand il arrive dans les locaux de Szpilman, il est pris d'un malaise. Une chute de tension, rien de grave, il se rétablit vite après avoir rincé son visage à grande eau. Il a du mal à cacher sa fatigue. Il se présente enfin, les traits tirés, le teint pâle, et le premier réflexe de Dean est de lui proposer de reporter le rendez-vous. Non, il va rester, il est venu pour finaliser la fusion, il est heureux d'être là. Daniel Dean se crispe un peu : il n'a pas compris ? Il est désolé mais ses associés et lui ont décidé de ne pas maintenir la fusion. François tremble, cache mal son étonnement. « C'est transitoire, n'est-ce pas ? — Je ne crois pas, non. La plainte de l'ONG pour des pratiques qualifiées d'esclavagistes a jeté le discrédit sur ton groupe. » François se défend : « Les accusations d'esclavage sont des calomnies, ce sont des sous-traitants qui ont employé des ouvriers à bas prix, je ne pouvais pas vérifier cela. Tu sais aussi qu'un projet de loi imposant un devoir de vigilance aux entreprises internationales va être déposé, tout cela est politique. » Daniel Dean ne cille pas, la décision a été prise au plus haut niveau, en concertation avec tous ses collaborateurs et même avec les fondateurs historiques du groupe. François desserre légèrement le nœud de sa cravate, il explique à Dean l'importance de cette fusion, la nécessité de la maintenir, les enjeux qu'elle représente. Mais Dean se ferme : « Je pense que tu ne saisis pas la gravité des faits qui te sont reprochés, François. D'abord, le soupçon de racisme, puis les attaques pour pratiques quasi esclavagistes. Tu t'es mis toi-même dans cette situation. Pour le moment, la fusion est impossible, je suis désolé. » François est anéanti par la violence de l'attaque et tout à coup, il s'entend lâcher ces mots :

« C'est Cindy qui est derrière ta décision ?

— Ma femme ? C'est ridicule…

— Tu m'as dit qu'elle m'en voulait.

— Oui, et alors ? Quelle est sa marge d'action ? Aucune. Tu lui prêtes trop d'influence.

— Elle se venge des accusations de Sophie Kazal. Elle nous le fait payer. Elle t'a fait du chantage. C'était elle ou moi, avoue-le.

— C'est absurde, François, on parle de transactions à plusieurs milliards de dollars, là…

— Je ne vois pas d'autre explication.

— Ne cherche pas des causes personnelles à une affaire strictement professionnelle. Tu as commis une erreur de communication qui a eu des répercussions dramatiques. Peut-être que dans quelques mois l'affaire sera oubliée et la fusion pourra être de nouveau discutée, mais pour le moment, non. »

François ne répond pas. Son silence dure quelques secondes, puis soudain il s'emporte – effet de la cocaïne qu'il vient de prendre ? De la colère ? Il explose.

« À moins qu'il y ait autre chose. Peut-être que Cindy cherche à me faire payer une querelle vieille de vingt ans.

— De quoi tu parles ?

— Allons... Tu le sais très bien. »

Depuis l'affaire, François est resté la plupart du temps claquemuré chez lui, saturé de chagrin, ne sortant de sa thébaïde que pour participer à des conseils d'administration où il dénonçait sans relâche les attaques injustes dont il était l'objet. Mais là, répète-t-il, « C'est fini ».

« Puisque tout le monde semble se satisfaire d'une version erronée, que les héritiers de la pensée postcolonialiste croient avoir trouvé en moi leur bouc émissaire, je vais me défendre, parce que je n'ai jamais eu le moindre préjugé racial. Et pour preuve, tu connais l'histoire...

— Quelle histoire ?

— Entre Cindy et moi.

— Je ne vois pas le rapport.

— Elle croit encore que je suis à l'origine de notre rupture quand on était à Princeton alors que c'est elle qui m'a quittée ! Elle m'a quitté parce qu'elle a préféré se mettre en couple avec un Noir, un homme promis à un brillant avenir, diplômé de Harvard – et noir comme elle ! »

Daniel Dean ne répond pas, un coup pareil, il ne

l'a pas vu venir. François et Cindy ont eu une brève liaison au cours de leurs études à Princeton, un flirt sans importance qui avait duré un trimestre. Il n'imaginait pas que François pourrait encore un jour évoquer cette histoire. François se lève et arpente la pièce.

« C'est sur les conseils de Cindy que j'ai choisi le photographe qui m'a fait poser sur la chaise ! C'est elle qui a voulu me détruire ou faire annuler la fusion...

— Je ne sais même pas quoi répondre à ton délire, François ! Je suis totalement sous le choc ! »

François ne semble même plus l'écouter.

« Tu es choqué ? Mais le réel est choquant. La vérité, c'est que nous sommes beaucoup plus conventionnels que nous ne voulons l'admettre. Le refus de la mixité, ça te dit quelque chose ? Le désir de s'unir à son semblable, un mobile bien louable pour une activiste qui avait fait de la revendication identitaire le cœur de sa lutte. Comme son père. Allons, qui est Cindy sinon la fille unique d'Allan Barnes ! Qu'est-ce qu'une telle femme peut exercer comme influence sur toi ?

— Là, tu vas trop loin. Arrête, s'il te plaît. »

Dans les années 90, Allan Barnes avait défendu avec d'autres confrères un jeune Noir accusé d'avoir poignardé un juif orthodoxe à Brooklyn. Quelques jours avant le meurtre perpétré en pleine rue, une voiture qui escortait le convoi du Rabbi de Loubavitch, une autorité religieuse vénérée par des centaines de milliers d'adeptes, avait renversé par accident deux jeunes enfants noirs âgés de sept ans. L'un des deux était mort des suites de ses blessures. Les circonstances du drame restaient confuses mais les représailles n'avaient pas tardé dans ce quartier où Noirs et juifs orthodoxes cohabitaient dans une atmosphère conflictuelle. Des incidents antisémites et des émeutes violentes avaient eu lieu à Crown Heights, jusqu'au meurtre de cet étudiant juif.

« Qui s'était présenté pour défendre l'assassin du jeune juif poignardé ? Allan Barnes. Les Barnes, le genre de famille où l'on n'épouse pas un Blanc. On ne prend pas le risque d'entacher son intégrité. On assume qui l'on est. On ne cherche pas à plaire aux Blancs. On ne cherche même pas à leur ressembler. On affirme sa liberté. Sa singularité. Ça, c'était la version officielle mais la réalité, c'était le goût pour le regroupement communautaire, le choix délibéré du repli. Eh bien Cindy, sous l'influence de son père, a sans doute opté pour la voie balisée du sectarisme et voilà qu'elle essaye aujourd'hui de me faire payer l'échec de son mariage !

— Je ne peux pas en entendre davantage, François. Tu mélanges tout. Je ne vois pas ce que Cindy et son père viennent faire dans cette affaire.

— Tu sais très bien ce qui s'est passé avec Cindy et qu'elle cherche à se venger en t'obligeant à annuler la fusion. Elle m'en veut parce qu'à l'époque j'avais accablé son père. »

Daniel Dean se redresse tout à coup.

« Tu l'avais traité d'antisémite, oui, ça, elle ne l'a pas supporté. Tu as accusé son père d'antisémitisme parce qu'il a défendu l'assassin d'un étudiant juif sans prendre en compte que chacun a droit d'être défendu et sans manifester la moindre compassion pour ces deux enfants noirs renversés par le convoi trop pressé d'un rabbin célèbre.

— C'est faux !

— Tu as accusé le père de Cindy d'antisémitisme, ne le nie pas.

— Elle a fait de moi ce raciste, nous sommes quittes.

— Je crois que tu devrais partir. Ton discours est incohérent.

— Oui, c'est ça, il vaut mieux que je parte. »

Le lendemain, l'annulation de la fusion entre les groupes Vély et Szpilman est officiellement annoncée.

41

Devenir l'incarnation démocratique, le symbole d'une diversité républicaine, moderne – un grand homme politique qui marquerait peut-être l'histoire ; avoir sa page dans le grand roman national, Osman en rêvait. Son nouveau poste, il le perçoit très vite, suscite la méfiance de quelques-uns, mais provoque aussi un intérêt médiatique tel qu'il n'en a jamais connu et dont il est bien décidé, cette fois, à profiter. Il était maintenant l'objet de toutes les flatteries mais aussi de toutes les attaques. « Si les joueurs de foot se mettent à faire de la politique, où va-t-on ? » « À tous les coups, Diboula a un casier judiciaire. » Ou encore : « Sonia, c'est le cerveau d'Osman. Sans elle, il n'est rien. » Il était seul. Il ne faisait pas partie d'un réseau ou d'un corps soudé comme la plupart de ses confrères tous biberonnés au lait de l'élitisme, promus conseillers, ministres, sans avoir jamais gagné une élection locale – les diplômes établissant la hiérarchie. Il s'était entièrement dédié à son travail, mais que représentaient l'enthousiasme, l'énergie et l'investissement personnel face à une adversité intellectualisée, gonflée d'orgueil ? À présent, il masquait ses doutes comme il le pouvait, souvent derrière un autoritarisme de façade, il était sec, cassant, s'emportait vite, suscitant la crainte des quelques collaborateurs qui travaillaient avec lui. On le disait éruptif et coléreux. La pression était constante, dure. Il vivait de nouveau avec la peur d'être limogé. À son arrivée, on lui avait confié une première mission difficile : organiser le déplacement en Irak d'une importante délégation de chefs d'entreprise français à l'occasion de la foire de Bagdad, en vue de développer une coopération économique entre les deux pays. Début 2009, le Président de la République française avait fait le déplacement en jet privé jusqu'à Bagdad, accompagné de ses ministres de la Défense et des Affaires étrangères afin de consolider ses liens avec le pouvoir irakien, envisager des collaborations futures dans le domaine économique et en particulier la réhabilitation des structures que la guerre avait entièrement détruites. L'Irak était à reconstruire, les hommes d'affaires français étaient nombreux à vouloir s'y implanter malgré les risques encourus. Projets de construction de centrales thermiques, de lignes ferroviaires, de travaux de rénovation de l'aéroport, d'usines, de vente de camions ; l'internationalisation des entreprises françaises était l'un des projets promus par le gouvernement, il y avait des contrats à plusieurs milliards de dollars à la clé. Pour des raisons évidentes de sécurité, le voyage du Président s'était fait dans la discrétion. C'était la première visite d'un dirigeant occidental non membre de la coalition internationale depuis l'intervention américaine de 2003 contre le régime de Saddam Hussein. Mais le voyage de la délégation de chefs d'entreprise français serait très médiatisé. La foire accueillerait 396 firmes étrangères venant de 32 pays différents pendant quelques jours. La France était représentée par 35 sociétés. Pour ce premier déplacement à la tête du secrétariat au Commerce extérieur, Osman avait veillé à ce que tout soit organisé avec soin. C'est lui qui avait eu l'idée de proposer à François Vély de se joindre in extremis à la délégation. Le secteur des télécommunications était particulièrement convoité et François, qui était encore à New York, avait répondu qu'il souhaitait réfléchir mais que l'idée lui plaisait.

Il est dix heures ce matin-là quand, après une réunion passée à préparer les derniers détails du voyage, Osman sort du Quai d'Orsay, suivi par deux conseillers. Soudain, il entend son prénom, il se retourne et aperçoit au loin, débout, à l'arrêt du bus, Issa Touré – la dernière personne qu'il avait envie de croiser en compagnie des deux plus influents conseillers du ministre des Affaires étrangères. Il l'avait reconnu malgré la grande barbe noire qu'il avait laissée pousser et ce manteau gris foncé dans lequel son corps flottait. La dernière fois qu'il l'avait eu au téléphone, c'était à propos de la grossesse de Sonia, il avait raccroché brutalement. Osman fait semblant de ne rien avoir entendu mais l'un des conseillers lui signale que quelqu'un l'appelle et, désignant Issa qui agite sa main au loin, il a une moue de dédain. « Je ne sais pas qui c'est, je vais voir, dit Osman, à tout à l'heure. — Sois prudent ! » Il entend des rires dans son dos. Il rejoint Issa, l'entraîne un peu à l'écart : « Qu'est-ce que tu viens faire ici ? — Doucement, frère. T'es pas content de me voir ? Il faut que je te parle. » Osman paraît irrité, il lui demande de le suivre. Ils arrivent devant un petit hôtel peu fréquenté situé dans une rue perpendiculaire. Quand ils pénètrent dans les lieux, Osman sent les regards suspicieux mais il continue son chemin jusqu'au bar. Ils s'assoient dans un coin discret, commandent des cafés. Osman voudrait comprendre, « et vite », ce qu'Issa fait là, à dix heures du matin.

« Je voudrais que tu m'aides à obtenir un logement social et aussi un poste. Tu as des relations maintenant. »

Osman ne répond rien, il est fatigué, il n'a pas dormi de la nuit. Issa continue de parler.

« Après les émeutes, tu as su te placer et regarde où tu en es, mais moi ? Je ne vois pas pourquoi je n'aurais le droit à rien.

— Tu me prêtes trop d'influence, voilà le problème. »

Issa se fige, passe sa main sur son visage. Osman imagine l'entrefilet dans la presse si quelqu'un le surprenait : « Les mauvaises fréquentations d'Osman Diboula. »

« Je veux juste un logement social à Paris, un F3, je ne t'ai pas demandé un palais, et aussi un poste administratif.

— Au nom de quoi ?

— De notre amitié et peut-être aussi de la justice sociale. Mais tu as sans doute oublié ce que cela signifiait.

— Il n'est pas question de justice, tu me demandes un passe-droit.

— Après les émeutes, plein de gens ont eu des postes : Marina est devenue conseillère municipale, tu peux le croire ? Elle sait à peine compter jusqu'à cent.

— Je vois que tu es toujours aussi misogyne. Marina a toujours été une militante politique.

— Karim dirige un gymnase et perçoit un salaire sans jamais y mettre les pieds, tout ça parce qu'il est à la colle avec les trafiquants de drogue, et moi je devrais pas avoir ma part du gâteau ? J'ai appris que tu organisais un voyage de chefs d'entreprise en Irak…

— Et alors ? Où veux-tu en venir ?

— Donne-moi une chance, laisse-moi y participer.

— Il y a essentiellement des entrepreneurs dont l'activité est liée au bâtiment.

— Et Lévy ? Il a été cité dans la presse…

— Je ne peux rien faire pour toi, je suis désolé.

— S'il te plaît, c'est tout ce que je te demande. »

Osman regarde sa montre, soupire puis lui dit qu'il doit y aller.

« Tu fais venir ce juif en Irak et moi tu me laisses dans la merde ? T'es un traître, Osman. Ce sont ces crevards de sionistes qui te tiennent, dis-le !

— Tu es un malade. N'essaye plus de me contacter. »

Disant ces mots, Osman règle l'addition, se lève et part.

Le soir même, alors qu'il est dans la salle de bains, il reçoit plusieurs appels d'Issa sur son portable mais ne répond pas. Au moment où il s'apprête à se coucher, il lit un message : « J'espère que tu vas m'aider. Ce serait dommage d'être obligé d'envoyer à la presse la vidéo que j'ai prise le jour où tu as couché avec cette rousse dans ma voiture. »

42

Romain était parti pour Londres à l'aube, il avait rendez-vous au siège d'une société militaire privée britannique qui avait établi l'une de ses succursales en Irak. Créée en 2003, elle avait fourni ses services à diverses entreprises pétrolières et gazières, assuré la protection d'ONG, de ministères, notamment irakiens, et d'ambassades étrangères, ainsi que de très nombreuses sociétés commerciales. Il était clairement précisé que l'entreprise était enregistrée auprès du ministère de l'Intérieur et de celui du Commerce en Irak – condition importante, « Si vous travaillez pour le compte d'une société qui n'est pas enregistrée, c'est comme si vous n'existiez pas, avait dit Pac-Man. En cas de problème, personne ne pourra vous tirer d'affaire. » Romain imaginait bien la grande nébuleuse qui devait entourer ces affaires d'attribution, le pays était rongé par la corruption, le développement d'une véritable industrie de la guerre n'avait fait qu'accentuer ce phénomène. « On ne parle plus de contrats de centaines de milliers de dollars, expliquait Pac-Man, mais de millions, voire de milliards de dollars. Normal que tout le monde cherche à se sucrer. » La loi, la règle, l'organisation et même un certain rigorisme auquel Romain avait été habitué à l'armée, il faudrait les oublier en Irak. « Là-bas, c'est le chaos, mec ! » Pour postuler en tant qu'agent de sécurité, il fallait remplir différentes conditions ; Romain avait l'expérience requise. Il avait contacté l'agence après la soirée dans le restaurant de Pigalle, il lui avait suffi d'envoyer un CV. Quelques jours plus tard, il était convoqué à un entretien de recrutement. Il avait attendu une vingtaine de minutes au côté de membres de commandos ou des paras qui, comme lui, voulaient gagner du fric rapidement, dix mille deux cents euros brut pour une mission de quarante-cinq jours. C'était un ancien officier d'infanterie français qui l'avait reçu. L'entretien s'était très bien passé. De retour à son hôtel, Romain avait fait des recherches sur Internet – il ne connaissait pas grand-chose à l'histoire de l'Irak – et, le soir même, il avait rejoint Xavier et Pac-Man. Ils étaient arrivés la veille et avaient trouvé une chambre dans un petit hôtel bon marché situé en périphérie de Londres. Ils étaient attablés dans un pub, Pac-Man avait déjà bu plusieurs bières. Xavier paraissait préoccupé, on lui avait dit qu'il serait amené à travailler avec des Irakiens et cette idée l'angoissait : « En Afghanistan, on s'est plus d'une fois fait avoir par les Afghans. Ils disaient être de notre côté et transmettaient nos infos aux talibans, voire se mettaient à nous tirer dessus. — C'était exceptionnel, répliqua aussitôt Romain. C'est arrivé une ou deux fois en six mois. Il y a toujours des traîtres mais tu es obligé de faire confiance. » Pac-Man se mit à rire : « La confiance est un mot que tu dois définitivement oublier en Irak. Quant aux Irakiens, il y a toujours un risque mais tu n'as pas d'autre choix que de travailler avec eux. Tu ne connais pas bien la langue, tu n'as aucun repère dans la ville. Et puis comment pourraient-ils ne pas devenir dingues ? Ils n'ont connu que la guerre. Pour eux, c'est l'oppression ou le combat. C'est un peuple écrasé, tu ne peux pas, dans ces conditions, leur demander de réagir comme toi. — Moi, si je me sens menacé, je tire, dit Xavier qui avait beaucoup bu. J'en ai rien à foutre. — Ferme ta gueule, Xavier », coupa Romain. Pac-Man continua : « Ne pensez à rien d'autre qu'au fric. Vous partez dans un pays où tout le monde se sert, les entreprises de sécurité comme les sociétés pétrolières ou du bâtiment. Tout le monde fait ça pour l'argent. » Il bomba son torse, sourit : « Mais attention, si on vous demande pourquoi vous y allez, dites que vous partez pour défendre la démocratie et les libertés dans le monde, ça fait toujours de l'effet. »

43

Sur la découverte de sa relation avec Romain Roller, François n'avait rien dit à Marion, comme s'il cherchait à préserver les derniers vestiges de leur histoire ; il n'avait pas envie de divorcer une troisième fois. Il était las et abattu. Dans la journée, il avait appris par l'intermédiaire de son contact que Roller s'apprêtait à partir en Irak en tant qu'agent de sécurité. Il se demanda si Marion était au courant. Il avait voulu lire une nouvelle fois ses messages mais elle les avait supprimés. Il ne fit aucune allusion, il souhaitait garder la face pour sa dernière soirée avec son fils. Thibault avait accepté cette fois de dormir à l'hôtel Carlyle avec eux. Pour le dîner, François avait réservé une table dans un restaurant chinois cacher que lui avait recommandé le concierge de l'hôtel. Thibault avait demandé à Marion et ses sœurs de porter des vêtements qui dissimulaient leurs corps mais les filles avaient refusé : « On va plutôt commander un room-service et se balader à poil. » Pour éviter un nouvel incident, Marion était restée à l'hôtel avec elles, François dînerait avec son fils en tête à tête. Avant d'aller dîner, Thibault avait fait visiter le quartier juif orthodoxe à son père, à Brooklyn. François avait eu un choc en arrivant. C'était ici que, dix-huit ans plus tôt, des altercations entre juifs et Noirs avaient fait plusieurs morts, là encore que le drame qu'il avait évoqué avec Daniel Dean avait eu lieu. Un décor de roman pour Isaac Bashevis Singer, représentation fidèle des shtetls de Pologne, avec ces gens vêtus de costumes d'époque de couleur sombre, de grands chapeaux noirs vissés sur la tête. Ils se trouvaient dans un petit café de Brooklyn qui proposait des spécialités d'Europe de l'Est. Il n'y avait que des hommes, jeunes pour la plupart, dans ce petit local aux murs recouverts d'images pieuses. À l'extérieur, dans la rue bondée, des femmes portant foulards et jupes longues se hâtaient, accompagnées de nombreux enfants de tous âges. Un autre monde. Pour la première fois, Thibault évoqua la mort de sa mère. Il se sentait apaisé à présent : « Tu n'es pas responsable de ce qui s'est passé. »

Ils se baladèrent en ville. C'était un choc culturel immense pour François. Soudain, deux hommes les interpellèrent et demandèrent à François s'il avait « mis ses téfilines ». François paraissait perplexe, ne sachant pas de quoi ils parlaient. Thibault se mit à rire : « Tes phylactères ! Chaque jour, de préférence le matin, tout juif doit les mettre et réciter une prière à Dieu. » Il proposa aussitôt à son père de procéder à ce rituel. François eut un moment d'hésitation mais Thibault saisit son bras sans lui laisser le choix. Il fallait remonter sa chemise et dégager son avant-bras, lacer les lanières de cuir et poser sur sa tête un boîtier noir. Thibault s'empara aussitôt du téléphone portable de son père et prit une photo : « Celle-là, elle est vraiment culte ! » En fin d'après-midi, ils se rendirent dans la maison d'études où Thibault allait apprendre la Torah. Il y avait là des hommes, le visage penché sur des livres ouverts et qui discutaient entre eux, parfois avec véhémence. « Qu'est-ce qu'ils étudient ? » demande François. « Absolument toutes les questions humaines. »

En fin de journée, ils retournèrent à Manhattan, pour se rendre dans le restaurant chinois où François avait réservé une table. Quand ils arrivèrent, ils découvrirent que l'endroit était décoré en bleu et blanc, des drapeaux d'Israël avaient été accrochés sur un pan de mur. « Aujourd'hui, c'est la fête du Yom Ha'tzmaout, le jour de l'indépendance qui célèbre la création de l'État d'Israël », explique Thibault. « Mais il n'y avait rien à la yeshivah... — Sans être antisioniste, le mouvement Loubavitch ne revendique aucun lien avec l'État d'Israël qu'il ne considère pas comme étant d'essence divine mais imposé par la seule volonté des hommes. »

Au cours du dîner, il ne fut question que de judaïsme. La religion avait envahi tout l'espace intime de Thibault. François l'écoutait évoquer des rabbins dont il n'avait jamais entendu le nom, des récits bibliques mettant en scène des rois et des prophètes, des règles religieuses qu'il ne fallait pas entraver et il se demandait comment le zélotisme le plus rigoureux, un austérisme qui correspondait si mal à sa personnalité, s'était emparé de lui sans qu'il eût rien remarqué. Au moment du dessert, il dit à Thibault qu'il souhaitait rentrer. Il régla l'addition et ouvrit le petit papier contenant un proverbe chinois. Il le lut à haute voix : « C'est lorsqu'on est entouré de tous les dangers qu'il faut n'en redouter aucun. »

Quand ils arrivèrent dans la chambre, François s'enferma dans la salle de bains, prit un peu de coke, puis se coucha. Il s'endormit presque aussitôt mais vers deux heures du matin, il se réveilla en sursaut. Thibault était assis, un grand livre à la reliure de cuir posé devant lui. François se redressa, les yeux encore ensommeillés.

« Tu ne vas pas dormir ?

— Pas tout de suite, j'étudie un peu.

— Quoi ?

— Les prophètes. *Le livre de Samuel*.

— Jamais lu.

— Tu connais l'histoire du roi David et de Bethsabée ?

— Non.

— Le roi David envoya ses officiers pour prendre le siège de Rabba et tuer les Ammonites tandis que lui restait à Jérusalem. Un soir, il aperçut de sa terrasse une femme qui se baignait. Elle était extrêmement belle, ça l'avait troublé de la surprendre ainsi… Il en est tombé fou amoureux. Il ordonna aussitôt à ses hommes d'aller la chercher et de la lui amener. Ses désirs étaient des ordres, il était le roi et, comme tu peux l'imaginer, il coucha avec cette femme superbe qui s'appelait Bethsabée.

— Est-ce qu'elle était consentante ?

— L'histoire ne le dit pas. On ne sait pas non plus si elle-même était sous son charme. Ce qui est sûr, c'est qu'elle va tomber enceinte. Problème, elle est déjà mariée, et pas à n'importe quel homme. Son époux n'est autre qu'Urie Le Hittite, l'un des meilleurs guerriers de David, un grand officier, réputé pour son courage et son dévouement. »

François se mit à rire.

« Cette histoire est totalement amorale !

— Attends, ce n'est pas fini. Le roi David ne peut plus se passer de cette femme, il la désire, il est amoureux d'elle, il la veut pour lui, il décide donc de se débarrasser de son rival, mais il sait qu'il a affaire à un gros concurrent : Urie est un grand combattant, un chef respecté, il ne peut pas l'affronter directement, alors il trouve cette parade qui plus tard sera considérée comme une faute morale. La bataille de Rabba fait rage et il ordonne à ses serviteurs de placer Urie à l'endroit où la lutte est la plus violente.

— Il le fait tuer en quelque sorte.

— Il l'expose sciemment, oui. Voilà ce que dit le texte : *Mettez Urie en première ligne au plus fort de la bataille, puis reculez derrière lui, qu'il soit frappé et qu'il meure.* »

Cinq minutes plus tard, François envoya un message à Osman Diboula pour lui dire qu'il l'accompagnerait en Irak.

44

Osman est à terre. Il sait ce qu'il perdra si une vidéo le montrant nu dans une Porsche stationnée au milieu d'une cité de Clichy-sous-Bois en compagnie d'Issa et de deux filles est diffusée. Il ne peut pas en parler à Sonia sans risquer de la perdre. Il appelle Laurence Corsini et demande à la voir. Une heure plus tard, il est chez elle, dans le grand appartement qu'elle occupe rue Jacob dans le VIe arrondissement de Paris, à deux pas de l'église Saint-Germain-des-Prés. Dans un premier temps, il ment. Il évoque un montage vidéo mais très vite, Corsini l'interrompt : « Tu sais ce que je dis à tous mes clients quand ils pénètrent dans mon bureau ? Racontez-moi toute la vérité, on va gagner du temps. » Alors il avoue : la rencontre dans ce club avec Issa, la liaison sexuelle avec une jolie rousse dont il se souvient à peine du visage, le réveil à Clichy-sous-Bois, le téléphone portable d'Issa pointé sur lui et cette fille nue à ses côtés. « Tu as d'autres infos sur lui ? » demande Corsini. Oui, il en a. Et elles sont dramatiques. Il vient d'obtenir des renseignements : Issa Touré est fiché S – surveillé car représentant un danger pour la sûreté de l'État.

« Je savais seulement qu'il était membre d'un

groupe ultra-radical qui prône la séparation raciale entre les Blancs et les Noirs. J'ai appris qu'il s'appelait Tribu 10, le chiffre fait référence au nombre de fondateurs mais aussi au « is » du mot « islam ». Il se définit avant tout comme antisioniste et anticolonialiste, il est connu des services de police pour des agressions antisémites et des liens avec des groupes islamistes radicaux.

— Le dossier est bien chargé...

— Tu ne vas pas me croire mais c'était un type plutôt doux et entreprenant... Il y a quelques années il a créé une marque de vêtements qui a connu un certain succès puis il a déposé le bilan, à mon, avis, c'est là qu'il a dérapé. La fiche précise qu'il s'est converti à l'islam radical auprès d'un imam qu'il a rencontré dans une mosquée parisienne, qu'il a diffusé les idées du prédicateur extrémiste Khalid Abdul Muhammad.

— Qui est-ce ?

— Un Noir américain qui avait été le porte-parole du mouvement Nation of Islam avant d'en être exclu, une figure du nationalisme noir. Il est connu pour ses discours anti-Blancs, antisémites et homophobes. Et il déteste les Noirs assimilés. J'ai déjà entendu ce genre de propos dans la bouche d'Issa. On le dit aussi proche d'une frange radicale de l'extrême droite française.

— Je ne vois pas le rapport...

— Ils se retrouvent sur la question de la séparation raciale et la haine des juifs. »

Il lui tendit des documents.

« Ce sont des interviews qu'il a mises en ligne récemment. »

Corsini les parcourut : il y était question de « revalorisation de la race noire », de « fierté identitaire » et de « rejet du système ». Elle lut quelques extraits :

Nous sommes contre l'intégration... Notre identité est notre fierté ! Notre mission, c'est d'aller dans les quartiers pour dire aux jeunes : ne baissez plus la tête ! Soyez fiers d'être vous-mêmes ! Vous ne devez rien à la France... C'est elle qui vous doit tout ! Les pays de vos pères ont été pillés... Nous prendrons les armes pour éradiquer le sionisme, ce cancer...

« La fiche dit qu'il s'est radicalisé en quelques mois... Qu'est-ce que je dois faire ?

— Es-tu sûr qu'il possède cette vidéo ?

— Non. Je lui avais demandé de l'effacer à l'époque.

— Alors pourquoi céderais-tu à son chantage ? Attends d'avoir la vidéo. Ne te laisse pas intimider.

— Il ne m'aurait pas fait chanter s'il n'était pas sûr de pouvoir le faire.

— Tu n'en sais rien.

— Et s'il l'a ?

— Dans ce cas, coopère. Tu n'as pas le choix.

— Mais il recommencera !

— Non, il te laissera tranquille. Ce qu'il veut, c'est exister, avoir sa place, voir son individualité reconnue. Une fois que tu lui auras donné ce qu'il exige, tu n'auras plus de ses nouvelles. Mais peut-être qu'il bluffe. »

Osman passe la soirée avec son téléphone à la main, attendant de recevoir le message d'Issa et, au milieu de la nuit, il se détend enfin, comprend qu'il n'a rien. Mais le lendemain matin, il reçoit un autre SMS d'Issa : « Toi et ta femme, vous incarnez tout ce que je hais : la honte des origines. » Il appelle aussitôt Corsini pour le lui lire.

« Tu vois, tu n'avais pas à t'inquiéter, ce n'étaient que des menaces. À l'avenir, sois prudent. »

Au bout du fil, Osman tente vainement de se justifier : il a connu Issa quand il était gamin, il était son éducateur, il ne pouvait pas deviner qu'il allait changer aussi radicalement.

« C'était juste un ami, Laurence, rien de plus.

— En politique, Osman, les amis ne sont là que pour servir une ambition. »

IRAK

1

L'Irak, une certaine fantasmagorie de la violence, on y tuait, on pouvait y être tué, mais cette fois-ci, pas au sein d'une armée régulière, d'une collectivité. Avant l'Irak, il était prévu que Romain et les cinq autres agents qui partaient avec lui s'arrêtent en Jordanie. Là-bas, ils seraient préparés à leur prochaine mission. Dans l'avion, Romain paraissait détendu, il avait hâte d'être à Bagdad ; Xavier était plus fébrile. Pendant le vol, ils avaient discuté avec d'autres agents de sécurité, chacun commentant la future mission. L'un d'entre eux, qui était déjà parti deux fois, les avait mis en garde : « Vous pouvez avoir la DGSE sur le dos. À partir du moment où vous allez en Irak, vous devenez suspect ou, au contraire, un agent potentiel pour eux, il est donc possible que vous soyez approchés sur place en vue d'un recrutement ou interrogés dès votre retour, c'est la procédure. Ils vous demandent ce que vous avez vu, avec qui vous avez travaillé… »

Ils n'étaient restés que deux jours en Jordanie. Logés dans une villa avec d'autres agents de sécurité, ils avaient reçu les premières instructions. De là, ils avaient pris un avion pour Bagdad. À leur arrivée à l'aéroport, après avoir passé une multitude de sas de sécurité, ils avaient été accueillis par des membres de l'agence pour laquelle ils allaient travailler. Dans le véhicule, l'un des responsables, vêtu d'un polo à l'effigie de la société, leur avait donné quelques consignes : ne jamais quitter leur gilet pare-balles, être constamment aux aguets, ne pas rester seuls dehors : « Ici, vous êtes une cible. Si vous voulez avoir une chance de survivre, il faut respecter un minimum de règles. » Premier choc : la chaleur. Ils s'y étaient préparés, ils avaient déjà combattu dans des zones arides mais jamais ils n'avaient eu une telle sensation de suffocation, comme s'ils étaient encagés dans une serre exposée au soleil. Leurs vêtements étaient poisseux de sueur. Ils passaient la main sur leur visage, tentant vainement de canaliser le cours du liquide que leur peau exsudait par tous ses pores. Installé dans le véhicule, Romain observait la ville à travers la vitre teintée : les grands immeubles en ruine, les petites bâtisses grivelées de taches noirâtres – résidus d'explosions et d'incendies. La route s'empoussiérait aux passages des blindés, de fines particules ocre flottaient dans l'air. Le paysage ensablé, le bruissement des palmiers plantés le long de la route donnaient une impression trompeuse de quiétude. « Ici, à tout moment, nous pouvons être pris pour cibles, dit le chauffeur. Les ennemis ne manquent pas : les milices chiites, les sunnites, les gangs mafieux, ils sont partout. Il y a eu énormément de drames sur cette route ces dernières années, mais là c'est relativement calme. De toute façon, on ne peut pas faire autrement que de la prendre. » Ils entendirent quelques déflagrations de faible intensité, rien de plus. Après trente minutes de route, ils arrivèrent dans une zone sécurisée, dissimulée derrière d'immenses murs en béton surmontés de barbelés, une sorte de camp militaire composé de baraquements en préfabriqué : « C'est là que vous allez vivre », précisa le guide en désignant les lieux : « Ce n'est pas le grand luxe mais au moins vous serez plus en sécurité que dans les hôtels du centre-ville. On va vous attribuer vos chambres et vous laisser vous installer. Après, on déjeunera et on se retrouvera pour parler de votre mission. À plus tard. »

Romain et Xavier investissent leurs quartiers, le confort est minimal. Ils rangent leurs affaires, récréent une intimité nécessaire : photos personnelles, mots de la famille, souvenirs, puis se douchent rapidement. Les salles de bains sont délabrées, les vasques ébréchées, et des fils électriques pendent des murs troués. L'un des hommes présents dit qu'un des leurs est mort la semaine précédente en vissant une ampoule : « C'est bête comme mort, non ? » Dans le réfectoire, Romain et Xavier font la connaissance des autres soldats, des Anglais et des Sud-Africains pour la plupart, mais aussi des Népalais – anciens Gurkhas de l'armée anglaise –, des Fidjiens, des Péruviens, des Colombiens qui ne se mêlent pas aux autres : « Ceux-là, ils sont payés beaucoup moins que nous, affirme un soldat britannique en riant presque, c'est de la chair à canon comme les Irakiens, on n'en a rien à foutre. — C'est faux, ne l'écoute pas, murmure un Français, ils ne sont pas aux mêmes postes, c'est tout. Nous, on fait de la sécurité mobile, et eux, de la sécurité statique. Ils gardent les bâtiments, effectuent les tâches ménagères, un travail comme un autre. »

Au moment de partir, Romain remarque que les Sud-Américains sont regroupés et dirigés vers un minibus alors que les Européens sont invités à entrer dans les pick-up blindés. « Pourquoi on les fait monter là-dedans ? C'est pas dangereux ? demande-t-il au guide qui les accompagne. Il n'y a aucune protection sur ces bus. Si on leur tire dessus, ils meurent tout de suite. » Le guide se met à rire et réplique, en haussant le ton pour être bien entendu : « Eh les gars, on a un représentant des droits de l'homme, ici ! » Les autres rient à sa suite. Le guide reprend : « Tu t'es trompé de destination, mec. La Croix-Rouge, l'ONU, c'est pas ici ! Tu veux aller avec ces types dans le minibus ? Vas-y, ne te gêne pas, il y a de la place. Sinon tu peux aussi leur céder la tienne, ils seront ravis de venir dans le blindé. » Romain ne répond pas. Un soldat s'approche de lui et dit doucement : « Ne te fais pas de mouron pour eux, dans leur minibus, ils n'attirent pas l'attention alors que toi, dans ton blindé dernier cri, t'es comme une pute dans une caserne, les snipers ne voient que toi. » Dès que l'homme s'éloigne, Xavier s'emporte contre Romain : « Qu'est-ce que t'en as à foutre qu'ils soient payés moins que nous et qu'ils roulent à découvert ? Eux aussi sont là pour le fric. Tu crois quoi ? Ils viennent pour gagner un max de thune comme nous et avoir les moyens de construire leur petite maison chez eux où ils finiront tranquillement leur vie de merde. »

Les hommes se regroupent et se dirigent dans les blindés qui leur ont été attribués. C'est un Irakien qui a la responsabilité de manier la mitrailleuse à bande. Il prend place dans le blindé : ses jambes sont à l'intérieur mais son torse et sa tête, à l'extérieur, si bien qu'il est totalement en ligne de mire en cas d'attaque. La moitié de son visage est dissimulée sous un grand châle pour se protéger du vent, du sable, mais aussi ne pas être identifié par la population locale ; les Irakiens qui travaillent pour des sociétés occidentales sont souvent les premières cibles des insurgés. « Comment pouvez-vous faire confiance à ces types ? » demande Xavier. Un des agents plus anciens lui explique qu'aucun Occidental ne veut occuper ce poste trop dangereux et que les Irakiens retenus ont fait l'objet d'une procédure ultra-sélective : « On sait tout d'eux. Où ils habitent. Qui est leur famille. Toutes les informations sont vérifiées. Ce sont des gens avec lesquels on peut travailler en toute tranquillité. »

Pendant le trajet, le chauffeur roule dans Bagdad à tombeau ouvert pour ne pas être visé par les insurgés, il faut avancer le plus vite possible, sans limitation de vitesse. C'est un homme bien charpenté, d'une quarantaine d'années, au visage jovial. Il porte en permanence une casquette et de grosses lunettes de soleil. « C'est ma dernière année en Irak, explique-t-il, je finis cette mission et je me casse... Au bout d'un moment, tu ne peux plus supporter ce stress. Vous croyez qu'on s'y habitue ? Non, jamais. Regardez autour de vous ! » À l'extérieur régnait le chaos : voitures multicolores, passants qui traversaient au milieu de la route, policiers en uniformes, animaux qui déambulaient sur la chaussée en liberté : chiens, chats, chèvres et dromadaires. Sur les bas-côtés étaient dispersés des décombres de bois et de ferraille avec lesquels quelques enfants jouaient au risque de s'entailler les mains, personne ne les surveillait, ils étaient des dizaines livrés à eux-mêmes dans la moiteur des rues. « Même les enfants sont vos ennemis. Il faut se méfier de tout le monde et avoir l'œil partout. Un gosse peut porter une ceinture d'explosifs et s'avancer vers vous. Un kamikaze peut surgir et se faire sauter devant votre bagnole. À tout moment, des insurgés se mettent en travers de votre route et vous tirent dessus. Vous pourrez toujours répliquer pour vous venger, ils ne prendront pas la fuite, ils tireront jusqu'à extinction des munitions, eux n'en ont rien à foutre de mourir. Tout ce qu'ils veulent, c'est que vous partiez d'ici et que vous ne reveniez jamais ! Si un type s'approche de la voiture, accélérez. Ces connards ont des bombes magnétiques maintenant ; ils les collent sur vos caisses, ni vu ni connu, vous ne vous apercevez de rien, ils repartent tranquilles et deux minutes après, vous rôtissez dans votre blindé. Si une bombe explose sur la route, vous devez continuer à rouler, ne jamais vous arrêter, et si le véhicule est immobilisé, si vous sentez le danger, vous baissez la tête, vous rampez et vous vous tirez le plus vite possible de l'habitacle pour vous mettre à l'abri. Si vous n'avez pas d'autre choix, vous sautez dans la voiture d'un Irakien et vous cherchez une zone sécurisée. Si vous croisez un mec en train de chialer sur le bord de la route : sa voiture est en panne, sa femme va accoucher, sa fille est malade, ne vous arrêtez pas, il y a une chance sur deux que ce soit un insurgé. Mais surtout, règle numéro un : si votre client est à bord, vous devez le protéger *lui*, vous devez être prêt à sacrifier votre vie pour la sienne, même si c'est un fils de pute, vous m'entendez ? » Au loin, Romain aperçoit un homme en train d'émoucher ses bêtes à proximité d'un checkpoint de la police irakienne : « Vous voyez ça ? C'est un contrôle… mais demandez-vous d'abord s'il ne s'agit pas d'insurgés déguisés, de policiers corrompus ou passés à l'ennemi. Comment pouvez-vous être sûrs qu'ils ne vont pas vous tirer dessus au moment où vous sortirez vos papiers de votre poche ? Vous avez compris la leçon : ici, tout le monde est votre ennemi, même vous. »

Le trajet se passe sans heurts et ils arrivent rapidement sur une base située au cœur d'un terrain vague exposé au soleil et au vent et cerné de bicoques étiques. C'est ici qu'ils seront entraînés, mis à l'épreuve et évalués pendant quarante-huit heures.

Quelques jours plus tard, Romain effectue sa première mission : escorter un camion-citerne gonflé à bloc. Il n'est pas seul, des agents de sécurité plus aguerris sont responsables du voyage ; il n'est pas placé dans le véhicule de tête où l'exposition est maximale. « Le danger, c'est l'attaque d'insurgés. Ils te foutent le feu en moins de deux. Le pire, ce sont les stations-service car ton véhicule est à l'arrêt... Une panne ou une crevaison et c'est la mort... Dernière chose, la nuit, le jour, ne quitte jamais ton gilet pare-balles, tu reviendras avec un dos défoncé, mais vivant. Si tu ne portes pas ton gilet au moment où tu es blessé, l'assurance ne joue pas, ta famille récupérera un macchabée mais pas un centime. »

Pendant tout le trajet, Romain et les autres soldats sont sous tension maximale, c'est leur première mission, ils ne connaissent pas bien la zone, mais ça se passe bien, ils arrivent à l'heure, sains et saufs, et le soir, en rentrant, ils chantent et boivent pour fêter ça, ils ne se sont jamais sentis aussi vivants.

2

À son retour de New York, François rend visite à son père. Paul Vély est chez lui, à sa place habituelle, sur son fauteuil, en robe de chambre, les mains et le visage musqués. François souhaite lui parler de Thibault. Quelque chose dans ce retour à la religion le bouleverse sans qu'il soit capable d'exprimer précisément quoi.

« Tu ne reconnaîtrais pas Thibault, dit François. Un vrai rabbin. Je n'arrive toujours pas à comprendre, ça me rend fou.

— Les juifs sont surprenants. Tu sais ce qu'aurait dit Marcel Proust à Emmanuel Berl ? *Ils ont tous oublié que je suis juif, moi pas.*

— Dans mon cas, ce serait plutôt l'inverse : ils se sont tous rappelés que nous étions juifs. »

François paraît las, visage fermé, le dos légèrement courbé.

« Pourquoi as-tu renoncé à ta judéité ?

— Peut-on vraiment y renoncer ?

— Tu ne l'as jamais revendiquée, tu m'as élevé dans le catholicisme.

— Ta mère était catholique… Je crois que je préférais la mixité au regroupement clanique. Mais attention, je ne porte aucun jugement, mes amis d'enfance se sont tous mariés avec des femmes juives parce que c'était un critère décisif pour eux, ils avaient été formatés pour ça, épouser une femme qui leur ressemblait, qui comprenait leurs particularismes, leurs combats, partageait leurs peurs, une femme qui saurait transmettre leurs traditions, leurs coutumes et leurs codes génétiques, oui, j'en connaissais qui souhaitaient préserver ce qu'ils appelaient la singularité juive… Pour moi, ça n'a jamais été une préoccupation. Ça l'est vraisemblablement pour ton fils… Mais j'imagine que tu n'es pas seulement venu pour me parler de Thibault.

— Effectivement, il y a autre chose. »

Il y a un long silence puis François lui annonce que Marion et lui vont très certainement se séparer.

« J'en suis désolé, c'est une femme que j'aime beaucoup, elle est moins conventionnelle que les femmes que tu as connues. Et puis, j'ai aimé son livre.

— Je ne sais pas si je dois me battre, s'il y a quelque chose à sauver.

— Tu es le seul à connaître la réponse.

— La séparation serait sans doute la meilleure décision. »

Il se tait puis précise :

« Je crois que je l'aime toujours. »

Paul Vély se met à rire :

« L'amour n'est rien d'autre qu'une des compensations que la vie offre parfois en dédommagement de sa brutalité.

— Tu en parles avec un tel détachement…

— J'ai toujours pensé que l'amour était voué au désastre. Au bout d'un temps plus ou moins long, l'un des deux n'est plus amoureux ou n'a pas l'intention de s'engager, soit qu'il le soit déjà et ne sache pas comment sortir d'une relation déclinante mais encore vitalisée par la présence d'enfants, des intérêts et un passé communs, soit qu'il ait peur d'aliéner sa liberté.

Moi, je n'ai jamais voulu m'attacher à personne. J'ai aimé, bien sûr, mais avec retenue. Après la guerre, j'étais seul, tu comprends ? Toute ma famille avait disparu. Je n'avais pas le droit de me perdre. »

Paul Vély se lève, il paraît soucieux tout à coup.

« La seule leçon que j'aie apprise, c'est que dans les moments décisifs de sa vie, l'homme est toujours seul, et particulièrement quand il vieillit. »

Un voile de tristesse passe sur le visage tavelé de Paul Vély. Il se déplace, languide, à travers l'appartement.

« La vieillesse est la pire des épreuves sociales. On dérode les hommes comme les arbres. »

François ne dit rien. Il redoute la mort de son père, ce pivot familial, cet ancrage fiable dans son existence chaotique.

« J'ai eu quelques histoires d'amour très fortes, tu le sais, mais avec Marion, pour la première fois, j'avais le sentiment que j'étais capable de renoncer à toutes les autres. »

Paul Vély soupire.

« L'évolution est toujours la même. On commence une histoire d'amour comme on naît au monde, dans un état d'innocence et d'exaltation et puis, rapidement, les choses virent au tragique – on échoue, quoi qu'on fasse –, certains se protègent comme ils peuvent, peine perdue, ils finissent inévitablement par souffrir, comme s'il fallait payer tôt ou tard et au prix fort les fulgurances de bonheur vrai, on s'en veut d'avoir été si crédule, et pour tout dire un peu pathétique, on se jure de ne plus jamais tomber dans le piège de l'attachement et de la confiance, mais malgré tout on s'y laisse prendre alors qu'on sait, on devrait toujours se souvenir que dans la vie, la seule constante, c'est la déception. »

3

Tout le monde aime la truffe, on est au moins d'accord sur ça : le risotto à la truffe, c'est divin ; le tarama à la truffe, délicieux, il y en a à la grande épicerie du Bon Marché, et le brie truffé, vous l'avez déjà goûté ? On n'en trouve pas partout mais à la Maison de la truffe, *oui, quel délice, moi je n'épouserais pas une femme qui n'aime pas les truffes.* L'accomplissement d'une carrière : cette soirée conviviale, presque informelle chez cet ami de François, un industriel français, Rémi Fallois, et sa femme, Sandrine. L'écrivain Vadim Mouret, un intellectuel très à gauche connu pour ses chroniques sociales percutantes qui venait d'obtenir un prix littéraire et un couple d'avocats seraient là aussi. Osman et Sonia étaient arrivés à l'heure, ils n'étaient pas les premiers, dans cette belle maison du XIVe arrondissement de Paris, située dans une impasse tranquille. François était déjà là, mais sans Marion. Ils ne se parlaient pratiquement plus. Dans la matinée, Osman avait fait livrer des camélias roses très rares qu'il avait choisis chez un fleuriste de la rue Royale, il les avait reconnus en entrant, ils flottaient dans un beau vase en cristal, la maîtresse de maison l'avait remercié. Trois autres bouquets décoraient la pièce, dont un minuscule, sans originalité, presque caché. Il savait que la distinction sociale se jouait aussi dans ce genre de détails. Sandrine Fallois était une femme blonde âgée d'une cinquantaine d'années dont la famille avait fait fortune dans la production de champagne. Un jeune garçon de douze ans était apparu dans le salon, saluant chaque invité avec componction : « Notre fils, Balthazar. » Il a les cheveux courts, les traits fins ; il est courtois, bien élevé. Osman dit que la maison est très belle, « en plein Paris, avoir un jardin, c'est magnifique » et Rémy Fallois réplique, dans un sourire : « Oui, elle n'est pas mal mais le XIVe, ce n'est que le 9-3 du VIe arrondissement. » « Parlez-nous du Premier ministre, demande l'avocate, c'est un homme à femmes, non ? » Les ragots sur la sexualité des politiques, Sonia s'y était accoutumée et répondait de bonne grâce : « Non. Il n'a ni intérêt ni considération pour les femmes. Quand il s'adresse au Président, on a l'impression que le Kilimandjaro côtoie l'Himalaya ! » « Il est autosexué et totalement égocentrique, plaisante Osman, il prononce ses discours en se regardant dans la glace ! » « Eh oui, le pouvoir change les hommes », affirme Osman, aussitôt contredit par Sonia : « Non. Le pouvoir ne change que ceux qui veulent bien changer. »

« Alors, on ne prend pas l'apéritif ? Je meurs de soif ! s'écrie Fallois en attrapant tendrement le bras de sa femme. On ne dirait pas que j'ai épousé la patronne des champagnes Vairinger. — Oui, ça vient, je crois », dit-elle. On entend des pas dans le couloir. Une femme au teint très mat fait irruption, serrant un plateau entre les mains. « Darina ne travaille plus chez vous ? demande l'avocate, elle était bien pourtant. » Sandrine Fallois prend une mine éplorée : « Elle est morte d'un AVC il y a deux mois. Elle passait la serpillière sur le carrelage de la salle de bains quand elle s'est effondrée. Et le pire c'est qu'à l'époque, à sa demande, je ne l'avais pas déclarée. On a vraiment eu un moment de panique quand il a fallu appeler les secours. — Mais vous l'avez fait ? — Oui, on n'a pas eu le choix, on n'allait tout de même pas cacher son corps dans le jardin comme dans un mauvais polar », réplique-t-elle avec une pointe d'humour dans la voix. Puis reprenant sur un ton plus grave : « Deux jours plus tard, elle était enterrée au cimetière de Thiais, à l'autre bout de Paris. Seulement cinq personnes s'étaient déplacées. C'était si triste. — Oh, reprend Rémi Fallois, Stendhal n'en avait que trois à son enterrement ! — C'est comme ça que j'ai dû embaucher une nouvelle femme de ménage mais elle a exigé treize euros de l'heure contre les dix que réclamait Darina, c'est pas possible, d'autant qu'elle mange à la maison tous les jours, on a toujours été très généreux là-dessus, nos femmes de ménage peuvent ouvrir le réfrigérateur et se servir, elles prennent même le goûter avec les enfants mais là, on n'a pas cédé. — Moi j'ai une petite Philippine, dit Sonia, les Philippines sont formidables : elles sont discrètes, elles font le travail sans se plaindre, et puis elles parlent l'anglais, c'est important pour les enfants, on doit être bilingue aujourd'hui sinon on peut dire adieu aux doubles cursus. » Sur ces mots, elle caresse son ventre rond. Vadim Mouret s'emporte : « Vous n'avez pas honte de chipoter pour trois euros quand la plupart d'entre vous facturent leurs honoraires à sept cents euros de l'heure ? » Ses propos jettent un grand froid. Osman est mal à l'aise. La serveuse s'avance vers lui : « Une coupe de champagne, Monsieur ? Je peux vous proposer du rosé ou du blanc. » Elle prononce ce mot « Monsieur » avec beaucoup de distance et une certaine déférence. Il l'observe tandis qu'elle passe près des convives, son plateau à la main : tous se servent sans la regarder, sans un merci, continuant leurs conversations comme si elle n'existait pas. Seule Sonia esquisse un sourire en refusant la coupe. Aussitôt Fallois lève son verre pour porter un toast à Osman. « À Osman et Sonia, les nouveaux Obama ! » Soudain, on entend un bris de verre, c'est la serveuse qui vient de faire tomber une flûte : « Faites attention quand même ! s'écrie Sandrine Fallois. Quelle idiote ! Si elle me casse des coupes à cinquante euros pièce, elle va me revenir plus cher que Darina. » Tout le monde rit. La serveuse retient difficilement ses larmes. Sonia ne bouge pas, tétanisée. Elle se lève brusquement et s'éloigne en direction des toilettes. Là, penchée au-dessus de la cuvette, elle se met à vomir. Osman la rejoint quelques minutes plus tard et frappe à la porte pour savoir si elle se sent mieux. « Oui, ça va », dit-elle à travers la cloison, puis elle sort. Fallois les guide alors vers le jardin pour « prendre un peu d'air ». Il allume une cigarette, en propose une à Osman qui refuse. « Je suis désolée, je ne sais pas ce que j'ai eu, je vais rentrer », dit Sonia en se dirigeant vers le salon. Osman ne la retient pas. « Ce Mouret, mais quel con ! s'exclame Fallois. Il me donne des leçons de morale alors qu'il réclame deux mille euros pour une conférence de deux heures. Une fois, lors d'une invitation à l'étranger, il avait même demandé un troisième oreiller… » Devant le regard perplexe d'Osman, il précise : « Une pute, quoi ! » Fallois écrase sa cigarette : « Depuis qu'il a eu son prix, il est insupportable. Entre nous, il ne l'a obtenu que parce qu'il a écrit un roman social à vous tirer des larmes, le livre de Patrice du Chardonnay qui était en finale avec lui était très au-dessus… Un roman magnifique sur une rupture sentimentale… Mais bon, l'amour n'intéresse plus personne. » Il jette sa cigarette et l'écrase : « Allons-y maintenant, ils doivent nous attendre. »

À table, on évoque la politique étrangère et Osman raconte qu'il part quelques jours en Irak pour la foire de Bagdad. « Vous vivez dangereusement ! dit Sandrine Fallois. — François part avec moi et une délégation de chefs d'entreprise, l'occasion pour nous de nouer des liens commerciaux avec l'Irak. » Vadim Mouret l'interrompt aussitôt : « Ce pays est déjà exsangue et vous comptez y faire vos affaires ? Bush a tout détruit, et pourquoi ? S'enrichir, avoir la mainmise sur le pétrole. Et après ? Qui prendra le pouvoir ? Les islamistes. — Cette guerre était sans doute une erreur mais le résultat est là : tout est à reconstruire et je ne vois pas pourquoi les Européens devraient concéder ces marchés aux Américains. — Dans le domaine des télécommunications, notamment, il y a de gros enjeux, précise François. — Mais vous pouvez y aller ? demande Mouret. — Qu'est-ce qui m'en empêcherait ? — Il me semble que le gouvernement irakien a interdit toute transaction avec les sociétés qui auraient des liens avec Israël. » Un long silence s'ensuit et c'est Osman qui réplique : « L'Union européenne va faire sauter cette clause qui appelle au boycott. — Là n'est pas le problème, dit sèchement François. Je ne sais pas ce qui vous permet de dire que ma société a des liens avec Israël. — J'ai cru lire un article disant que votre groupe sous-traitait avec une entreprise implantée dans des colonies israéliennes. — C'est faux. Et je n'aime pas ce ton suspicieux. Je ne crois pas avoir de comptes à vous rendre. » Osman tente de détendre l'atmosphère : « C'est un peu de ma faute, je l'ai défini en tant que juif à la suite d'un papier trompeur, et une terrible campagne de calomnie s'est enclenchée. Jamais vu de telles manifestations d'antisémitisme. » Fallois ironise : « Oui, c'est Osman Diboula qui l'a fait juif. Avec Sartre, c'était l'antisémite qui faisait le juif, maintenant c'est le philosémite ! » La femme de Rémi apporte une farandole de desserts, on évoque taux de cholestérol et régimes, et l'incident est oublié.

Après le dîner, dans la voiture, Sonia dit à Osman qu'elle a été très choquée par la façon dont Sandrine Fallois a traité la jeune serveuse quand elle a cassé le verre mais Osman reste silencieux, il n'ose pas avouer à Sonia que sa mère aussi fait le service chez des particuliers pour arrondir ses fins de mois. Il l'imagine à la place de cette serveuse humiliée. C'était la loi des rapports sociaux et il s'y soumettait comme les autres. En arrivant chez lui, il retire son manteau et se précipite dans la salle de bains. Il a reçu un nouveau message d'Issa : « Tu connais le lipizzan, Osman ? C'est une race de chevaux particulière. Ils sont noirs à la naissance et s'éclaircissent progressivement. Un peu comme toi. »

4

Les meurtres de Falloujah. Ils pouvaient bien faire semblant, c'était là, tout le temps, dans leur tête, ils avaient visionné les images : le véhicule des quatre employés de la société américaine Black Water pris d'assaut par une foule rageuse, ils avaient vu des Irakiens hystérisés par la haine faire flamber la voiture d'un coup d'allumette claquée dans l'essence et danser autour de la carcasse enflammée, se réjouir de l'agonie des Américains brûlés vifs, ils les avaient vus extraire les hommes – respiraient-ils encore ? – pour les piétiner, les assommer à coups de barres de métal, de bouts de bois, ferraille, tout ce qui leur tombait sous la main, les enfants participant aussi. Puis ils avaient traîné leurs cadavres calcinés jusqu'à un pont où ils les avaient estrapadés – lambeaux de chair, fragments de squelettes qui s'émiettaient au-dessus de la foule à chaque balancement – l'horreur. Tout avait été filmé et mis en ligne sur YouTube. Ils avaient fait la fête sous les cadavres toute la nuit. C'était en 2004. Les quatre agents de sécurité âgés d'une vingtaine d'années effectuaient une simple mission quand ils avaient fait fausse route, leur GPS n'avait pas fonctionné, ils s'étaient retrouvés au cœur de la zone la plus dangereuse. Le temps qu'ils comprennent qu'ils étaient arrivés en territoire ennemi, ils avaient été encerclés et massacrés. Romain se souvenait des paroles d'anciens agents : « Personne n'aime ce genre de missions. La nuit, vous êtes encore plus exposé. La nuit, vous ne reconnaissez rien et si votre GPS vous lâche, vous pouvez être sûr que vous mourrez dans l'heure. L'ennemi ne pense pas comme vous et ne combat pas comme vous. Il ne tue pas non plus comme vous. C'est un chasseur. Il traque ses proies comme du gibier. Pour lui, les Occidentaux ne sont pas des cibles humaines mais des animaux impurs dont il ne peut pas tâter les corps sans se souiller. Il faudra vous en souvenir le jour où vous découvrirez le cadavre de l'un de vos hommes abandonné dans un marécage, une rue, une décharge, totalement dépecé. Vous devez être tout le temps sur vos gardes. Le pire qui pourrait vous arriver, ce serait d'être pris en otage car votre vie ne vaut rien. Votre employeur ne déboursera pas un centime pour sauver votre peau. Vous n'êtes pas les soldats d'une armée régulière, vous ne servez pas un État mais une entreprise, il faut bien comprendre ça. S'il vous arrive quelque chose, si vous êtes blessé ou capturé, les types ne vont pas remuer ciel et terre pour vos gueules, ils ont même intérêt à vous laisser disparaître, ni vu ni connu, sur le lieu de l'accident, ou vous abandonner aux insurgés. »

5

François annonce à Marion qu'il part quelques jours en Irak. Elle ne comprend pas ce qu'il va faire dans une région pareille, à un moment aussi critique de sa carrière. « Osman Diboula m'a proposé de me joindre à la délégation qui participera à la foire de Bagdad et j'ai accepté. Dans la situation où je me trouve désormais, avec cette fusion qui ne verra sans doute jamais le jour, je dois absolument étendre le contrôle de mon groupe et l'Irak représente une opportunité exceptionnelle. Les troupes américaines commencent à se retirer, la situation s'est apaisée, il y a bien des risques mais ils sont très mesurés alors que les enjeux sont considérables, il y a des millions de dollars de contrats à la clé, le secteur des télécommunications est précaire, tout est à faire. Tu voudrais que je laisse cette chance à l'un de mes concurrents ? » Elle l'écoute sans réagir puis elle dit tout à coup qu'elle va l'accompagner. Il a beau la dissuader, lui répéter que la zone est dangereuse, qu'il y va pour affaire, elle insiste et il n'a pas d'autre choix que d'en informer Osman : sa femme participera au voyage. Il était convaincu à présent qu'elle savait que Roller s'y trouvait. Elle l'accompagnait pour le retrouver *lui*. Très bien. *Puisque c'est ce que tu veux.* Il affronterait Roller sur le terrain. Il y a quelque chose d'un peu puéril dans l'expression d'une rivalité virile et affirmée, l'amour infantilise. Il la laisserait choisir entre cet homme et lui sur une zone inhospitalière et non plus en terrain familier où chaque pulsion sexuelle n'est qu'une réponse à l'ennui. Là-bas, elle aurait peur peut-être et, mise en difficulté, préférerait la tranquillité d'une vie conjugale avec François, une existence protégée et bourgeoise, à l'incertitude d'une liaison compliquée, sans avenir et promise au désastre moral auprès d'un homme qui ne lui offrirait rien d'autre qu'une intimité sexuelle de courte durée, une précarité amoureuse – elle que le simple mot de « précarité » suffit à terroriser. Le désir ? L'érotisme ? La fantaisie pornographique ? Ça passera. Il ne veut pas la perdre, s'en persuade, tout en sachant que cette obsession exprime moins son amour que son désir de possession. Est-ce qu'elle le fascine toujours autant, cette jeune romancière qui, après un premier succès, n'a plus écrit une ligne, cette fille sensuelle mais sans apprêt, avec ses manières un peu directes – le fruit d'une éducation débarrassée de tout rigorisme où le goût de la spontanéité annihile le devoir de contrôle ? Il n'est plus très sûr de lui maintenant, et pourtant, c'est plus fort que lui, il faut qu'il sorte victorieux de ce combat. Qu'il redevienne le héros d'une histoire qui l'a vu perdre et chuter.

6

Tout avait été organisé, pensé, pour ce voyage d'entrepreneurs à Bagdad. Pourquoi Osman Diboula ne pouvait-il se départir d'un sentiment d'inquiétude ? L'OCDE plaçait l'Irak au niveau 6 – sur une échelle de 7 – pour les risques politiques, et au niveau C – le niveau le plus critique – pour les risques commerciaux. La perspective de ce déplacement le plongeait dans des états de stress tels qu'il avait dû consulter un médecin afin qu'il lui prescrive des calmants. C'était une peur totalement irraisonnée car il ne resterait que dans des zones ultra-sécurisées. En journée, il parvenait à se contenir mais le soir, avant de se coucher, il se précipitait sur son ordinateur et effectuait des recherches, jusque tard dans la nuit, visionnant des vidéos, tapant invariablement les mêmes mots : « Irak – risques ». Le ministère des Affaires étrangères lui-même, sur son site, déconseillait tout déplacement en Irak : « Seules des raisons impératives, d'ordre personnel ou professionnel, doivent amener les voyageurs français à se rendre en Irak. La situation en Irak est instable et très dangereuse pour tous les voyageurs. Les risques d'attentats et d'actes de banditisme sont importants. » Trois semaines plus tôt, un double attentat contre le ministère de la Justice et le siège du gouvernorat de Bagdad avait fait plus de cent cinquante morts. Il n'osait confier ses craintes à personne, pas même à Sonia – il est toujours un peu désagréable d'être le spectateur de sa propre couardise –, il essayait de maîtriser ses peurs, sans succès, hélas, chaque recherche ne faisant qu'accentuer sa crainte. Sur d'autres sites de gouvernements occidentaux, il découvrit les menaces « d'engins explosifs improvisés placés le long des routes, de tirs de mortiers et de roquettes, de fusillades avec armes à tir direct ». Les mises en garde étaient nombreuses et précises : « Lorsque de telles attaques se produisent, elles se déroulent souvent dans des lieux publics tels que les cafés, les marchés et d'autres points de rassemblement. » Il sentait l'angoisse monter en lui mais n'en parla à aucun membre de son cabinet. Les blagues fusaient pourtant : *on espère que tu vas revenir intact !* ou encore *Attention, regarde bien où tu mets les pieds à Bagdad !* Il souriait placidement, donnait le change en public. Intérieurement, il tremblait. Il songea même à annuler son voyage en prétextant les problèmes de santé de Sonia. Deux jours auparavant, son gynécologue lui avait imposé un repos complet après qu'elle avait eu des contractions. Quelques jours avant le départ, il s'était finalement résolu à confier ses angoisses à sa sœur. Elle pratiquait l'astrologie depuis des années et avait souvent établi son thème astral. Elle avait pris ses craintes très au sérieux, elle était sans doute un peu flattée qu'il fît appel à elle, et avait consciencieusement analysé ses données. « Ton thème est excellent, dit-elle d'une voix enjouée. C'est une période de chance pour toi. Tout ce que tu vas entreprendre sera couronné de succès. » Osman raccrocha, rassuré, se répétant les bons présages de sa sœur, mais une heure après, il était déjà sur Internet, en train de lire le contenu d'un site mis en ligne par un gouvernement étranger : « Attention. De nombreux groupes d'insurgés sont encore actifs. Le terrorisme et la violence persistent dans plusieurs régions du pays. Les intérêts occidentaux restent des cibles. »

7

Quatre fois par semaine, Romain appelait la France pour parler à Tommy – des échanges de courte durée, interrompus par Agnès qui régissait les relations entre le père et le fils avec l'autoritarisme que sa situation lui permettait : elle menait le jeu désormais, toute-puissante et bien déterminée à user de ses nouveaux pouvoirs. Elle l'avait fait interner dans l'espoir de le garder, pour le protéger, mais aussi le rendre plus vulnérable ; en cas de séparation, elle obtiendrait sans peine la garde totale de leur fils, elle saurait même restreindre les visites en invoquant le bien de leur enfant. C'était un jeu, pervers sans doute, où les rapports longtemps amoureux n'étaient plus que des rapports de forces déséquilibrés, Romain ne possédait pas les ressources physiques et mentales pour se défendre et Agnès le dominait, le gardant sous son emprise tout en faisant, dans l'intimité, le bilan accablant de son mariage avec un homme qu'elle n'était plus sûre d'aimer. Elle n'était même pas certaine de désirer poursuivre le cours d'une vie conjugale morne pour laquelle elle avait eu le sentiment de *tout* donner. Les tensions se ravivaient à chaque coup de fil, comme si les mots étaient des combustibles qui ne demandaient qu'à s'embraser. La guerre semblait avoir étendu son mode d'opération à sa vie privée. Elle avait revu « un ami », avait-elle avoué au téléphone. Il ne s'était rien passé, mais elle avait senti qu'elle pourrait s'attacher à « quelqu'un d'autre » que lui. Romain avait accueilli cette nouvelle avec indifférence, il n'avait aucune envie de la reconquérir, de passer par cette phase de jeu qu'impose la séduction et qui, si elle peut paraître excitante aux débuts d'une relation, finit par épuiser quand l'amour décline. Tout son être était désormais concentré sur ses missions. En Irak, le cerveau était soumis à rude épreuve, sollicité en permanence. Le risque, c'était l'affolement, la bavure, l'excès. « La seule vraie limite est votre morale », avait confié un agent français à Romain et Xavier. Alcoolisé, dopé au Red Bull dès le réveil, Xavier se trouvait constamment dans un état quasi maniaque. Romain le surveillait, ne lui confiant que des missions de routine. « Si on est visé, conseillait Xavier aux nouvelles recrues, on tire, on n'en a rien à foutre ! Faut pas psychoter ! » Romain tempérait ses propos : « On n'est pas dans un western.Il y a des règles. On ne tire que si l'on est attaqué. » C'est à Romain que fut confiée la tâche d'organiser la protection des entrepreneurs qui allaient faire le déplacement à l'occasion de la foire de Bagdad. Il n'était pas rare que des explosions ou des attaques se produisent en ville. Il fallait assurer la sécurité des groupes. De la réussite de cette mission dépendait l'essor et la renommée de la société pour laquelle il travaillait. Osman l'avait appelé pour lui demander d'être affecté à sa protection, il n'avait confiance en personne d'autre, et Romain avait accepté. Chaque agent aurait la responsabilité d'un petit groupe de trois personnes. Quand il reçut enfin la liste des noms, il eut un tressautement au cœur en lisant celui de François Vély. À côté, entre parenthèses, il était écrit : « accompagné de sa femme, Marion Decker-Vély, reporter, écrivain ».

8

La délégation française composée de chefs d'entreprise et de journalistes arrive à l'aube, accueillie par quelques personnalités officielles locales et les agents de sécurité missionnés pour l'occasion. L'ambiance est professionnelle, conviviale. On ne perçoit pas la moindre crainte chez les entrepreneurs français. Ça rit dans les rangs, et si l'un des responsables ne leur avait énoncé quelques règles de sécurité avec une gravité inquiétante, ils auraient pu poursuivre leur voyage sur un mode décontracté. Seuls les journalistes paraissent conscients des enjeux politico-stratégiques, certains sont déjà venus en Irak, en des temps plus durs. Dès qu'ils ont récupéré leurs bagages, ils sont divisés en plusieurs petits groupes et affectés à un véhicule. On leur précise qu'ils ne doivent en aucun cas emprunter une autre voiture, chacun restera avec son groupe, le plus grand risque étant d'oublier quelqu'un dans une zone exposée aux attaques d'insurgés. L'Irak, ils n'en ont pour la plupart qu'une vision limitée ; ils n'en connaissent pas l'histoire, la géographie intime ; ce ne sont pas cinq jours d'échanges qui leur permettront d'en cerner la complexité, ils le savent, ça ne les perturbe pas, ils souhaitent trouver des partenaires locaux, tenter de s'implanter sur un marché qu'on dit florissant, il n'y a aucune tentation humaniste dans leur démarche, ils sont là pour faire des affaires, la guerre, le coût humain de la guerre, ne les préoccupe pas. Ils sont tous d'accord pour dire que George Bush a sciemment et à des fins économiques engagé son pays dans ce conflit et que les pays alliés ont commis une erreur en le suivant dans cette voie mortifère ; en 2003, ils étaient tous plus ou moins partisans d'une intervention militaire en Irak : renversons le dictateur sanguinaire, à bas Saddam Hussein, vive la démocratie, les droits de l'homme, etc. Six ans plus tard, le lourd bilan de la guerre – les morts, les handicapés, les grands brûlés – a ébranlé les convictions. Mais l'heure n'est pas pour autant au recueillement et à l'introspection. François et Marion se retrouvent à bord du véhicule avec un journaliste parisien, Louis Vanier, un homme assez jovial âgé d'une cinquantaine d'années, venu faire un reportage sur la foire de Bagdad pour un magazine économique, « presque des vacances », plaisante-t-il. À travers la vitre de la voiture blindée, François discerne à peine les grands bâtiments ocre, les immeubles aux façades éventrées d'où l'on distingue parfois, explique Vanier, des tireurs embusqués : « Ici, tout Occidental est une cible. » À cette heure du jour, empoussiérée et nimbée d'éclats solaires, Bagdad est semblable à une toile tissée de fils d'or. Rien de menaçant dans ces décors lumineux, ces terres sèches qui se craquellent sous les pas, ces silhouettes bigarrées qui avancent courbées, écrasées par la chaleur. Marion ne parle pas, concentrée sur le paysage qui se détache sous ses yeux. « Nous sommes sur la route la plus dangereuse, n'est-ce pas ? » demande François sur un ton monocorde. « La route de la mort ! précise le journaliste. — La fameuse Irish Road. Vous ne risquez rien… Maintenant, la voie est sécurisée », réplique l'agent de sécurité. L'homme se veut rassurant, appliquant sans doute les ordres de sa direction, mais le journaliste tempère en affirmant que nul n'est à l'abri d'une attaque ciblée, particulièrement quand un convoi américain passe à côté. « Bien sûr, ce n'est pas aussi dangereux qu'en 2003-2004, là, ça pétait de partout, ça tirait dans tous les sens, c'était la guerre. Quand vous sortiez, vous ne saviez pas si vous alliez revenir vivant. Jamais l'expression vivre au jour le jour ne m'avait paru plus juste qu'à cette époque-là. C'était l'incertitude et le chaos. » Il est déjà venu plusieurs fois pour effectuer des enquêtes et des reportages, il a une bonne connaissance du terrain, Marion et lui échangent leurs numéros.

Le charme vénéneux de la guerre. La tentation de la complexité. Marion observe les allées et venues des Bagdadis, se laisse bercer par le rythme de cette ville grouillante, vivante, ces marchés colorés et odorants. Des enfants s'approchent du véhicule en riant. Aussitôt, le conducteur braque le volant, déportant le pick-up vers la droite, et emprunte une autre file, sans un mot. « Ne vous fiez pas à l'apparente capacité d'accueil de cette ville, dit Vanier. Même si le désengagement américain a commencé, ça reste une grenade. » « Comment vous préparez-vous au danger ? demande François. — On ne s'y prépare jamais vraiment… Mais j'ai quand même fait un stage paramilitaire au centre national d'entraînement commando avant mon dernier voyage ; une sorte de formation physique et mentale. — La question numéro 1, c'est la sécurité, explique le chauffeur. Tout prend du temps, ici. Il faut parfois une heure pour faire deux kilomètres tant il y a de contrôles et de checkpoints. — Et ils arrivent justement à l'un de ces checkpoints. Le véhicule s'immobilise devant un panneau sur lequel il est écrit : « Arrêtez-vous ici. Ne bougez pas de ce point. ARRÊTEZ ou la force armée sera utilisée CONTRE VOUS. »

« Une forme de dissuasion, rien de plus. Un insurgé peut se faire exploser en arrivant devant le checkpoint. »

Louis Vanier leur dit qu'il va loger sur un *compound*, une résidence surveillée construite par les Américains dans l'immense zone verte, une ville dans la ville, avec ses règles, ses codes, ses magasins, ses restaurants, un espace ceinturé d'immenses remparts en béton armé surmontés de barbelés et piqués de caméras de surveillance, dix kilomètres carrés au cœur de Bagdad – une forteresse qui abrite quelques bâtiments officiels, dont l'ambassade américaine. « Elle est sous contrôle irakien depuis quelques mois, précise-t-il, ce qui ne me rassure pas vraiment, mais il fallait bien qu'un jour ou l'autre les Américains retirent leurs troupes. » Marion et François résident dans une suite du Centre français des affaires, un petit établissement situé à quelques dizaines de mètres de l'ambassade de France à Bagdad, dans la zone rouge, moins sûre, mais au cœur d'une rue barrée et gardée en permanence par des membres du GIGN. Le Centre d'affaires a aménagé des chambres et des bureaux pour les industriels de passage, il fallait débourser entre deux cents et trois cents dollars par nuit pour y dormir, une option privilégiée par les Français. Le chauffeur leur explique que les hôtels ne sont pas très recommandés pour les touristes, des attentats peuvent y être commis et les services proposés restent médiocres au regard des standards européens ; rares sont les Occidentaux qui s'y hasardent. « On trouve de tout dans ces chambres d'hôtel. Même des poils et des cheveux des précédents occupants dans les draps. » Ils rient, se détendent au moment où le chauffeur leur annonce qu'ils sont arrivés.

Ils ont quelques heures libres avant le dîner. François les passe à lire des documents concernant l'implantation des entreprises de télécommunications en Irak, Marion, des notes qu'elle a apportées. Ils se parlent à peine. Que sont-ils venus faire en Irak, sinon éprouver leur couple déjà fragmenté ? François sait qu'il reprendra les rênes de son groupe, en dépit du scandale et de l'humiliation. Il ne dit rien à Marion, elle est là, allongée, passive et silencieuse. Il vient de recevoir trois courriels d'insultes dont deux à caractère antisémite : « Mort aux juifs » et, un autre, « Mort aux esclavagistes sionistes ».

Ça n'arrêtera donc jamais.

Le soir même de leur arrivée, ils sont invités à dîner avec les autres entrepreneurs à l'hôtel Al-Rasheed, en zone verte. Marion refuse de s'y rendre, prétextant la fatigue. Sa décision compromet les plans de François qui souhaite la confronter à Roller. Il se persuade qu'elle n'a pas tant envie de le revoir et ça l'apaise. Il lui dit qu'il ne rentrera pas tard, insistant pour qu'elle l'attende avant de se coucher.

Dès leur arrivée, tous les membres de la délégation française sont méticuleusement fouillés. Avant d'entrer en zone verte, ils croient même un instant être contraints de faire demi-tour, les gardes ne veulent pas les laisser passer, les formalités prennent près d'une heure et plusieurs chefs d'entreprise menacent de retourner en France. Finalement, ils sont autorisés à pénétrer dans la zone, puis invités à emprunter un passage souterrain qui mène à l'hôtel. À l'intérieur, François retrouve Osman. C'est là qu'il voit Roller pour la première fois, il le reconnaît tout de suite, la photo était fidèle et il est presque soulagé : sa femme voudrait le quitter pour *lui* ? C'est une blague ? Il est le prototype du soldat en faction, cheveux coupés trop court, corps musculeux, silhouette souple et déliée, un grand sportif sans doute, avec quelque chose de vulnérable et d'instable dans le regard, de brutal dans la gestuelle. Un type magnétique sans être beau. Dans une rue, personne ne le remarquerait alors que François, oui, tout le temps. Il se sent mieux, tout à coup, et s'installe à sa table. Tous les entrepreneurs ont passé leur soirée à nouer des contacts avec leurs homologues irakiens, quand lui est resté silencieux, se demandant ce qu'il était venu faire ici. C'était ridicule, inenvisageable. Elle ne le quitterait jamais pour *lui*.

En milieu de soirée, il demande à l'agent chargé de sa sécurité de le raccompagner. Rouler dans Bagdad endormie lui procure une excitation soudaine, il se sent étonnamment serein, la ville est paisible, le contraste avec l'agitation du jour est saisissant, c'est une de ces nuits douces portées par un ciel clouté d'étoiles et un filet venteux à peine plus fort qu'un souffle. Arrivé au Centre français des affaires, il se précipite dans sa chambre pour rejoindre Marion. Elle est assise en tailleur, au centre du lit, en larmes. Il s'approche d'elle, la prend dans ses bras. Il lui arrivait d'avoir des crises d'angoisse. Elle dit qu'elle va mal, elle ne parvient plus à rédiger une ligne du texte sur lequel elle travaillait – une histoire d'espionnage économique –, elle a essayé pourtant, mais tout la ramène à *leur histoire*. À cette évocation, François cache mal son agacement. Elle lui confie qu'elle va écrire sur ce qui leur est arrivé : « J'ai déjà écrit plusieurs pages mais j'ai eu peur de ta réaction. » Il le redoutait depuis le début, elle avait promis de ne pas le faire, mais que vaut la parole d'un écrivain à l'instant où un sujet s'impose à lui ? La menace de l'écrit, du texte publié, du livre qui raconte, dévoile, juge. Il avait toujours perçu cette violence chez Marion, elle avait ça en elle. Cette agressivité, qu'il avait longtemps trouvée érotique aux premiers temps de leur relation, l'inquiétait à présent, il ne savait pas comment la canaliser, la contrer et s'en défendre. Il ne pensait pas avoir mal agi, la vie avait testé ses limites, chacun a son propre seuil de douleur, il ne pouvait pas aller au-delà – est-ce que ça faisait de lui un lâche ?

Ce qu'il aimait ? Le calme. Les facilités et la liberté qu'offre un patrimoine financier enviable. Son père n'avait jamais évoqué ses souffrances, c'était l'homme le plus amusant, le plus spirituel, le plus brillant qu'il connaissait, désamorçant toujours le drame par la comédie, la gravité par la légèreté. Il l'avait initié à cette vie agréable où l'on se disputait sur l'importance de Sade en buvant une tequila, où l'on connaissait mieux les états d'âme des personnages d'*À la recherche du temps perdu* que ceux des membres de sa propre famille. Le drame ne pouvait surgir qu'à l'improviste dans sa vie et pour une durée limitée. Un livre figerait leur histoire dans ce qu'elle avait de plus arbitraire et de plus sordide, un livre blesserait ses enfants et finirait par les dévaster. Il tente de l'expliquer à Marion ce soir-là mais elle ne lui répond que par une posture obstinée : « Je ne peux écrire que sur ce que, précisément, tu ne veux pas que j'écrive. »

9

Cette angoisse viscérale, incontrôlable, une peur tentaculaire qui semble atteindre chacun de ses organes, pétrifie Osman. En moins de vingt-quatre heures, il a reçu deux messages d'Issa. Dans le premier, il lui souhaite ironiquement un « bon voyage en Irak » et dans l'autre, il a réalisé un montage : il a récupéré la photo de François sur la chaise de Melgaard et a collé la photo d'Osman à la place du visage de la femme. Ce jour-là, tous les entrepreneurs français ont rendez-vous sur le site de la foire avec leurs homologues irakiens mais Osman est incapable de se dominer en dépit de la présence constante de Romain à ses côtés : c'est une angoisse impossible à juguler, qui le submerge et le torture sans répit. Il annule la plupart de ses rendez-vous, invoque des excuses pour rentrer au Centre des affaires et s'enfermer dans sa chambre, il se découvre veule et pour un homme qui a longtemps été une référence dans le quartier où il a grandi, une personne forte, fiable, c'est un échec qu'il n'assume pas. Il se sent mal à l'aise, comme un charognard qui vient dépouiller ses dernières victimes, ils sont tous là, les vautours de la guerre, le grand capitalisme s'affiche sans complexe en Irak, on est là pour ça : gagner un maximum d'argent sur les cendres d'un pays ravagé. Tout le monde veut sa part du gâteau, les Occidentaux comme les Irakiens, gangs mafieux, milices terroristes, fiefs islamistes, et lui, au milieu d'eux, écrasé par la responsabilité de ce que sa seule présence engage. François affiche le même scepticisme : il a passé la journée à ses côtés, il a très vite compris qu'il ne conclurait pas le moindre contrat ici ; la région est instable, les règles économiques trop incertaines, et la corruption gangrène un système déjà déstabilisé par les guerres. Il a appris que des insurgés rackettent des opérateurs de téléphone mobile. En contrepartie, ils s'engagent à ne pas détruire les infrastructures, ne pas attaquer les employés ni enlever des ingénieurs. Il ne pourra jamais prendre le risque de s'implanter en Irak. Ensemble, ils décident, au milieu de l'après-midi, de rentrer au Centre.

Osman s'enferme dans sa chambre et appelle Sonia. Il tremble, lui décrit le contenu des messages d'Issa puis lui répète qu'il s'est mis en tête qu'il allait mourir, il a besoin d'en parler et quand il s'exprime, c'est encore pire, il se persuade que les mots concrétisent le drame à venir comme s'il n'était que le prophète de son propre malheur. Sonia n'est pas réceptive à ses tourments. Elle s'inquiète pour Osman, bien sûr, mais elle constate qu'il ne pense qu'à lui. Il vit une expérience intense dans un pays étranger, alors qu'elle est condamnée à rester allongée dans son lit, cette maison où dit-elle, elle s'ennuie « à mourir, loin de Paris ». Elle lui en veut de ne pas la protéger, de ne pas faire partie de ces hommes qui se sentent concernés par la grossesse de leur compagne, elle va mal, elle a des nausées, des vomissements, ses jambes sont enflées, elle ne se reconnaît plus. À cet instant, elle préférerait être à sa place, en Irak, au milieu de ces chefs d'entreprise, ou à l'Élysée, en train d'écrire un discours. L'effervescence lui manque. Les réunions quotidiennes aussi. La grossesse va la mettre sur le banc de touche. Osman a peur ? Elle aussi a peur, de ne pas pouvoir retourner travailler, de rester dans cet état léthargique. Elle avait fourni tant d'efforts pour atteindre ses objectifs, obtenir ses diplômes… Elle était maintenant enfermée chez elle où personne ne venait lui rendre visite à cause de la distance. Alitée jusqu'à nouvel ordre. Oui, elle lui en voulait de se plaindre constamment, de s'abandonner à l'égotisme que favorisait l'exercice du pouvoir, comme si le monde se limitait à son existence. Osman lui explique que ce jour-là il doit accompagner la délégation sur le lieu de la foire. Délire mystique ? Simple accès d'angoisse ? « J'ai un mauvais pressentiment, Sonia. J'ai peur de mourir ici. » Mais il n'entend pas sa réponse, elle a déjà raccroché.

10

Reconquérir le territoire de leur intimité. Retrouver la spontanéité qu'autorise la connivence sexuelle. Marion est en Irak, voilà ce que Romain se répète depuis qu'il a vu son nom sur la liste des Français, et aussitôt, il pense : elle est là *pour moi*. Il n'imagine pas un instant que sa présence ne doit rien au désir de le revoir. Le soir, au dîner donné par l'ambassadeur de France en Irak, il est déjà là, en compagnie d'Osman, fébrile, tendu, quand elle arrive avec François Vély. Elle porte un tailleur-pantalon noir et des escarpins, c'est la première fois qu'il la voit ainsi apprêtée, ça l'éblouit, l'option séductrice, elle mène la partie, magnifiée par la lumière, elle attire tous les regards. Tout ce qu'il voudrait, c'est s'avancer vers elle, saisir sa main et s'enfuir avec elle. Il remarque qu'elle se tient assez éloignée de son mari et ça le soulage. Là-bas, en Irak, dans ce lieu officiel, ils sont deux étrangers. Qui ne se connaissent pas. Il l'observe de loin tandis qu'elle pivote et l'aperçoit à son tour. Elle tourne aussitôt la tête, de façon presque machinale. Osman, qui a aperçu François, s'élance vers lui, et Romain n'a pas d'autre choix que de le suivre, son corps est un bouclier humain, il n'est plus que cela, une masse, un mur. Il n'est pas cet invité qui pense et parle, on ne lui demandera pas son avis – qu'il reste à sa place. Or, précisément, ce soir-là, il ne sait plus ce qu'il doit faire ni quelle est sa place. Cette confrontation, il l'a toujours redoutée, il est terrassé par le trac, conscient de la faiblesse de sa situation, il est mauvais dans le rôle qu'on lui a assigné : celui d'un agent de sécurité performant, il se trouve ridicule, en particulier quand François lui demande si les agents de sécurité sont prêts à mourir pour leurs clients. Romain répond par l'affirmative, c'est même l'une des premières questions que les recruteurs leur ont posées avant l'embauche. Osman rit et propose à François de recourir aux services de Romain pour le savoir, Romain se tend, tout le monde le voit, il le laisserait mourir, voilà ce qu'il pense, mais il répond qu'il protège tous ses clients sans exception. François le toise et réplique avec un certain mépris : « Après tout, vous êtes payé pour ça. » Marion ne parle pas, elle est mal à l'aise, tout son corps la trahit. Sa peau, rouge sous l'effet de la chaleur et de l'émotion, est brûlante, ses gestes sont désordonnés, elle passe sa main dans ses cheveux, puis soudain, comme si sa seule possibilité de réaction était la fuite, elle s'éloigne et marche en direction du buffet. Romain ne peut pas s'empêcher de la regarder : ses cheveux qui caressent ses épaules, sa taille aux hanches dessinées, ses fesses pleines – sensualité magnétique.

À quel moment l'explosion a-t-elle été entendue ? Romain ne peut pas le dire précisément, tout cela n'a duré que quelques secondes, Osman discutait avec François, Romain s'était placé un peu en retrait pour pouvoir regarder Marion tandis qu'elle se dirigeait vers le buffet quand tout à coup un bruit de déflagration a secoué la salle. Il n'y a pas eu de dégâts matériels, aucun blessé, pas de souffle, rien qu'un son puissant qui a suffi à terrasser tout le monde. À l'extérieur, quelqu'un a sans doute tenté de faire sauter un véhicule ou lancé des explosifs et, en quelques secondes, le trio s'est dispersé : Osman a bondi et s'est caché derrière la table la plus proche. François ne s'est pas déplacé, il est resté immobile, se contentant de ramener ses bras sur son visage pour se préserver d'éclats éventuels. Romain s'est précipité sur Marion et l'a plaquée au sol, la protégeant de tout son corps comme un bouclier. Elle avait sur son visage un air effrayé, son cœur cognait dans sa poitrine. Il était resté allongé sur elle, son corps recouvrant entièrement le sien avant de desserrer son étreinte et de se relever. Moins de trois minutes plus tard, chacun avait réintégré sa place initiale. Tout était semblable. Et tout avait changé.

11

L'une des épreuves les plus douloureuses de la vie consiste à définir l'instant où l'autre ne vous aime plus, a cessé de vous aimer. Dans leur chambre du Centre français des affaires, François et Marion ne se parlent pas. Que pourraient-ils encore se dire ? Chacun se replie dans un coin du lit. La climatisation est en marche, pourtant la chaleur est étouffante, les nerfs brûlent, ça pourrait s'embraser. Marion est réveillée, elle fixe un point du mur, elle voudrait avoir la force de se redresser, de faire sa valise et de partir rejoindre Romain mais elle se contente de suivre François du regard tandis qu'il se lève et se dirige vers la salle de bains. Quand il en ressort, il constate que Marion n'a pas bougé, elle est toujours dans cette même position allongée. Il ne sait pas quoi dire à propos de ce qui vient de se produire et c'est elle qui prononce la phrase qu'il redoutait : « Je veux qu'on se sépare. » Il ne réplique pas tout de suite. Dans ces moments-là, de tension et de désespoir, il repensait – par un étrange effet d'opposition qui accentuait son malaise – aux moments de grâce qu'il avait connus avec elle au début de leur relation, ils avaient été si heureux, si amoureux. Il se souvenait d'instants magiques, quasi mystiques, où chaque geste annonçait l'amour, où tout semblait flotter dans une sorte de bulle ouatée. Il pourrait retenir Marion, la convaincre de leur donner une nouvelle chance, mais il n'est plus très sûr d'avoir envie de se contenter de ce qu'elle lui donne désormais : quelques gestes d'affection qui annoncent la condamnation de leur vie sexuelle.

C'est peut-être mieux ainsi, Marion, nous étions trop différents. Nous serons peut-être plus heureux, chacun de notre côté, avec une personne qui saura nous aimer.

Il y avait toujours cette croyance ordinaire, cet espoir ridicule qu'à un chagrin d'amour succéderait rapidement une nouvelle histoire, ce serait différent, ce serait mieux, on trouverait un de nos semblables, qui pense et vit comme nous, on obéirait à la réalité endogamique.

À notre retour, nous prendrons contact avec nos avocats qui organiseront le divorce. En attendant, si tu le souhaites, tu pourras habiter dans l'appartement de la place Vauban.

Entente cordiale, de façade. L'amitié fera place à l'amour, l'affection à la passion, espèrent-ils tout en sachant que les hostilités commencent, la guerre est déclarée. Ils sont d'accord sur l'idée d'une séparation, ce n'est plus qu'une question de temps et de modalités, alors pourquoi lui avoue-t-il tout à coup qu'il sait qu'elle a eu une liaison à Paphos et qu'il sait également avec qui. Il ne lui laisse pas le temps de répondre, il est emporté par le flot de son amertume, tout ce qu'il a trop longtemps contenu est révélé avec violence : elle n'est en Irak que pour ce soldat, Romain Roller, celui qui s'est précipité sur elle, devant tout le monde, il a été déçu en le voyant, il s'est dit : c'est pour lui qu'elle me quitte ? Pour une vie avec lui ? « Tu penses sincèrement que tu vas te contenter de la vie minable qu'il te proposera ? Allons, je te connais, Marion. Tu as pris goût aux facilités qu'offre un train de vie luxueux, tu es la première désormais à te plaindre du service dans les hôtels cinq étoiles, tu es habituée à ne jamais regarder les prix avant d'acheter... Tu crois que tu vas être heureuse avec un homme qui ne doit pas gagner plus que le smic ? » À cet instant, cette condescendance la révulse. Elle pourrait admettre qu'il y a une part de vérité et de lucidité dans son discours, mais tout ce qu'elle perçoit c'est cette revendication clanique, cette mise à distance par la seule puissance de l'argent et, pour une femme comme elle, c'est insupportable. Même si elle sait qu'elle aura du mal à revenir à un mode de vie plus simple et sans doute aussi plus précaire, une existence où la peur de manquer entrave la joie de vivre, elle refuse de voir sa vie réduite à une trajectoire sociale, de renoncer à un homme qu'elle aime et qui l'aime pour celui qui a fait d'elle cette petite chose veule et attachée à son confort matériel.

Je ne veux plus continuer, c'est fini.

Oui, c'est fini.

12

Osman appelle Sonia et lui raconte l'incident qui s'est produit à l'ambassade, le bruit de l'explosion, la terreur, la fausse alerte : — J'ai vraiment cru y passer. » Pour la première fois, il lui avoue qu'il n'en peut plus, il ne sait pas s'il tiendra une journée de plus dans ce « pays de fous ». Il lui dit aussi qu'il a reçu deux nouveaux messages d'Issa. « Bloque-le sur ton portable. — C'est ce que j'ai fait mais il envoie alors un message d'un autre numéro. Je crois qu'il est devenu fou. Peut-être même dangereux. » Elle lui suggère de rentrer mais il ne peut pas prendre une décision qui engagerait toute la délégation. Après la fausse alerte que certains ont interprétée comme un attentat raté, de nombreux chefs d'entreprise ont demandé à partir mais l'ambassadeur de France a expliqué à Osman que les conséquences d'un tel repli seraient désastreuses, l'avenir de la foire serait compromis, il ne fallait pas céder à la peur, des déflagrations sans dommage survenaient quotidiennement – des tentatives pour effrayer les Occidentaux, rien de plus, le danger n'était pas élevé, les zones qu'ils occupaient étaient très sécurisées. Osman dit à Sonia qu'il n'a pas d'autre choix que de rester, au moins pour donner l'exemple. « Quel est le programme de la journée ? — Je ne peux donner aucune indication par téléphone, je suis peut-être sur écoute. — Tu sais que tu es parano ? plaisante Sonia. — Non, prudent. » Il raccroche, descend dans le hall du Centre, à pied – il évitait de prendre l'ascenseur, terrifié à l'idée de se retrouver avec une autre personne –, repérant chaque issue. Il a le sentiment que le Centre n'est pas assez sûr. Situé en pleine zone rouge, il est exposé aux attaques. Après avoir discuté avec deux agents qui l'assurent de la sécurité du site, il remonte dans sa chambre, ferme la porte à clé, vérifie que l'ouverture des fenêtres est bien bloquée de l'intérieur et place un gros fauteuil devant l'entrée pour en empêcher l'accès de l'extérieur. Cette nuit-là, il ne trouve pas le sommeil, sursautant au moindre bruit. Finalement, à deux heures du matin, il se décide à appeler Romain qui arrive, trente minutes plus tard, les yeux cernés, pour le rassurer. Ils sont assis au milieu de sa chambre, Romain tente désespérément de minimiser les risques d'un séjour en Irak.

« Le risque zéro n'existe pas, mais tu bénéficies d'une protection maximale.

— Ce que tu dis ne me rassure pas du tout.

— Il faut rester sur ses gardes et tout se passera bien.

— Mais concrètement, ça veut dire quoi ?

— Tu ne sors pas seul, tu ne t'éloignes pas du groupe, si tu aperçois quelqu'un qui ne t'inspire pas confiance, tu t'en éloignes. Ce sont des règles élémentaires.

— C'est ce que je fais mais je n'arrive pas à me sentir en sécurité. »

Romain ironise :

« Personne n'est en sécurité, où qu'il soit. »

Mais Osman se fige davantage. Romain lui presse l'épaule dans un geste amical.

« Hé ! Tu ne risques rien !

— Je peux te demander un service ?

— Vas-y, je t'écoute.

— Il y a une chambre de libre à côté de la mienne, ça me rassurerait si tu passais la nuit ici. »

Romain accepte.

« Dieu merci, tu ne diriges pas le pays. »

Osman devient grave tout à coup.

« Je n'ai jamais eu peur avant ce voyage. J'ai affronté des situations difficiles, j'ai parfois été en danger, mais je n'ai jamais manqué de courage. Ici je ne me reconnais pas.

— On n'est pas préparés à toutes les situations, c'est ce que j'ai appris au cours de mes missions. On ne sait jamais comment on va réagir dans un lieu étranger. Mais crois-moi, tout va bien se passer. »

13

Dans la matinée, après le départ des chefs d'entreprise et des journalistes invités sur le stand de la foire, Romain sort de sa chambre. Il a prétexté une opération de sécurité au sein du Centre pour rester sur place. Le lieu est vidé de ses occupants, il a appris par un agent que François Vély s'est rendu sur le stand avec les autres chefs d'entreprise français pour la journée. Il n'a aucune difficulté à se faufiler jusqu'à la chambre de Marion dont il a obtenu le numéro en arguant d'un contrôle de sécurité, il y va sans appréhension, l'épisode de la veille lui a donné une force nouvelle. Il y a quelque chose d'excitant à la retrouver sans savoir si elle sera réceptive et partagera son désir, c'est un défi, un exercice de prédation peut-être, mais conditionné par l'amour, le besoin d'être avec elle. Il frappe à sa porte plusieurs fois avant d'entendre enfin des pas. Il colle son visage à la paroi pour ne pas éveiller les soupçons du personnel qui pourrait passer dans les couloirs. « C'est moi, Romain. » Elle a un moment d'hésitation ; il insiste : « Je t'en prie, il faut que je te parle. » Elle ouvre, un peu endormie, les cheveux embroussaillés, elle est pâle et porte sur le visage le masque de la lassitude. Il n'avait pas remarqué la veille qu'elle avait maigri.

Vêtue d'un long tee-shirt qui laisse apparaître ses jambes fines et musclées, elle paraît fluette et il a envie de la serrer contre lui. Il se tient là, dans l'embrasure de la porte, il veut lui parler, elle refuse, il insiste, il ne restera pas longtemps. Ils se regardent un moment puis il entre, elle ne le repousse pas, il ferme la porte derrière lui. « J'ai quelque chose à te dire, je voudrais que tu m'écoutes. » Elle est butée, il le sent tout de suite et il a la réaction de celui qui sait qu'il n'a plus rien à perdre, qu'il doit tout tenter, alors il lui dit qu'elle lui manque et qu'il a besoin d'elle. Il la prend dans ses bras, elle n'oppose aucune résistance. Il glisse son visage dans son cou pour respirer son odeur – « J'aime ta peau, tu m'as manqué, tu m'as tellement manqué » –, saisit sa nuque entre ses mains, l'embrasse avec intensité : « C'est si bon de te retrouver. Je t'aime. Je t'aime si fort. » Il la serre davantage, pose ses mains sur ses hanches et se plaque contre elle, mais elle le repousse doucement. « Je ne sais pas si c'est une bonne idée. » Il se détache d'elle, lui propose d'aller ailleurs. Elle s'habille à la hâte – un jean, un tee-shirt – et le suit jusque dans sa chambre, au bout du couloir. La pièce est plongée dans la pénombre, les volets n'ont pas été ouverts, le lit est défait. Romain se déshabille, retire son gilet pare-balles, range ses armes. Il s'assoit sur le rebord du lit, attire Marion vers lui. Elle est debout, entre ses jambes. Il fait remonter ses mains le long de ses cuisses, embrasse son ventre, caresse ses fesses. Elle reste figée, se cabre – « J'ai peur. » Alors il la serre contre lui et elle rit : « Tu m'étouffes. » Il lui dit qu'il va mourir de désir en la déshabillant, elle se laisse enfin aller. Brusquement, il la fait basculer sur le lit et s'enfonce en elle. Il aime son visage quand elle s'abandonne, la lumière qu'il irradie.

Je ne veux plus jamais être séparé de toi. Plus jamais, tu m'entends ?

Elle est allongée, son bras autour de sa taille, elle rit. « J'aime les petits plis que font tes yeux quand tu souris. Je t'aime. — Moi aussi. » Il réplique qu'ils se sont trouvés et il vient derrière elle, soulève ses cheveux, mord son épaule et la prend encore en tenant ses hanches. Après l'amour, il lui dit de venir contre lui, sa tête sur son torse, il caresse ses cheveux dont quelques mèches s'enroulent autour de son front sous l'effet de la chaleur comme des accroche-cœur. Ils finissent par s'endormir, épuisés. À son réveil, il ne voit que sa nuque, son visage est caché sous l'oreiller. Il embrasse ses épaules, se colle contre son corps nu en pensant qu'il n'a jamais été aussi heureux.

Elle lui dit qu'elle doit rentrer. Il la retient : « Je veux rester avec toi. » Elle rit : « C'est impossible. Nous ne serons jamais ensemble, puis ajoute : Tu y crois, toi ? — Oui. » Il sait que sa conviction légitime leur amour. Sans cela, elle a peur, et il ne veut pas la perdre. Il la serre dans ses bras, couvre son visage de baisers. Ils sont allongés l'un contre l'autre quand le téléphone de Romain se met à vibrer. Il lit le message, explique qu'on a besoin de lui sur le site de la foire pour raccompagner des membres de la délégation, il n'en a pas pour longtemps, une heure maximum. « Promets-moi que tu ne vas pas sortir d'ici. » Elle ne répond pas, se contente de sourire, puis l'attire vers elle. « Je dois y aller, dit-il en l'embrassant, sinon je vais être en retard. » Mais elle le retient et ils font l'amour. Quand il se rhabille, il remarque qu'elle a aussi l'intention de partir.

« Tu restes ici, tu m'attends.

— Pourquoi devrais-je rester ?

— Parce que je te le demande. »

Elle rit :

« Nous n'avons pas d'avenir ensemble.

— Tu es si négative… Mais j'aime tout de toi.

— On a toujours intérêt à être pessimiste », réplique-t-elle dans un sourire, indifférente à la portée tragique de ses mots, « tôt ou tard la vie se charge de vous prouver que vous aviez raison. »

14

Ça s'est passé au milieu de l'après-midi, à 16 h 22 heure locale, c'est ce qui avait été écrit sur le rapport remis aux autorités compétentes. À quelques minutes près, plusieurs témoins avaient confirmé l'horaire. À l'armée, on enseignait aux soldats qu'en cas de blessure grave, tout se jouait dans la première heure. Et là aussi, le temps était un élément essentiel. Le temps jouait contre eux. 16 h 22, le repas terminé, les esprits sont cotonneux, la vigilance réduite au minimum, la peur devient moins forte, on baisse la garde et la tragédie se produit. Ceux qui vivaient et travaillaient en Irak le savaient : le milieu de l'après-midi et la nuit étaient deux moments particulièrement sensibles.

C'était un marchand ambulant qui avait donné l'alerte : « Des Occidentaux viennent d'être enlevés à quelques centaines de mètres de l'entrée de la foire et l'un d'entre eux a été tué, son corps est au milieu de la route ! » Il eut du mal à pénétrer dans l'enceinte pour expliquer ce qu'il avait vu, il était resté une dizaine de minutes à tenter de convaincre les gardes de la véracité de ses propos. Quand enfin il se trouva devant les policiers irakiens, il parla d'une voix nerveuse, répétant : « Ils les ont enlevés, ils les ont enlevés, ils l'ont tué. » Il n'était pas capable de décrire les ravisseurs, qui portaient des cagoules noires, ni même les otages dont la tête était poussée vers l'intérieur du véhicule au moment où il les avait aperçus. Qui étaient les Occidentaux visés ? Où se trouvait le corps de celui qui avait été assassiné ? Pendant qu'une première équipe se rendait sur les lieux du drame, une autre réunissait toutes les personnes de la délégation, chacun cherchant autour de lui ses compagnons de véhicule. C'était un vrai capharnaüm. La chaleur et la peur agressaient les nerfs à vif. Au bout d'une trentaine de minutes, en présence de la police irakienne et de quelques représentants des autorités françaises, l'information fut enfin donnée. Elle devait pour l'instant rester confidentielle. L'agent de sécurité Xavier Carel avait été assassiné, son corps avait été retrouvé à environ un kilomètre de la foire, criblé de balles et étendu au milieu de la route. Trois Français manquaient à l'appel : le secrétaire d'État Osman Diboula, l'homme d'affaires François Vély, et le journaliste Louis Vanier.

15

Romain est tendu, concentré sur sa conduite, au milieu d'une route flexueuse encombrée de vendeurs de fruits, quand il reçoit un appel de l'un des dirigeants de la société qui l'emploie. En quelques mots, il explique le contexte dramatique à Romain et lui annonce la mort de Xavier. Le premier réflexe de Romain est de stationner son véhicule sur le bas-côté alors qu'il sait que c'est extrêmement dangereux, que des insurgés peuvent surgir pour le tuer ou le prendre lui aussi en otage. Il est incapable de conduire, comme s'il avait reçu un choc frontal. Il demande des détails mais son chef n'en sait pas plus et ne souhaite pas s'exprimer longuement par téléphone : les trois hommes ont été kidnappés en pleine ville, Xavier a été assassiné alors qu'il tentait de s'opposer aux ravisseurs, ils connaissent approximativement l'heure et la couleur de la voiture dans laquelle ils ont été embarqués, c'est à peu près tout. Il n'y a pas encore eu de revendication ni de prise de contact et pour l'instant, la seule urgence est de prévenir la femme de François Vély, la compagne d'Osman Diboula a déjà été informée et ils se sont chargés d'envoyer quelqu'un chez l'épouse de Xavier, en France. Romain répond d'une voix détachée qu'il sait où Marion se trouve. Puis il raccroche. Il reste un long moment prostré dans sa voiture, son visage entre ses mains, et sa première pensée est pour Xavier. C'est lui qui aurait dû mourir à sa place, lui qui aurait dû conduire Osman et faire partie des otages. En le retenant au moment où il s'apprêtait à partir, Marion lui avait sauvé la vie. Il n'avait pas su protéger Farid, il avait causé la mort de Xavier, il n'avait pas assumé son rôle – il est, à cet instant, déchiré par la culpabilité et il se met à hurler dans sa voiture. Puis il retourne au Centre. Chaque pas qui le porte vers sa chambre est une épreuve. Il ne sait pas ce qu'il va pouvoir dire à Marion et quand il arrive devant elle, il s'assoit sur le rebord du lit dans lequel ils viennent de faire l'amour et s'effondre. Elle comprend que quelque chose de terrible vient de se produire, elle le presse de questions. *Je suis désolé, je suis désolé.* Les faits… Elle ne dit pas un mot, comme si la brutalité de la nouvelle avait anéanti la puissance du langage : ne plus parler, c'était renoncer aux pièges de la corruption des larmes. Marion s'habille à la hâte, retourne dans sa chambre où elle choisit des vêtements sombres : une jupe longue, une chemise noire, et elle descend, le visage fermé. Le hall du Centre des affaires est bondé. Plusieurs responsables – agents de sécurité, représentants de la police et des services de renseignement – s'avancent vers elle. Romain reste derrière, à quelques mètres, il n'entend pas ce qu'on lui dit mais il la voit s'effondrer. Elle est là, de dos, elle se voûte, ses bras restent fixes. La femme avec laquelle il a fait l'amour n'est plus qu'une petite poupée de chiffon qu'il voit s'éloigner sans pouvoir rien faire pour la retenir et la consoler.

16

Osman réapparaît une heure plus tard, accompagné d'un Irakien âgé d'une soixantaine d'années. Il est tremblant et essoufflé. Les services de santé présents sur place lui administrent un calmant puis il est emmené au poste de police où il raconte ce qui s'est passé. Il avait pris la décision de quitter la foire plus tôt, il se sentait mal, il avait appelé son agent de sécurité, Romain Roller, afin qu'il vienne le chercher et l'escorte jusqu'au Centre des affaires où il logeait. Au moment de partir, François Vély et le journaliste Louis Vanier lui avaient demandé s'ils pouvaient rentrer avec lui et Osman avait accepté – quelles raisons aurait-il pu leur opposer ? Roller était en retard, Osman avait alors proposé à Xavier Carel de le remplacer. Il était assis à l'avant, près de Xavier. Vély et Vanier à l'arrière. Ils avaient parcouru environ un kilomètre sans encombres quand leur véhicule avait été immobilisé. Une camionnette avait surgi sur la route, leur barrant l'accès. Xavier avait été très réactif, il avait hurlé : « Faut bouger ! » Cinq hommes encagoulés étaient sortis de la camionnette et s'étaient dirigés vers leur véhicule. Aussitôt, Osman avait ouvert sa portière, bondi à l'extérieur et couru en sens inverse sans se retourner. Il avait entendu le bruit d'une fusillade, des cris, puis plus rien. La capture n'avait duré que quelques secondes. Les témoins qui avaient assisté à la scène n'avaient rien signalé, la peur des représailles, peut-être, ou des liens qu'ils n'avouèrent pas avec les preneurs d'otages. La police irakienne était à leurs trousses, mais sans informations précises, ne savait pas où les otages avaient pu être emmenés.

Osman demanda à parler à ses parents et à sa femme pour les rassurer. Il racontait encore et encore le déroulement exact des faits, ne cessant de répéter qu'il avait eu de la chance, il s'en était fallu de quelques secondes, son angoisse lui avait sauvé la vie, il était si anxieux pendant le trajet que son corps l'avait comme propulsé quand il avait vu les hommes armés courir dans leur direction.

Les autorités françaises et américaines – François étant franco-américain – furent aussitôt prévenues. La première hypothèse – l'enlèvement à visée économique – était la plus rassurante a priori pour les familles même si, dès l'annonce, les services américains rappelèrent aux services français que les États-Unis refusaient de céder au chantage et ne payaient jamais la rançon. C'était un choix souvent contesté, qui mettait en danger les otages, réduisait leurs chances de survie, mais les responsables américains arguaient qu'en donnant de l'argent aux ravisseurs, ils encourageaient les prises d'otages de leurs ressortissants et finançaient indirectement le terrorisme. Cette argumentation sensée mais froide laissait les familles dans le désarroi le plus total. Aussitôt prévenue, la famille de François avait d'ailleurs indiqué aux autorités qu'elle payerait ce que les ravisseurs demandaient pourvu que François fût libéré sain et sauf. L'enlèvement d'hommes d'affaires et de journalistes pouvait aussi être un message de mise en garde pour dissuader les industriels étrangers de s'implanter en Irak. Dans le dernier cas, le pire celui-là, François Vély et Louis Vanier auraient été kidnappés par un groupe terroriste.

17

Les visages des otages sont cagoulés ; leurs corps, entravés avec des cordelettes épaisses et abrasives. Chaque mouvement égratigne leur peau. Du scotch recouvre leurs bouches. Leurs portables et leurs portefeuilles leur ont été confisqués. Deux des preneurs d'otages s'adressent à eux dans un anglais approximatif. Ils leur ordonnent à plusieurs reprises de s'allonger et de ne pas crier. Si l'un d'entre eux se relève ou essaye d'attirer l'attention d'un policier à un checkpoint, il sera tué sur-le-champ. Le tissu noir en lycra qui dissimule les visages des otages empeste la sueur. Une odeur fétide flotte dans l'atmosphère. Louis Vanier gémit, il souhaite dire quelque chose mais le scotch l'empêche de parler, il étouffe, il a des haut-le-cœur, il va mourir si les ravisseurs ne retirent pas la bande adhésive qui obstrue sa bouche. L'un des hommes arrache le scotch et, aussitôt, Vanier se met à vomir. Les ravisseurs l'injurient, le frappent à la tête. Vély reste prostré, respirant bruyamment, craignant de subir le même sort. Il a vu la sauvagerie avec laquelle les ravisseurs ont achevé Xavier Carel quand il a tenté de s'opposer à eux.

Le voyage dure une éternité, une heure, peut-être deux. Vanier est recroquevillé à l'arrière. François ne bouge pas, le corps noyé de sueur, cabré par la peur, essayant d'obtenir des éléments sur les preneurs d'otages. L'un d'entre eux retire sa cagoule. Il est brun, a les cheveux coupés très court, une barbe noire et un grain de beauté au milieu du front.

On entend un crissement de pneus, des aboiements. Vanier se réveille. Les hommes les poussent hors du véhicule dans un poudroiement de sable. Ils font quelques pas et pénètrent dans un bâtiment humide. Dans l'entrée, on retire leurs cagoules et leurs liens. La lumière les aveugle mais ils aperçoivent distinctement les kidnappeurs qui leur ordonnent de se déshabiller et de donner tous leurs effets personnels. Ils leur tendent une combinaison orange, semblable à celle que portent les détenus à Guantanamo. Puis François et Vanier sont menottés. Avec l'aide d'un complice, l'homme qui a retiré sa cagoule les dirige vers une cave et les projette contre le sol avant de leur attacher une sangle autour des chevilles, qu'il fixe à un étau planté dans le mur, de manière qu'ils ne puissent pas bouger. Les murs exhalent l'odeur des échaudoirs, relents de sang et de viande fraîche, de carcasses d'animaux au sortir de l'équarrissage. Vanier et Vély sont assis par terre sur le carrelage humide et crasseux, pieds nus. Plus tard, épuisés, ils s'endormiront à même le sol.

18

En fin d'après-midi, Osman et les autorités franco-américaines et irakiennes apprennent que François Vély et Louis Vanier ont été pris en otage par l'État islamique d'Irak. Trois ans plus tôt, en 2006, Al-Qaïda en Irak avait été absorbée par l'État islamique, le chef de l'organisation créée par Oussama ben Laden ayant prêté allégeance à l'émir de l'EI. Les ravisseurs réclament le paiement d'une rançon de quinze millions de dollars et la libération de six hommes détenus dans l'une des prisons américaines en Irak dont ils donnent précisément l'identité.

Le jour même, la délégation de chefs d'entreprise est rapatriée en France en urgence, Osman à sa tête. Avant de partir, il conseille à Romain de le rejoindre au plus vite, puis il se rend auprès de Marion et lui assure qu'il fera tout, depuis Paris, pour faire libérer son mari.

Dans l'avion du retour, Osman ne dissimule pas son soulagement, et, devant tous ceux qui vantent son incroyable courage, il évoque la chance. À son arrivée à Paris, il est accueilli par Sonia et le ministre des Affaires étrangères. Ses parents avaient manifesté le souhait de venir mais il leur avait assuré qu'ils ne devaient pas « se déranger » – façon polie de ne pas les mettre en pleine lumière. De l'aéroport, ils sont conduits à l'Élysée. Là, dans son bureau, le Président redit à Osman sa confiance et son admiration.

19

Le renouvellement de la peur, droit vers l'épreuve, va-et-vient des questions qui tournent en circuit fermé – définir les responsabilités. C'était le premier reproche que la mère de François avait adressé à Marion : *qu'êtes-vous allés faire en Irak ? Pourquoi avez-vous pris le risque « insensé » de vous trouver dans une zone aussi hostile, en particulier François, qui est franco-américain ?* Marion ne sait pas quoi répondre pour se défendre, elle dit que c'était une idée de François, elle n'a fait que le suivre et, au bout du fil, elle s'effondre en larmes. Pas le moment de pleurer, il faut agir. La mère de François est aux États-Unis, c'est elle qui annonce la nouvelle à Thibault. Quand il apprend que son père a été capturé, Thibault reste impassible, il est convaincu qu'« avec l'aide de Dieu, son père sera libéré, sain et sauf ». Puis il récite des psaumes. Les filles de François sont à Paris avec la gouvernante. Marion ne veut pas le leur annoncer par téléphone, ce serait trop violent, et c'est Paul Vély qui se rend chez François, convoque les filles dans le salon familial, et leur raconte ce qui s'est passé. Domitille et Alicia se mettent à pleurer, à questionner : *que va-t-il se passer maintenant ?* Elles veulent partir en Irak pour retrouver leur père mais

Paul leur dit qu'elles doivent rester en France, l'Irak est trop dangereux, il va s'installer avec elles le temps que son fils soit libéré, et c'est ce qu'il fait le soir même. Au téléphone, Paul Vély emprunte un ton détaché pour masquer sa douleur à son ex-femme, qui, elle, ne contient pas son désespoir. Ce qu'elle ne dit pas à Paul Vély, c'est qu'elle s'est disputée avec leur fils lors de son dernier séjour aux États-Unis, elle se sent coupable à présent, elle est dévastée. Le jour même, elle prend un vol pour la France avec Thibault.

20

L'abâtardissement. La déréliction. L'anéantissement. François est seul désormais, dans cette cave humide, sans liens avec l'extérieur, sans repères spatio-temporels – au milieu de la nuit, Louis Vanier a été évacué. La cellule ne doit pas mesurer plus de trois mètres carrés. François se prépare mentalement et, quand ses geôliers entrent pour le questionner, vers quatre heures du matin, il se répète les mots de son père : *ce que tu n'as pas dit t'appartient. Ce que tu as dit appartient à ton ennemi*. Il répond par oui ou non aux questions qu'ils lui posent en anglais : est-ce qu'il est venu en Irak pour affaires ? A-t-il des contacts sur place ? Connaît-il des Irakiens ? Il n'a pas bu ni mangé depuis plusieurs heures. Il est las, faible, fatigué. Pourtant, il résiste. Il n'a pas le droit de mourir. Ses enfants n'ont plus de mère, il imagine ce qu'ils deviendraient s'il était assassiné et le dit à son geôlier.

Je ne peux pas mourir.

Croit-il l'émouvoir ? L'homme se met à rire et le frappe au visage. François s'effondre. Quand il rouvre les yeux, il sent les tuméfactions de sa peau, la douleur est violente. Il essaye de s'allonger en protégeant ses plaies de ses mains. Comment en est-il arrivé là ? Il revoit en accéléré le film de son histoire. Pour passer le temps, il crée mentalement un univers parallèle, un dictionnaire de la survie composé de mots qu'il aime, de situations heureuses et d'œuvres d'art qui l'ont marqué.

Chaque jour, son corps, son dos en particulier, est tanné comme une peau de bœuf. Un animal, voilà ce qu'ils voudraient faire de lui. Il se souvient alors de la seule et unique anecdote que lui avait racontée son père à propos de son expérience concentrationnaire. À Buchenwald, la chose la plus importante à ses yeux était une cuillère. « Sans cuillère, j'aurais dû laper le bouillon qu'on nous servait. Sans cuillère, je perdais mon humanité pour devenir un animal. La cuillère me permettait de conserver mon statut d'humain. »

21

Les services de renseignements français, en partenariat avec l'ambassade américaine à Bagdad, tentent de négocier avec les ravisseurs. Mais les six hommes dont ils réclament la libération en échange des otages français ont été impliqués dans des actions terroristes contre des intérêts américains en 2003. Trois soldats américains avaient été tués dans l'attaque d'un convoi et quatre autres grièvement blessés lors d'une embuscade tendue à un checkpoint de Bagdad. Les familles des victimes avaient exigé du gouvernement américain qu'il ne relâche pas les auteurs des actes criminels et lancé une pétition en ce sens aux États-Unis.

Marion est auprès des services de sécurité, attendant un signe positif. Dans une vidéo postée sur Internet, les preneurs d'otages ont enregistré un message en arabe. Ils paraissent agressifs et déterminés, ce ne sont pas des novices, ils maîtrisent les codes médiatiques et s'expriment clairement, sans manifester la moindre émotion. Ils sont tous là, attendant la traduction : que disent-ils ? Quelles sont leurs revendications ? « Ils affirment qu'ils ont entre les mains un journaliste français, Louis Vanier et... » Pourquoi le traducteur se tait-il tout à coup, lançant un regard éperdu vers l'un des responsables des services de renseignement qui hoche la tête pour l'inciter à poursuivre, « Traduisez s'il vous plaît » ? « Ils disent : "Nous avons le juif Lévy." »

22

François ne bouge pas, stoïque, n'implorant personne, ne proposant rien. Il est assis par terre, les mains et les pieds entravés. Dans la cellule voisine, il entend un homme pleurer et supplier en arabe ses ravisseurs de le laisser sortir. Il ne sait pas ce qu'est devenu Vanier. Il ne parle pas, ferme les yeux et tente de s'imaginer devant l'océan, à Southampton, de capter les cris des oiseaux, les rires des enfants. Il se raccroche aux souvenirs de cette journée comme si toute sa vie était cristallisée dans ce lieu qui évoquait son enfance, ce moment le sauverait peut-être de la folie. Il revoit tous les événements qui ont ponctué son existence avec un filtre nouveau, débarrassé des éclats de la vanité, du désir, de l'orgueil. Mais chaque jour, il doit aussi trouver en lui la force de ne pas sombrer. Il s'oblige à faire quelques exercices et s'est fabriqué une petite balle avec une chaussette qu'il a trouvée et roulée en boule.

Quand ses geôliers viennent l'interroger sur les raisons de sa venue en Irak, il répète ce qu'il a déjà dit cent fois : « Je suis chef d'entreprise, je souhaitais participer à la foire de Bagdad. »

Tu es juif.

Les ravisseurs pouvaient se baser sur les derniers portraits de François qui avaient été diffusés sur Internet. Désormais, quand on tapait son nom sur Google, l'adjectif « juif » apparaissait aussitôt. Le portrait dans le supplément d'un magazine et la défense d'Osman Diboula avaient identifié François comme juif dans une région où l'antisémitisme était une donnée invariable, où être juif vous plaçait en danger de mort. Il n'y avait plus de juifs en Irak alors que cette terre avait été un foyer important du judaïsme. François ne savait pas qu'avec la collaboration du Quai d'Orsay, son père avait tenté de faire retirer d'Internet le maximum de mentions et informations relatives à leurs origines juives. Tous les amis de François avaient été contactés. Le journal qui avait publié le portrait compromettant ainsi que les photos avait accepté de les enlever. Mais il restait quelques liens auxquels les ravisseurs avaient rapidement eu accès.

Tu es un pornographe venu pervertir l'Irak. Un dégénéré.

Ils lui montrent des copies d'articles de presse relatifs au scandale provoqué par la photo prise sur la chaise de Melgaard. Puis ils brandissent son téléphone portable et font défiler les images, des dizaines de clichés pris dans le quartier juif de Brooklyn. Ils lui montrent une photo en particulier : on y voit François et Thibault dans le restaurant chinois à New York. Au fond, accrochés au mur, on discernait distinctement des drapeaux d'Israël.

Tu es un espion missionné par le Mossad. Un esclavagiste sioniste.

Ils le frappent à coups de barres de fer.

23

Osman est heureux d'avoir échappé au pire, heureux d'être vivant. Il passe désormais ses journées à donner son avis dans les médias, organise un grand mouvement de soutien composé d'artistes d'horizons divers en vue d'obtenir la libération de François Vély. Il n'a jamais été aussi accaparé par ses fonctions qu'à cette période, répondant à toutes les invitations des journalistes. De grands articles lui sont consacrés dans la presse française et internationale. Il les apporte à ses parents. Chaque jour, ils découpent les articles qui concourent à la gloire de leur fils. Ils ont même encadré et accroché l'un d'eux sur le mur du salon. On y voit Osman en costume, beau et élégant, la photo est en couleurs et porte ce titre : « Héros national ». Cette exposition médiatique, cette consécration soudaine, la valorisation de cet héroïsme dont il ne s'imaginait pas capable, Osman ne s'y attendait pas. Il s'absente de plus en plus ; Sonia a beau lui répéter qu'elle a besoin de lui, l'implorer de rester près d'elle, il est happé par cette nouvelle configuration. Elle reste seule, attendant sa délivrance, guettant un mot, un geste de lui, dans un état de dépendance affective tel qu'elle n'en avait jamais connu, l'éloignement soudain suscitant le manque et l'amour. Elle savait pourtant qu'une femme qui aime un homme de pouvoir sera tôt ou tard sacrifiée à ses ambitions, mais des deux, elle avait longtemps été la plus exposée (elle n'osait pas dire « la plus prometteuse »).

Ce soir-là, Osman était rentré particulièrement soucieux, les ravisseurs menaçaient d'exécuter les otages si leurs demandes n'étaient pas acceptées, il n'avait pas supporté les reproches de Sonia, toujours les mêmes : *tu ne t'occupes plus de moi, tu t'es totalement désinvesti de notre relation, tu n'es jamais là, on ne partage plus rien, j'en ai assez*. Il avait mal à la tête, il se sentait écrasé par les responsabilités. Son téléphone sonna, il répondit. Il devait se rendre à Matignon. « Tout de suite ? Je viens d'arriver chez moi. » Oui, tout de suite.

« Je dois repartir, Sonia, je suis désolé. »

Elle se raidit, serrant son ventre entre ses mains.

« Je n'ai été que l'instrument de ta conquête. »

Non. Il l'avait aimée, mais il n'avait plus de temps pour elle. « Je voudrais être avec toi, crois-moi, mais le travail m'accapare totalement. » Sonia le regarda fixement : « La première manifestation du pouvoir, c'est le désintérêt pour tout ce qui n'en relève pas. » Que pouvait-il répliquer ? C'était vrai. Au pouvoir, on appliquait l'art de la guerre comme partout. On sortait les armes pour conquérir puis conserver sa place. On abandonnait ses amours. On trahissait, on blessait. On tuait aussi. Nos vies étaient des meurtres.

24

Au bout de deux semaines, Marion était rentrée à Paris, convaincue qu'elle serait plus utile en France où elle était libre d'aller et venir qu'en Irak où elle vivait claquemurée, attendant désespérément des nouvelles.

De Paris, la famille et Étienne Léger se mobilisent. De New York, Daniel Dean et sa femme, soutenus par de nombreux amis américains, alertent l'opinion publique. Cinq cent mille tracts sont distribués dans les rues de Bagdad pour demander à la population de témoigner :

Un père de famille du nom de François Vély est séquestré quelque part. Ses parents, son épouse et ses enfants attendent désespérément son retour. Aidez-les à le retrouver ! lit-on sur le document.

La mère de François prend aussi l'initiative d'enregistrer un message sur une vidéo dans laquelle elle s'adresse aux ravisseurs : « Ayez pitié de mon fils ! s'écrie-t-elle d'une voix étranglée par les larmes. Ce n'est qu'un homme qui voulait aider à reconstruire l'Irak. Je vous en prie, ne lui faites pas de mal. Je vous en supplie ! »

Dans l'après-midi, Paul Vély réunit sa famille chez lui : « Quelle ironie du sort ! On lui rappelle sa judéité en Irak ! Où il ne reste pas plus de cinq juifs trop âgés pour fuir et qui ne sortent pas de chez eux par crainte d'être enlevés ou exécutés ! — Mais ça n'a pas toujours été le cas, reprend Thibault. Il y avait une très grande communauté juive en Irak, le Talmud de Babylone a été écrit là-bas. Vous imaginez ? L'un des textes les plus importants de la tradition juive ! » Paul Vély s'assoit, sa famille rassemblée autour de lui : « Au moment de la Première Guerre mondiale, les juifs représentaient un tiers de la population de Bagdad, mais ils ont été décimés par les pogroms et les mesures antijuives comme l'expropriation ou le gel de leurs comptes bancaires. Ils avaient des cartes d'identité particulières, jaunes comme l'étoile. Qui se souvient qu'en 1968 les juifs étaient plus que jamais persécutés en Irak ? Dix-huit juifs accusés de complot sioniste avaient été pendus en place publique. Des milliers d'hommes, de femmes et d'enfants avaient chanté et dansé deux jours durant sous leurs cadavres aux cris de “Mort à Israël !”. »

La mère de François est en larmes. Quelle pourrait être la chance pour son fils de s'en sortir ? Elle veut tout tenter pour le faire libérer. « Tout. » C'est alors qu'elle se tourne vers Marion et lui dit qu'il faudrait que l'opinion se soulève. Qu'il y ait une vraie mobilisation. « Tu devrais évoquer publiquement ton soutien à ton mari. Ton amour. » Seul Paul Vély savait qu'il y avait des tensions entre François et Marion et que le couple était sur le point de se séparer. La mère de François insiste : Non seulement Marion devait faire une déclaration d'amour publique mais aussi dire qu'elle était enceinte de lui, les ravisseurs pourraient être attendris, qui sait ? Mais son idée est aussitôt repoussée par Paul Vély : « Ils seraient capables d'exiger des preuves. » Marion accepte d'enregistrer cette vidéo. Le texte a été rédigé par la famille de François en coopération avec les services de renseignement. Face caméra, elle supplie les ravisseurs de relâcher son mari, sain et sauf.

J'aime mon mari, je vous en prie, ne lui faites pas de mal.

25

François tentait de faire le décompte des jours de captivité. Cela faisait environ soixante jours qu'il était enfermé. Il imaginait que la vie avait repris pour les siens, à New York et à Paris. Il n'avait reçu aucune nouvelle. À plusieurs reprises, il avait demandé aux ravisseurs un mot, un entretien téléphonique avec ses enfants – en vain. Il avait écrit deux courtes lettres qu'il avait remises à ses ravisseurs sans savoir si elles avaient été transmises à sa famille. Il pensait de plus en plus à la possibilité de s'échapper, il avait entendu qu'il allait être emmené dans un autre lieu. Il se demanda s'il serait capable de tuer un homme de ses mains.

Dans l'après-midi, un homme entra dans la cellule de François, il lui demanda de lire à haute voix un texte qu'il devrait répéter face caméra : « Je m'appelle François Lévy, je suis franco-américain, je suis chef d'entreprise. Aidez-moi, je vous en supplie. Je vais très mal physiquement et psychologiquement. C'est urgent ! Aidez-moi ! » Un autre homme fit irruption, un jerricane de couleur verte à la main. Il s'avança vers François, ouvrit le jerricane et, d'un geste assuré, en aspergea sa combinaison. « Qu'est-ce que vous faites ? hurla François. Vous allez me brûler vif, c'est ça ? Je vous en supplie, ne faites pas ça ! » L'homme qui tenait le jerricane sourit sans répondre. Puis il quitta la pièce, suivi par le premier homme qui riait.

26

Le prénom de cette fille, Osman est incapable de s'en souvenir, c'est pourtant la troisième fois qu'il la voit, il n'ose plus le lui demander. Blonde, un mètre soixante-cinq, un corps tonique, des seins opulents, elle est essuyeuse, elle fait partie des petites mains de l'Élysée, c'est elle qui essuie les assiettes dans les cuisines – vaisselle de Sèvres, estampillée, datée, elle pourrait parler pendant des heures du service aux oiseaux créé en 1858, du soin qu'elle apporte à chaque plat ; la vaisselle, elle la caresse – il l'a connue quelques jours plus tôt à l'occasion d'une visite des cuisines, une fille un peu extravertie qui détonnait dans ce milieu froid. Il lui avait proposé de lui montrer son bureau au Quai d'Orsay et elle avait accepté, les choses pouvaient être faciles et évidentes, il avait aimé la spontanéité avec laquelle elle lui avait fait l'amour ; depuis qu'elle était enceinte, Sonia ne voulait plus qu'il la touche. Dans son bureau, la fille paraît inquiète, s'approche de lui pour l'embrasser, colle son visage contre le sien dans un geste affectueux et il la repousse : « Je suis désolé, j'ai du travail. » Elle se ferme, il voit bien qu'elle est contrariée, elle veut autre chose, qu'il la prenne dans ses bras, peut-être – étreinte factice – ou qu'il lui dise *Je suis en train de tomber amoureux*, mais il est quatre heures du matin, certains conseillers du Président sont déjà là à cause de la nouvelle qui vient de tomber pendant la nuit : les ravisseurs ont menacé d'exécuter les otages si leurs revendications n'étaient pas respectées. Il se rhabille, il est en retard, il doit y aller et elle insiste, elle veut le revoir. Il esquive, il n'a pas son agenda, il l'appellera et elle prend une mine affligée, elle reste plantée devant lui alors qu'il voudrait qu'elle parte. Il lui demande ce qu'elle a avec une lassitude qu'il ne cherche même pas à masquer. « Tu dis tout le temps que tu vas me rappeler et c'est toujours moi qui finis par le faire. — Je te promets de te rappeler demain matin. » Il espère que cette promesse va la calmer, mais non. « Tu couches avec moi dès que tu as cinq minutes, et après ? » Ce reproche l'amuse. Elle veut quoi ? Qu'il l'épouse ? « Non, je ne suis pas sûre de le vouloir, mais tu pourrais au moins ne pas m'humilier de la sorte. » Elle a dit ça sans animosité, sur le ton de la femme blessée qui réclame des comptes. Il se lève brusquement : « Tu te sens humiliée parce que je t'ai demandé de me laisser travailler ? Je viens de te dire que la situation est critique pour les otages en Irak. — Tu me réponds une fois sur deux, je ne suis bonne qu'à faire l'amour dans ton bureau, oui, c'est une situation humiliante. » Et elle se met à pleurer. Elle *pleure* alors qu'il a tellement de *travail*, de *responsabilités*. La tension. Il la sent monter, ça vient, impossible à tempérer. « Tu te sens humiliée parce que je te demande de partir ? L'humiliation, c'est quand on te demande où sont les toilettes dans une soirée privée, à toi et pas à un autre. Quand à la sortie d'un restaurant, un client, comme toi, te tend les clés de son véhicule parce qu'il t'a pris pour le voiturier. L'humiliation, c'est quand on te dit au téléphone qu'un appartement est libre et qu'on t'annonce qu'il est finalement occupé le jour où tu t'es déplacé pour le visiter. » Elle sanglote de plus en plus fort. Il s'approche d'elle, la prend contre lui : « Je suis désolé, je me suis emporté. La situation est en train de dégénérer en Irak. Je ne sais pas ce qui m'a pris. La pression est terrible. Pardonne-moi. » Elle se colle à lui, lui murmure à l'oreille qu'elle l'aime et lui demande s'il l'aime aussi, il répond « Bien sûr » en pensant qu'un homme est vraiment prêt à dire n'importe quoi à une femme pour coucher avec elle, et bravo, ça marche. Une fois qu'ils ont fait l'amour, il se rhabille puis lâche sèchement, en saisissant son portable : « Désolé, il faut que je *check* mes mails. »

27

Les avions Rafale fendent le ciel floconneux, grisé, mais c'est sur l'écran de son téléviseur que Romain observe leur trajectoire, traditionnelle mise en scène des festivités du 14-Juillet. Il est assis entre son fils et sa mère sur le canapé, un plateau-repas posé sur les genoux : sandwichs, chips, coca qu'il a achetés chez l'épicier du coin. Il est rentré en France un jour après Marion afin de rester auprès de la famille de Xavier. Son monde se limite désormais à quelques centaines de mètres autour de l'immeuble que sa mère occupe en banlieue parisienne. En voyant les Alpha Jets de la Patrouille de France vriller l'espace et lâcher leurs fumées bleues, blanches, rouges, Tommy applaudit. Le cérémonial, le rituel républicain, la Nation en armes qui défile, bombe le torse – la grande puissance militaire, quatre mille soldats avançant au pas, à une cadence métronomique, dans un Paris noyé sous une pluie drue. Les élèves des écoles Polytechnique et Saint-Cyr en uniformes, gonflés d'orgueil. Avant de sortir de chez eux, les parents avaient pris des photos pour immortaliser la scène, ils les accrocheraient sur les murs du salon ou les diffuseraient sur Facebook – fierté de ceux qui ont produit l'élite de la France. Romain imagine ce qu'ont vécu les soldats qui apparaissent sur l'écran de son téléviseur, les missions qu'ils ont effectuées et les cauchemars qu'ils font la nuit quand ils se retrouvent seuls à dérouler le film de leurs tragédies. Est-ce qu'il leur arrive d'avoir peur, comme lui ? La mère propose d'emmener Tommy au parc, Romain préfère rester pour voir le défilé. Au moment de partir, sa mère s'approche de lui : « Tu ne vas pas boire, promets-le moi. — Je vais voir le défilé, d'accord ? Maintenant, laisse-moi ! » Il dit ça un peu brusquement, et elle s'en va. Il est sobre depuis le jour où il a revu Marion, mais elle le surveille, et cette perte soudaine d'autonomie est une source de tension constante entre eux.

L'ordre. La discipline. La maîtrise. Le poids de la fonction. Le prestige de l'uniforme. Matez les médailles, ça claque. La Nation héroïque. La démocratie souveraine. Soudain, Romain aperçoit son bataillon, celui des chasseurs alpins, puis la silhouette du Président de la République. Le défilé touche à sa fin, il pleut. Le Président salue et réconforte les grands blessés de guerre. La caméra tourne toujours. Les blessés l'attendent sous la pluie, engoncés dans leurs uniformes, assis sur leurs chaises roulantes. Certains ne peuvent même pas essuyer les gouttes qui glissent sur leurs visages – corps fondus dans le plomb. Combien de temps sont-ils restés à attendre que le Président vienne vers eux ? Il s'approche, leur demande ce qui leur est arrivé : *j'ai sauté sur une mine en Afghanistan, monsieur le Président ; j'ai eu un accident de voiture en Côte d'Ivoire, mon Président ; je me suis retrouvé sous les feux ennemis en plein Kaboul*. Le dernier blessé est Farid. Le Président lui tend machinalement la main, et, comprenant qu'il ne peut pas bouger la sienne, la pose sur son bras. « J'admire votre courage, ce que vous avez fait pour la Nation, dit-il. Si vous avez besoin de quelque chose, demandez-le-moi. » Puis le Président disparaît de l'axe de la caméra.

Ce qui se déroule après, Romain n'en gardera aucun souvenir. Sa mère le lui racontera : quand elle était rentrée avec Tommy, elle l'avait retrouvé prostré sur la moquette du salon, ivre et inconscient, la télécommande à la main. Sur l'écran, une image fixe : celle de Farid en uniforme, la main du Président sur son épaule.

28

La garden-party du 14 juillet qui avait lieu habituellement dans les jardins de l'Élysée, à l'issue du défilé militaire, cet événement mondain et prisé – plus de mille personnes triées sur le volet – avait été annulée pour cause de restriction budgétaire. En temps de crise, le gouvernement souhaitait donner une image de retenue et d'austérité. En privé, les principaux collaborateurs ne cachaient pas leur déception. Cette année-là, un déjeuner à l'Élysée en présence de quelques officiels et de nombreux anonymes issus des sociétés militaires et civiles était toutefois organisé après le défilé. Des centaines de postulants, quelques élus. En être ou ne pas en être, telle était la question qui avait occupé les esprits, chaque collaborateur guettant le message qui lui garantirait une invitation. Wojakowski n'avait pas été convié, ce qu'il avait interprété comme un signe de disgrâce. Il avait dit à Osman avec une pointe de dépit dans la voix qu'il n'appartenait plus qu'au troisième cercle alors que lui avait réussi à rejoindre le premier. Osman annonçait partout qu'il avait été invité par le Président lui-même, il y avait quelque chose de jouissif dans cette promiscuité soudaine, une sensation d'élection. Croisant un des conseillers qu'il détestait, il n'avait pu s'empêcher de lui demander s'il serait là. « Les invitations ont été très restreintes. » Osman se vanta de faire partie des élus. « Toi, c'est un peu normal, l'Afrique est à l'honneur cette année. » Osman s'était éloigné sans un mot. Au Quai d'Orsay, Osman est persuadé qu'il n'est pas aimé. Il le sent, le sait, l'expérimente chaque jour au cours de réunions, sa légitimité est sans cesse compromise. On lui reproche d'affirmer partout qu'il est un vrai républicain et, dans le même temps, d'évoquer sa différence – « Être un représentant de la diversité te protège, tu l'as bien compris, tu en joues, tu n'as jamais été un conseiller technique, seulement politique, tu accompagnais le Président, on te mettait en avant, c'était une opération de communication, et aujourd'hui pour quelle raison crois-tu que le secrétariat d'État au Commerce extérieur t'a été attribué ? » Les discussions avec d'autres membres du gouvernement s'achevaient toujours sur ce constat : *tu n'es pas à ta place*. Mais tout le monde cherchait un moyen de la conquérir, cette place. Il n'y avait pas un jour où il ne recevait un appel ou des lettres émanant de responsables d'associations qu'il avait connus à Clichy lui demandant un service, un poste, une entrevue avec le Président ; il se souvenait d'un déjeuner à l'Élysée avec deux représentants d'associations antiracistes d'une extrême agressivité dans le débat public, revendicateurs et critiques à l'égard du pouvoir en place qui, une fois installés au côté du Président, après deux verres d'un grand bordeaux, vantaient l'action gouvernementale et trinquaient avec ceux qu'ils dénigraient cinq minutes avant. Qui étaient-ils pour lui donner des leçons ? Il y avait tous ces types qui tentaient de s'approcher du pouvoir avec des moyens dérisoires – harcèlement, flagornerie, basses combines – c'était pathétique, et puis tous les autres, les fils de famille, des Blancs pour la plupart, qui n'avaient qu'une représentation tronquée des réalités sociales, qui avaient grandi dans des provinces bourgeoises ou dans les beaux quartiers parisiens et qui ne cherchaient même pas à masquer leur dédain pour tous ces hommes et ces femmes qui n'avaient pas eu les mêmes chances et les concurrençaient maintenant sur leur propre terrain. Il tenait parce qu'il avait le soutien de l'opinion publique, et donc du Président.

Ce jour-là, le 14 juillet, Sonia avait décidé d'accompagner Osman et de montrer qu'elle allait bien, qu'elle était solide, prête à retrouver son poste dès qu'elle aurait accouché. La féminité conquérante. La force tranquille. Elle s'était levée à sept heures du matin pour se faire maquiller et coiffer chez l'un des coiffeurs rue du Faubourg-Saint-Honoré et elle était apparue superbe, et un peu sophistiquée, sur le perron de l'Élysée. On aurait dit une actrice foulant un tapis rouge, elle jouait son va-tout, la presse serait là, elle avait choisi une robe vermillon, elle voulait qu'on la remarque. Quand elle avait fait irruption au bras d'Osman, un proche du Président les avait accueillis sur ces mots, murmurés à l'oreille : « Voilà le plus beau couple du Palais. » Sourires devant la presse, un geste de tendresse esquissé devant les objectifs, mais pendant le déjeuner Osman n'adressa pas la parole à Sonia, il l'évita, même. Elle le regardait évoluer dans la sphère du Président, attiré par la lumière, vassalisé, au centre de toutes les discussions : à chaque sortie, il répétait inlassablement le récit de sa fuite en Irak, enjolivant sa version. Quant à Sonia, on la complimenta à plusieurs reprises sur sa silhouette à peine arrondie. On lui posa des questions sur le futur bébé (*c'est une fille ou un garçon ? Vous allez reprendre le travail tout de suite ? Vous l'avez inscrit à la crèche de l'Élysée ?*). Ce fut tout. Ses retrouvailles avec le Président avaient été un échec.

Sonia n'a pas retrouvé sa place quand Osman a démontré sa force nouvelle, son influence, et, pour une femme comme elle, aroutinée au pouvoir et au langage des élites, c'est une défaite. Ils le savent, un climat de compétition s'instaure entre eux, une rivalité qu'ils croyaient inexistante. Sonia reproche à Osman de ne pas lui avoir accordé assez d'attention – récrimination insupportable.

« Qu'est-ce que tu voudrais, Sonia ? Que je te roule une pelle à un déjeuner officiel ?

— Je te demande seulement d'être un peu plus prévenant quand nous sommes ensemble à l'Élysée.

— C'est compliqué d'être un couple au pouvoir.

— Qu'est-ce que tu insinues ?

— Tu veux la vérité ? Je pense qu'on ne peut pas occuper tous les deux des postes au plus haut niveau de l'État.

— Comment oses-tu dire ça ? Alors même que je suis de nous deux la plus légitime ! »

Il ne réplique rien. Il ne tient pas à entendre pour la énième fois son discours sur la suprématie intellectuelle des normaliens et des énarques.

« Tu as tellement changé, Osman. J'aimais ta simplicité, ton sens de la dignité, ton refus des compromissions, j'aimais ton indifférence aux honneurs, ta façon de juger les hommes sans indicateur social. Et puis, au pouvoir, je t'ai vu peu à peu te départir de ta confiance, de ta force, ta modestie aussi… Tu es devenu quelqu'un d'autre.

— Tu le sais mieux que moi, il faut une certaine plasticité pour s'adapter à l'exercice du pouvoir. Il faut être capable de supporter cette pression, on mute par réaction… On est dans l'action en permanence, on n'a plus le temps de réfléchir, plus le temps pour soi ni pour ce qui n'est pas lié à notre fonction. Et puis il y a cette tension continue, la peur de mal faire, la fatigue mentale et physique que tout cela génère.

— Tu n'étais pas obligé de renoncer à tout le reste. Personne n'exigeait de toi cet engagement total.

— Je ne sais pas faire autrement. L'engagement politique fait partie de moi désormais, je devrais peut-être apprendre à le limiter mais je ne sais pas. Je ne pense pas à toi, à moi, à nous, quand je suis dans l'action. Je travaille pour mon pays. J'ai l'impression de participer à la marche du monde, de faire bouger les lignes. Oui, c'est plus grand que tout, je suis désolé. »

29

Chaque semaine, Romain rendait visite à Farid qui venait d'être admis au service rééducation de l'hôpital militaire. En arrivant, il avait vu quatre soldats assis en train de tricoter – exercice d'ergothérapie qui avait un certain succès. Ils riaient. « Je vois que vous êtes prêts à repartir au front ! » Romain entra dans la chambre de Farid. Il regardait une chaîne d'information.

« Le héros du 14 juillet ! Alors ? Tu lui as demandé quoi au Président après le défilé ?

— J'ai attendu trois heures sous la pluie, comme un con, tout ça pour qu'il me paluche l'épaule. On se serait cru à Lourdes, mais le miracle ne s'est pas produit. »

Sur l'écran défilaient des images de François Vély avec ce titre : « 85 jours de captivité ». Romain s'assit sur le rebord du lit.

« C'est horrible, continue Farid. Je vais t'avouer que c'était ma plus grande crainte en Afghanistan, être capturé par les talibans. Finalement, j'ai eu pire… Et toi, que vas-tu faire maintenant ?

— Je ne sais pas. Il faut que je trouve quelque chose, je ne veux pas rester chez ma mère, j'aimerais retourner dans les Alpes. Guide de haute montagne, ça me plairait bien, mais je verrais moins mon fils. Et toi ? »

Farid eut un petit rire ironique.

« La partie est terminée pour moi.

— Ne dis pas ça.

— On en fait quoi d'un type comme moi, handicapé et fragile, dans une société qui prône la force et la performance ?

— La société te doit beaucoup. Tu t'es comporté de manière héroïque.

— L'héroïsme, c'est ce qu'il reste aux soldats quand ils ont tout perdu. Une petite médaille morale, le hochet de la hiérarchie militaire. »

Des larmes roulaient dans les yeux de Farid.

« Donne-moi à boire, s'il te plaît. »

Romain saisit la bouteille d'eau posée sur la table de chevet, y ajouta une paille qu'il glissa entre les lèvres de Farid.

« Le psychiatre m'a parlé des "rencontres militaires blessures et sports"... On est tous ensemble, avec d'autres soldats blessés physiques ou psychologiques. On fait du sport, des activités, on a des soins, des entretiens, tout est fait pour nous, pour qu'on aille mieux.

— Tu as revu le psychiatre ?

— Oui. Tu viendrais avec moi ?

— C'est pas pour des blessés comme moi.

— Si. Il y a un groupe de polytraumatisés. Tu seras accompagné de tes aides-soignants, on ne change rien à tes habitudes.

— C'est ridicule. Qu'est-ce que je ferais là-bas sinon vous regarder vous entraîner et constater que ma vie est terminée ?

— Je veux que tu viennes. Ton nom a été proposé. On pourrait y aller ensemble.

— C'est quand ?

— Dans quelques mois. D'ici là, tu iras mieux. J'en ai parlé à mon psychiatre, ton chef de service est d'accord.

— Je ne sais pas. À quoi bon ?

— Réfléchis. »

On frappa à la porte. C'était l'infirmière qui venait pour effectuer les soins. Romain s'apprêtait à partir quand Farid lui dit que Marion Decker lui avait téléphoné. « Elle va venir me voir demain, à quatorze heures. » Romain se crispa : « Pourquoi tu me dis ça ? — Je ne sais pas. Je pensais que tu voudrais peut-être la revoir. — Non. Je l'ai appelée plusieurs fois à mon retour d'Irak, elle n'a jamais répondu. J'ai tourné la page. »

30

Deux hommes cagoulés entrent dans la cellule de François et le réveillent en le frappant avec le talon de leurs bottes. « Lève-toi », hurlent-ils, et il obéit. Ils ne lui disent pas où ils l'emmènent, le tirent comme un chien. Ils traversent un long couloir sombre et humide d'où s'échappent des râles et des gémissements. François est jeté dans une cour, le soleil l'aveugle, il n'a pas vu la lumière du jour depuis des semaines. On lui demande de s'agenouiller. Un homme lui pose un foulard sur les yeux. François l'entend armer sa kalachnikov. Il perçoit aussi la voix de Louis Vanier qui supplie qu'on le laisse en vie : « Mets-toi à genou ! » s'écrie dans un anglais parfait l'homme qui le pousse vers l'avant. Deux hommes s'approchent d'eux. François et Vanier sentent la pointe de la kalachnikov contre leur tempe. Ils comprennent qu'on va les assassiner. Ils entendent le bruit de l'arme qu'on actionne. François essaye de fixer son attention sur le visage de ses enfants, il veut mourir en pensant à eux, il ferme les yeux, quand soudain le rire des tueurs résonne. Ce genre d'opérations, leurs tortionnaires les recommenceront chaque jour. Ils mimaient des exécutions, les jetaient à tour de rôle dans un coin de terre empuanti, infesté de rats et d'ordures, au milieu des plantes rudérales. Chaque jour, François et Louis faisaient l'apprentissage de la mort. Chaque jour, il fallait résister, tenir, ne pas perdre espoir. Rester en vie.

31

Où l'ont mené la ténacité, la détermination et la soumission, où l'ont mené l'énergie et le calcul politique ? Enfin, ça y est, dans le cénacle, Laurence Corsini vient de l'annoncer à Osman : le conseil d'administration du Siècle l'a coopté. Il est toutefois soumis à une période probatoire d'un an pendant laquelle il assistera aux dîners avant son intégration définitive, façon de prouver sa sociabilité – on y allait pour tisser de nouvelles relations et enrichir ses réseaux, bien sûr, mais aussi pour avoir des échanges intellectuels féconds, il fallait prouver qu'on méritait sa place. « Tu n'as aucun souci à te faire, ils te garderont. » C'était un des éléments qui lui plaisaient le plus au pouvoir : rencontrer, au cours d'une seule journée, des personnes aux parcours éclectiques, d'une redoutable rapidité intellectuelle, des gens qui avaient le souci de l'efficacité, le sens de la temporalité, de la hiérarchie et de la discipline. Vous aviez en permanence le sentiment de vous élever, d'être utile, dans l'action, et donc, dans la vie. Être au Siècle, c'était la certitude de construire de nouveaux réseaux d'influence, de s'assurer des protections. Ce qu'il avait acquis, il souhaitait le conserver et il avait compris que des connexions étaient nécessaires.

Le soir du dîner, il s'était apprêté, c'était un moment important, il l'attendait depuis longtemps, il avait acheté un nouveau costume pour l'occasion chez un couturier de l'avenue Montaigne, « une folie ». Dans la rue, il sentait les regards des femmes sur lui, ça le grisait. Devant l'entrée de l'Automobile Club de France, quelques hommes interpellaient les personnes qui se rendaient à l'intérieur sous le viseur d'une caméra, des chahuteurs d'extrême droite qui dénonçaient dans des messages de propagande cette *France des clans et des nantis*. « Monsieur Diboula, vous allez au Siècle ? » demanda l'un d'entre eux. Osman sourit sans répondre. Son téléphone se mit à vibrer : c'était Issa. Il devait être là, devant lui, au milieu des hommes et femmes qui s'étaient massés devant le club, car il le décrivait : « Tu es beau mon Osman avec ton manteau bleu marine, c'est du cachemire ? Ta maman serait fière. » Osman chercha Issa du regard, en vain. Cela faisait plusieurs semaines qu'il n'avait pas reçu de nouvelles de lui et voilà qu'il ressurgissait. « Tu n'es qu'un pantin, Osman. Tu manges à la table des Blancs puissants mais jusqu'à quand ? » Il éteignit son téléphone.

À l'intérieur, il reconnut deux chefs d'entreprise, un homme et une femme d'une cinquantaine d'années, ainsi qu'un conseiller qu'il détestait, le fils d'un grand industriel français, un type bien astré, cajoleur, la cinquantaine. Il aurait aimé l'éviter mais l'homme lui fit un signe de la main, il n'eut pas d'autre choix que de s'avancer vers eux. Aussitôt le conseiller le présenta : « C'est Oussama, le héros de l'Irak ! — C'est Osman, pas Oussama, corrigea-t-il. Osman Diboula. » Il avait remarqué qu'il était souvent présenté par son seul prénom, ça l'agaçait. Il serra des mains moites.

Il s'éclipsa et rejoignit sa table, à laquelle avaient pris place les convives. « Si on n'est pas invités ce soir, c'est qu'on n'existe pas », avait dit l'homme qui présidait la table, célèbre avocat parisien, et tout le monde avait ri. Chaque convive devait se présenter et dire ce qu'il faisait, il fallait définir rapidement sa position sociale, on était là pour ça, dans deux heures chacun rentrerait chez soi et passerait le reste de la soirée à répondre aux innombrables courriels professionnels qui avaient été envoyés pendant son absence. Ceux qui étaient très connus se contentaient d'un bon mot ou d'évoquer un sujet, Osman fut interpellé sur la situation de François Vély et Louis Vanier. C'était un sujet « préoccupant », les négociateurs successifs avaient tous échoué. À cette table, nombreux étaient ceux qui connaissaient François.

« Son histoire est absolument terrible, dit l'avocat. C'était l'un des plus grands chefs d'entreprise. Quand il sortira de là, il sera totalement brisé, il ne pourra jamais reprendre son activité.

— Vous avez vu comme l'action de sa société a chuté ? enchaîna le PDG d'une société d'import-export.

— Oui, c'est dramatique, répliqua une jeune femme blonde, PDG d'une entreprise spécialisée dans le nucléaire. Après le suicide de sa seconde femme, c'est une vraie série noire. »

Puis elle goûta au filet de sole à la crème de truffes qui venait de leur être servi.

« Et en plus il est juif, enchaîna un journaliste. Moi je pense qu'ils vont le tuer. C'est monstrueux mais c'est ce qui va se passer. Chaque fois qu'ils ont découvert qu'un otage était juif, ils l'ont assassiné. »

La femme blonde se tendit un peu :

« Louis Vanier risque d'y passer aussi. Il est chrétien...

— Non, dit Osman. Ils vont s'en sortir, j'en suis sûr, je fais tout pour.

— Alors trinquons à leur libération ! » s'écria l'avocat en levant son verre de champagne.

La conversation dévia rapidement sur le terrain économique, Osman tentait de s'intéresser à ce qui se disait, ça l'ennuyait, et soudain, vers la fin du repas, il vit un homme s'approcher. Cheveux vaporeux d'un blond artificiel, maigre, un peu sec, précieux. « Je suis Étienne Léger, le plus proche collaborateur de François Vély, dit-il en tendant une main ferme, on peut se parler deux minutes ? » Osman eut un petit tic nerveux puis se leva. Ils s'éloignèrent à l'extrémité de la salle.

« Je ne pensais pas vous voir ici », dit Étienne Léger.

Osman recula dans un mouvement défensif.

« Et pourquoi ?

— Il y a peu de politiques. »

Étienne Léger était pâle, comme s'il sortait d'une longue convalescence.

« Ça fait presque trois mois que François est gardé en otage par l'État islamique d'Irak.

— J'y pense chaque jour. Je suis désolé de ce qui est arrivé.

— Tout le monde est désolé. Moi, je suis dévasté.

— Comment aurais-je pu imaginer, en le conviant à notre délégation en Irak, que les choses se passeraient ainsi ?

— Vous n'y êtes pour rien. »

Osman avait chaud. Il sentait la sueur couler dans son dos. Il avait envie de partir, de mettre un terme à cette conversation.

« Je suis détruit, je ne me remets pas de ce drame », dit Étienne Léger.

Puis, sans attendre de réponse, il continua :

« Depuis sa captivité, je survis comme je peux. Est-ce que vous pensez qu'il va s'en sortir ? »

Osman ne répondit pas, son téléphone venait de vibrer. On lui annonçait que les négociations avec les ravisseurs avaient repris.

32

Romain est à l'hôpital, dans la salle d'attente des admissions qui donne sur le hall central. À travers la vitre, il peut observer les allées et venues sans crainte d'être repéré. Marion arrive à l'heure, il ne voit qu'elle. Elle porte un petit blouson en cuir marron, un jean bleu et des bottines en daim beige, ses cheveux sont attachés en queue-de-cheval, il voudrait se précipiter pour l'embrasser mais voilà, il est tétanisé. Il reste là, il ne bouge pas, et quand elle réapparaît une heure plus tard il est incapable de faire un geste, jusqu'à ce que tout à coup, au moment où elle s'apprête à franchir la porte vitrée, il se décide enfin à la rattraper. Il court après elle en criant son nom. Elle se retourne, elle est surprise, il le remarque, son visage trahit toutes ses émotions, elle sourit et ça le rassure. Il lui propose de prendre un café, elle dit qu'elle est pressée, il insiste et elle accepte. Ils s'installent sur la terrasse de l'hôpital baignée de soleil avec vue sur les tours de la Défense. À la cafétéria, il achète des boissons fraîches, du thé, du café, des gâteaux, des chips et des bonbons, il prend tout ce qu'il trouve puis la rejoint.

« Ce n'est pas mon anniversaire », plaisante-t-elle en le voyant déposer les victuailles sur la table.

Il a du mal à ouvrir les paquets, il tremble. Marion le laisse faire. Il sourit : « Heureusement que ce n'est pas une arme que je tiens entre les mains, je nous tuerais tous. » Elle lui demande s'il vient souvent ici et il répond que oui, il est suivi deux fois par semaine en psychiatrie. Il veut qu'elle le sache. Dire cela, c'est affirmer qu'il se soigne, qu'il est solide, un homme sur lequel on peut compter. Marion ironise – qui n'est pas suivi par un psychiatre à présent ? Elle aussi voit quelqu'un et ça ne l'aide pas vraiment, la seule chose qui lui apporte un peu de calme, c'est de courir à l'aube et de lire. « Moi aussi. » Il raconte qu'il court, en forêt, avec d'autres soldats, au sein d'un groupe de blessés de guerre. Elle lui demande s'il va mieux et il répond que oui ; il a l'intention de partir quelques mois à la montagne. Perspective extatique, elle s'émerveille : la montagne, le silence, les conditions de l'écriture, et disant cela, elle se ravise, elle se rend compte que cette phrase trahit son désir d'être avec lui et, dans le même temps, l'impossibilité d'être ensemble. Il la regarde, se retient de dire qu'elle est belle, qu'elle lui a manqué. Il voudrait l'embrasser, la serrer dans ses bras, caresser ses cheveux, respirer son odeur, mais au lieu de ça il la questionne à son tour pour savoir si elle va bien. Elle a l'impression de passer chaque jour dans une broyeuse : « Je ne sais pas comment je tiens. » Il y a un long silence entre eux. Puis il parle enfin :

« Je t'ai appelée des dizaines de fois après mon retour d'Irak. Pourquoi ne m'as-tu jamais répondu ?

— Pour te dire quoi ? »

Il saisit sa main mais elle la retire aussitôt. « Je veux juste te montrer quelque chose. » Elle semble hésiter puis se lève et le suit à travers l'hôpital. En quelques minutes, ils se trouvent devant le local de la bibliothèque situé au milieu du hall. Dans la vitrine, des figurines de plâtre, de papier mâché, sont exposées : « C'est ce que nous avons fait en ergothérapie avec d'autres blessés de guerre. Regarde, c'est la mienne », ajoute-t-il en désignant une marionnette en plâtre désarticulée dont la boîte crânienne est fendue. Des taches de peinture rouge semblables à du sang émaillent le torse de la sculpture. Marion rit : « Ça fait un peu peur. — Attends-moi là », réplique-t-il. Il entre dans la bibliothèque et en ressort avec son roman. « Je leur ai demandé de le commander. Tu pourrais peut-être le dédicacer aux personnes hospitalisées ? »

Elle prend le livre et ils s'assoient sur un banc, dans le grand hall de l'hôpital Percy, elle écrit la dédicace. Autour d'eux, des blessés, jeunes pour la plupart, amputés, discutent avec leurs proches. « Comment va ton fils ? » demande-t-elle. Il répond qu'il va bien malgré le divorce en cours. Elle le regarde, il a très envie de prendre sa main, il hésite, renonce puis demande enfin des nouvelles de François Vély, il ne dit pas « ton mari ».

« Il a de bonnes chances d'être libéré.

— Tu as été si digne...

— Non, ce n'est pas moi l'épouse stoïque et dévouée que les journalistes décrivent, je ne suis pas cette femme attentionnée et amoureuse, la vérité c'est que je suis duplice, on ne s'aimait plus, on ne s'entendait plus. La veille de l'enlèvement, je lui ai annoncé que je le quittais, je n'ai fait que le trahir et là encore, pourquoi est-ce que je suis ici avec toi ? »

Elle regrette aussitôt ses paroles, lui dit qu'elle est désolée, la fatigue, la pression. Elle reprend. Le Président était confiant. La libération de François et Louis Vanier pouvait avoir lieu dans quelques jours si tout se déroulait comme prévu. Elle était terrifiée à l'idée de revoir François sans doute transformé par ces semaines de détention en Irak.

« Est-ce qu'on va se revoir, Marion ?

— Quel pourrait être l'avenir de notre histoire ? »

Ils le savent : si François est libéré, Marion devra retourner vivre auprès de lui pour l'aider à se reconstruire. S'il reste otage pendant des années, elle ne refera pas sa vie.

« On ne se reverra plus, Romain. »

Le téléphone portable de Marion se met à vibrer.

« Il faut que j'y aille, dit-elle subitement en tendant le roman, il faut que je réponde, c'est le cabinet du ministre des Affaires étrangères, François va être libéré ! »

Sur ces mots, elle se lève et se met à courir en direction de la sortie.

33

C'est une vidéo de mauvaise qualité. L'image est granuleuse et un peu floue, elle tremble mais la mise en scène est étudiée. François y apparaît vêtu d'une combinaison orange vif. Les cheveux hirsutes et d'aspect poisseux, une épaisse barbe châtain piquée de poils gris, le teint cadavérique, légèrement citrin, la paupière gauche tuméfiée, les lèvres gonflées par des lésions herpétiques, il est méconnaissable. À genoux, les mains et les pieds attachés, il ne bouge pas. Cinq hommes en noir, armés de kalachnikovs, le visage encagoulé, sont debout, derrière lui. Ils portent des treillis et des rangers. Trois d'entre eux restent statiques, ne manifestent pas la moindre émotion. Le quatrième est agité, un tic secoue son visage. Au centre, l'un des hommes tient des feuillets, il est déterminé. On l'identifie comme le leader du groupe. Il donne une tape sur la tête de François pour qu'il s'exprime face à l'objectif. François se redresse légèrement, avec difficulté, comme s'il avait des côtes cassées ou le corps endolori par les coups. Il parle d'une voix faible, avec des fluctuations de ton et des silences. A-t-il été drogué ? C'est possible, son regard est étonnamment fixe. Il dit : « Mon nom est François Lévy, je suis franco-américain, le prénom de mon père est Paul-Élie, celui de ma mère est Susan. » Il a quelques secondes d'hésitation puis affirme : « Ma famille est juive. Je suis juif. » Il inspire profondément, son regard fuit la caméra ; vraisemblablement, il ne fait que réciter un texte : « Ces derniers jours, j'ai vraiment pris conscience de l'horreur que doivent vivre les personnes enfermées à Guantanamo Bay. Le Président Obama a signé un ordre de fermeture du camp mais des centaines d'hommes sont toujours détenus dans des conditions horribles. » La caméra tourne, on sent que les hommes en noir s'impatientent. François continue d'égrener son discours : « Ce qui m'arrive peut toucher n'importe quel Américain dans le monde. Nous ne pouvons être en sécurité, nous ne pouvons marcher librement tant que les politiques de notre gouvernement continuent d'ordonner le meurtre d'innocents et que nous les laissons faire. Nous, Américains, nous ne voulons plus supporter les conséquences des actions de notre gouvernement, comme le soutien inconditionnel donné à l'entité sioniste et aux régimes dictatoriaux dans le monde arabe. » Il s'arrête. L'un des preneurs d'otage lui donne un coup dans le dos avec son arme et s'exprime en arabe. François inspire et reprend le discours, cherchant les mots du texte pré-écrit : « La présence militaire américaine a détruit l'Afghanistan et l'Irak. Tant que nous humilierons et torturerons des innocents dans le monde, nous payerons le prix de notre folie et nous aurons sur notre sol des attentats comme ceux du 11-Septembre et des prises d'otages » – c'est un texte qui reprend certains passages du discours que le journaliste Daniel Pearl avait dû prononcer avant son exécution au Pakistan le 1er février 2002. François semble totalement hagard. La drogue s'est peut-être diffusée dans tout son corps. Pense-t-il que les hommes vont le relâcher comme ils le lui ont promis en échange de la lecture du texte qu'ils ont écrit ou est-il résigné à mourir ? Il bouge légèrement son corps comme s'il espérait vérifier qu'il était encore vivant. L'un des hommes cagoulés lui demande en anglais de finir son discours. On sent que François hésite, puis il se redresse légèrement et conclut : « Quelqu'un doit payer pour les crimes commis par nos gouvernements. » À cet instant précis, il y a une lueur d'espoir sur son visage, c'est une mise en scène comme les précédentes, ils ne vont pas le tuer et il attend, imperturbable, le signal de fin quand soudain l'homme armé d'un immense couteau quitte le rang et le saisit par la nuque. François lâche la feuille et se débat. Les autres hommes restent immobiles. La main massive de l'agresseur s'agrippe au cou de François tentant de le maintenir, ça dure une éternité, François s'agite comme s'il était sous l'effet de convulsions ; toutes ses forces sont concentrées sur les mouvements de son corps, tant qu'il remue, il est vivant, il baisse la tête, menton contre son torse pour protéger sa carotide quand l'homme se met à l'injurier dans un anglais parfait et l'empoigne. Puis, il l'égorge. L'image se brouille, on n'entend que des cris, François apparaît de nouveau, son corps se contorsionne, le sang gicle et se répand sur le sol. Son bourreau s'acharne et, d'un coup sec, le décapite.

34

Le corps de François fut découvert deux jours plus tard dans une décharge publique en plein cœur du bidonville de Sadr City par un enfant de cinq ans qui jouait au milieu des décombres. Sa tête avait été posée sur son ventre contre ses mains encore entravées.

LA FIN DE L'INSOUCIANCE

LA FIN DE L'INSOUCIANCE

1

Oui, c'est lui, oui, celui que vous avez aimé puis détesté, celui qui vous a fait rire et pleurer, vous avez connu ce corps en mouvement, contre vous, sur vous, près de vous, vous l'avez caressé, serré, repoussé, vous l'avez vu courir, nager, skier, oui, c'est lui, il n'y a pas d'erreur, vous êtes sûre de vous, c'est lui sous les hématomes et les traces de sang séché, lui malgré les blessures et les entailles, vous l'identifiez formellement, ce cadavre, *c'est lui.*

Le jour où elle a appris la mort de François, Marion se trouvait avec Paul Vély et son ex-femme, dans la salle à manger, ils attendaient un appel du Quai d'Orsay, François et Louis Vanier devaient être libérés, et puis soudain, deux hommes étaient venus frapper à la porte de l'hôtel particulier pour leur annoncer la « mauvaise nouvelle ». Elle ne se souvient plus de sa réaction, elle a totalement refoulé ce moment mais elle entend distinctement ce mot : « Non ». Non, ce n'est pas possible. Vous vous trompez. Elle avait refusé de voir la vidéo mais elle l'avait imaginée, elle avait déjà visionné ce genre de scènes. Il y avait eu l'annonce puis l'organisation des détails pratiques : le rapatriement du corps, son identification – sans doute le moment le plus éprouvant.

Toute la famille était réunie à Paris dans l'hôtel particulier de la villa Montmorency, l'atmosphère était tendue, François venait d'être incinéré au cimetière du Montparnasse au terme d'une impressionnante querelle familiale. Thibault avait émis le souhait de faire inhumer son père selon un rite juif, en désaccord avec ses grands-parents qui étaient totalement opposés à ce qu'ils appelaient entre eux son « entreprise de rejudaïsation ». « Pourquoi nous imposer cette mascarade ? » avait demandé sa mère, pourquoi cette réinvention, lui qui n'avait jamais formulé un tel souhait ? Quelle valeur pouvait avoir cette vidéo réalisée par des assassins où il apparaissait sous l'emprise de drogues, acculé à réciter un texte qui lui avait été dicté et dans lequel il répétait qu'il était juif, alors qu'il ne l'était pas et n'avait pas cherché à le devenir ? C'était se plier au jeu des terroristes. C'était céder. Thibault y voyait un signe, au contraire ; la preuve d'un retour nécessaire au judaïsme, façon de réintégrer la mémoire paternelle à l'histoire juive, une initiative qui laissait ses proches dépités et perplexes.

Durant la période de deuil, Marion avait été très entourée – amis, collègues, connaissances, anonymes – et puis, au bout de trois mois, les contacts avaient cessé, chacun avait repris le cours de son existence. Seul Romain continuait à lui écrire des mots auxquels elle ne répondait pas. Elle n'avait pas trouvé une force particulière dans l'action, le travail, mais dans ces ultimes messages, oui, dans cette parole embrasée, régulière, dernier pivot d'un amour soumis aux fluctuations de leurs histoires personnelles conflictuelles, elle avait su capter les fondements d'une réparation possible. Elle n'avait pas seulement été brisée par l'annonce elle-même, mais aussi par ce qu'elle générait d'exhibitions, d'exigences voyeuristes – demandes d'interviews, propositions de contrats pour écrire un livre sur l'affaire, un film, elle avait tout refusé – et c'était pour fuir cette pression qu'elle s'était installée aux États-Unis, à New York, ainsi que l'avait décidé le juge, les filles de François étaient encore mineures, la garde revenait de droit aux grands-parents, en particulier à leur grand-mère qui était plus jeune, mais une conciliation avait été possible, elles avaient souhaité vivre avec Marion, ce qui était une réclamation bien surprenante à qui connaissait l'état de leurs relations avant la mort de François, mais, soit qu'elles aient eu peur de se retrouver chez l'un de leurs grands-parents, soit qu'elles n'aient pu réprimer un soudain attachement pour la seule figure maternelle qu'il leur restait, elles n'en manifestèrent pas moins leurs volontés avec une telle véhémence que tout le monde céda, y compris Marion qui les aimait bien, au fond, ces adolescentes brisées par les drames successifs, elle-même avait été tellement marquée par son enfance en foyers d'accueil qu'elle avait entrepris toutes les démarches nécessaires pour les protéger. Elle avait passé des mois à lutter contre le désespoir et la culpabilité. En deux ans, elle avait assisté à l'anéantissement d'une famille et à la destruction méthodique de sa propre vie. Elle avait perdu le souffle, l'énergie ; la tragédie avait tout emporté : les êtres et les souvenirs, la joie de vivre et l'insouciance, la capacité à tenir et à créer. Ne restait d'elle qu'une vague présence physique, une silhouette figée dans l'épouvante, extérieurement on ne décelait pas grand-chose, elle était toujours cette jolie fille charnelle. Il eût fallu lui parler un peu, la regarder fixement dans les yeux pour comprendre que son apparence maîtrisée masquait l'écroulement intérieur. Après l'épreuve, la vie n'était qu'une forme de taxidermie.

2

Osman Diboula avait eu un malaise en visionnant la vidéo de l'exécution de François Vély. C'était moins la mise en scène macabre du meurtre lui-même qui l'avait fait basculer – il avait fermé les yeux à l'instant où le ravisseur avait brandi son couteau – que le sentiment d'échec absolu qui l'avait envahi, réplétion intime dont il avait subi l'implacable processus sans pouvoir rien faire d'autre que s'effondrer. Ce jour-là, il avait reçu un dernier message d'Issa qui se réjouissait du meurtre de François Vély et lui promettait un sort semblable. Il s'était disputé avec Sonia avant de se ranger à son avis : il porterait plainte contre Issa. Il avait longuement hésité à le faire. Sonia lui reprochait de « le couvrir pour l'épargner ». Elle se trompait. Il ne cherchait pas à le protéger – il avait en horreur tout ce qu'il incarnait désormais, cet intégrisme identitaire renforcé par ses obsessions antisémites –, mais il ne pouvait s'empêcher de se sentir responsable de la dérive sociale qui avait transformé un adolescent sensible en un monstre froid, ravagé par la haine. Il avait été son éducateur. Un modèle, peut-être, un guide, sauf qu'avec lui il avait échoué. Il n'avait pas su le préserver de lui-même, pas su démonter ses jugements ni contenir cette violence dont il avait pourtant perçu l'éclatement le jour où il l'avait reçu chez lui. Il était convaincu qu'une incarcération, même de courte durée, le conforterait dans son délire de persécution et nourrirait son discours raciste. Il repensait au texte que James Baldwin avait publié dans le *New York Times Magazine* à la fin des années 60 sur les relations entre Noirs et juifs : « Je sais que si je refuse de détester les juifs ou de détester qui que ce soit, c'est parce que je sais ce que cela fait d'être détesté. » Voilà ce qu'il aurait dû dire à Issa, car où menait le racisme sinon au meurtre, rappelait Baldwin dans ce même texte ? Où avait mené la rage antisémite dirigée contre François Vély ? À la mort. Cette argumentation, Sonia la qualifiait de « sociologie romantique ». Issa était un fou dangereux qu'il fallait enfermer. « Un jour ou l'autre, en France ou ailleurs, il passera à l'acte. »

Quelques semaines plus tard, alors que des négociations en vue d'obtenir sa libération étaient en cours, Louis Vanier fut assassiné par ses ravisseurs selon le même procédé, répétition de l'horreur qui annonçait pour Osman l'impossibilité d'une reconstruction. Après l'enterrement et l'hommage solennel rendu au journaliste, il donna sa démission. Cette vie ambitieuse et codifiée, cet univers où la violence engendrait la violence, il les avait en horreur tout à coup. Il s'était cru capable de réintégrer son cercle professionnel mais il avait échoué : la représentation quotidienne, la pression, le travail harassant, la nécessité de se soumettre à un certain conformisme – tout ce que l'exercice politique impose – lui pesaient à présent. « Si je ne pars pas maintenant, je finirai par me tirer une balle dans la tête dans mon bureau du Quai d'Orsay » – c'est ce qu'il dit à

Laurence Corsini au bar du Meurice où elle lui avait donné rendez-vous après qu'il lui avait annoncé ses projets. Elle le questionna, essaya de comprendre ; il ne voulut pas se justifier : pas maintenant, pas envie, c'était fini, il avait passé l'âge, il savait ce qu'il faisait, « N'insiste pas, je veux changer de vie ». Il avait été « trop profondément marqué par la mort de François Vély et Louis Vanier », il ne pouvait plus continuer ainsi. Réaction circonspecte de la professionnelle. Des patrons en crise, des ministres dépressifs, dépassés par leurs fonctions, elle en avait vu au cours de sa carrière. « Tu as connu des épreuves terribles, tu fais un burn-out, voilà tout, prends une semaine de vacances, va voir un médecin. — Non. — Tu vas te relever, Osman. Tu es fort. Sois positif. — Tu ne comprends pas. Je veux autre chose. » Finalement, en partant, elle lui avait dit qu'il ne devait pas laisser les autres détruire sa vie, alors qu'on n'a pas besoin des autres pour se détruire, on y parvient très bien soi-même.

Il n'eut pas le courage de dire au revoir à ses collaborateurs ni d'annoncer la nouvelle, il s'enferma dans son bureau, commença à ranger ses affaires, quand il reçut un appel du secrétariat général de l'Élysée : le Président souhaitait lui parler. Il devrait sans doute exposer une nouvelle fois les raisons de sa démission comme il l'avait fait quelques heures plus tôt devant le ministre des Affaires étrangères : il n'avait plus la force de continuer, il fallait qu'il s'éloigne. Dès qu'il le vit, le Président lui serra la main avec chaleur : « J'ai bien reçu ta lettre de démission mais je la refuse. » C'était une situation irréelle : le Président affirmait qu'il avait « besoin de lui », qu'il avait fait « preuve d'un sang-froid qui forçait l'admiration ». Osman répéta « merci, merci », puis sortit de son bureau. L'entrevue n'avait duré que quelques minutes. Il avait cédé, une fois de plus, face à la séduction corruptrice du pouvoir incarné. Une fois dehors, il téléphona à Corsini pour lui raconter son entretien. « Je ne suis pas étonnée, dit-elle. — Comment ça ? Je ne comprends pas. — Achète la presse. »

C'était écrit en première page d'un hebdomadaire : « Osman Diboula élu troisième personnalité préférée des Français. » Dans un classement publié par le journal à la suite d'un sondage Ifop réalisé auprès d'un échantillon représentatif de mille personnes âgées de quinze ans et plus, Osman apparaissait à la troisième place juste après l'ancienne ministre Simone Veil et le joueur de foot Zinédine Zidane.

Quelques jours plus tard, en réponse à ce sondage flatteur, un hebdomadaire d'extrême droite publiait une photo d'Osman souriant avec ce titre : « Osman a la banane » – c'était ce même journal qui, quelques années plus tôt, au moment de la Coupe du monde de football, avait titré : « Y a-t-il trop de Noirs dans l'équipe de France ? »

La violence du coup. Il n'avait rien vu venir. Des lettres de soutien affluèrent, émanant d'anonymes, de politiques ou d'écrivains. Tous dénonçaient l'attaque abjecte, le racisme décomplexé. Avec l'aide de quelques intellectuels, Wojakowski organisa une grande soirée en hommage à « l'incroyable capacité de résistance d'un homme qui a su rester debout et tenace face à la barbarie ». Ce soir-là, cent cinquante personnes étaient venues témoigner leur solidarité à Osman Diboula. Il prononça un discours sur les rapports de domination, la discrimination, les devoirs éthiques et le sens des mots. Il évoqua sa sidération, son émotion. À l'issue de son discours, il fut longuement applaudi. En sortant, Wojakowski lui avait dit en riant qu'il était désormais intouchable.

3

Six mois après la mort de François, Marion avait pris la décision de partir, seule, au cœur des Alpes de Haute-Provence, dans le chalet où l'avait emmenée Romain à leur retour de Paphos. Elle y allait pour écrire et s'isoler après des semaines de tension. Avant de s'y rendre, elle avait prévu de rencontrer Paul Vély dans sa maison de la vallée de Chevreuse. Il y vivait reclus depuis la mort de son fils, ne recevant quasiment personne hormis les membres de sa famille. Il l'avait accueillie dans son bureau, une pièce aux murs tapissés de livres ; sur un imposant plateau de verre, des dizaines d'ouvrages et de documents s'entassaient. « Le produit d'une vie ! » s'exclama-t-il en désignant le capharnaüm autour de lui. Sur son bureau, aucun cliché de lui mais de nombreuses photos de sa famille. Il l'invita à s'asseoir, et commença à la questionner sur son état moral avec tendresse et affection, d'une voix très douce, comme s'il avait peur de briser un équilibre intérieur fragile en haussant le ton, leur vie n'était plus qu'un murmure, une prière psalmodiée, toute exaltation avait déserté. Marion raconta brièvement son quotidien à New York, ses difficultés à s'adapter, mais les filles de François allaient bien, elles poursuivaient leur scolarité au lycée français, elles avaient de nouveaux amis, leur force de résilience l'avait stupéfiée. « L'homme sous-estime sa capacité à résister à l'adversité, dit Paul Vély. Il découvre parfois dans l'épreuve des forces insoupçonnées. » Rien de tel pour Marion, c'est ce qu'elle essayait de lui confier : les drames successifs l'avaient totalement détruite. Elle expliqua comment elle essayait chaque jour de ne pas céder à la tentation de l'abdication : « J'avance mais je m'enfonce à chaque mouvement, comme si j'étais aspirée par la tristesse. » Elle passa ses doigts sur ses yeux gonflés de larmes puis se reprit : « Je suis désolée, je ne devrais pas pleurer devant vous. — Non, ne dis pas cela. Tu as traversé des moments très durs. Tu es restée forte. Tu t'es beaucoup occupée des enfants de François et tu es là aujourd'hui, toujours debout. » Marion le regardait, étrangement fixe, ses mains cachées dans les manches de son pull. Elle avait perdu sa colère et sa rage, qui avaient longtemps été les moteurs de son écriture, elle ne se voyait plus que comme une petite matière déstructurée, souple et flasque, comme un corps sans os. « Je crois que tu dois mener ta propre vie maintenant, mon ex-femme et moi pourrons nous occuper de nos petites-filles, Thibault est indépendant, tu dois penser à toi. » Elle ne dit rien. « Il faut avancer, Marion. Dépasser ce drame. » Paul Vély se leva, posa ses mains sur ses épaules : « J'ai toujours cru aux vertus consolatoires de la littérature » et, sans attendre sa réponse, il saisit sur son bureau quelques ouvrages qu'il glissa dans un sac avant de les lui donner. « J'ai choisi ces livres dans l'espoir qu'ils te réconfortent. Lis Rilke d'abord : *Tu ne dois pas chercher à comprendre la vie* – tout est dit. » Il inspira fortement, comme s'il manquait d'air, puis continua : « De mon expérience, j'ai appris une chose : dans la vie, il y a très peu d'occasions d'être heureux. L'amour en est une. Mais elle est rare et a une durée limitée. Alors que la lecture peut être quotidiennement renouvelée. Oui, lire est la seule chose qui m'ait rendu pleinement heureux. » Elle prit le sac et remercia Paul Vély. « Est-ce que tu écris en ce moment ? — J'essaye mais mon esprit est incapable de se fixer très longtemps sur un sujet. — Je suis sûr que tu finiras par écrire ce livre, lui dit-il. Proust évoque ces grands chagrins utiles dont l'écrivain fera de la littérature. — L'écriture, c'est l'exacerbation de la violence. Ce qui produit la littérature finit aussi par vous tuer. — Il faut choisir la vie, Marion. Il faut vivre, rien d'autre. » Elle se redressa légèrement. « Je survis, oui, mais l'hyper-cérébralité, la confiance, la réflexion, la lecture, le travail – tout ce que mon milieu a érigé comme valeurs normatives ne vous est d'aucune utilité quand vous êtes au bord du précipice. Je crois qu'il n'y a pas de possibilité d'être heureux après l'épreuve. » Paul Vély se détourna légèrement. « C'est l'obstacle sur lequel tous les êtres humains butent un jour ou l'autre. Peut-être qu'il ne faut pas chercher à être heureux mais seulement à rendre la vie supportable. »

4

La vie change.

La vie change dans l'instant.

On s'apprête à dîner et la vie telle qu'on la connaît s'arrête.

La question de l'apitoiement.

C'étaient les premiers mots du livre de la romancière américaine Joan Didion, *L'année de la pensée magique*, elle venait de perdre brutalement son mari. Elle s'apprêtait à dîner avec lui quand il s'était écroulé sur la table de la salle à manger. À cette même période, sa fille s'était retrouvée dans le coma à la suite d'une pneumonie qui s'était subitement aggravée. En quelques heures, sa vie agréable, rythmée par l'écriture et la lecture, avait sombré dans le chaos. C'était un des livres que Paul Vély avait offerts à Marion, les mots d'une autre lui permettaient de circonscrire le territoire de sa propre douleur, la littérature sert aussi à ça – comprendre la mécanique corruptrice de l'existence, sa sélectivité abusive, à travers l'expérience des autres quand on est soi-même, temporairement ou définitivement, incapable d'en appréhender la complexité.

Marion n'avait plus aucun repère, c'est pourquoi elle était partie, pour tenter de combler les vides, elle avait atteint ce point de perdition où rien ne semble encore pouvoir vous maintenir en vie. Elle venait d'arriver dans ce chalet où elle avait réservé une chambre avec vue sur les montagnes. Elle se réveillait tôt et partait pour plusieurs heures de randonnée, marcher lui permettait de supporter son chagrin, elle s'épuisait, l'effort faisant diminuer progressivement la tristesse. Elle s'asseyait au bord de lacs de montagne et pouvait rester des heures à contempler le paysage. Quelque chose devenait possible. Puis elle rentrait et lisait, l'espace littéraire était le seul qu'elle se sentait encore capable d'occuper. Certains écrivains avaient trouvé dans l'écriture une forme de réparation, dispositif rédempteur ou asphyxiant selon les moments. Ils avaient fait du deuil une expérience littéraire. Dans son *Journal de deuil*, Roland Barthes, qui venait de perdre sa mère, avait écrit ceci, le 4 novembre 1978 :

Pleine mer de chagrin – quitté les rivages, rien en vue. L'écriture n'est plus possible.

Pour Marion aussi, l'écriture se limitait à une tentative avortée. Elle s'asseyait quotidiennement à son bureau, en fin de journée, son ordinateur allumé, son carnet posé devant elle, son stylo à la main, mais rien ne venait, ou alors elle rédigeait quelques pages et quand elle les relisait elle était si accablée qu'elle jetait toute sa production. Non que le texte fût mauvais mais il n'était pas *nécessaire*. Il n'avait pas la charge explosive, la portée rageuse de son premier livre. À l'un de ses proches, elle avait confié qu'elle ne serait l'auteur que d'un livre. Lire, elle y arrivait encore, il y avait tant de choses qu'elle ne pouvait plus faire parce qu'elle n'en avait ni la force ni l'envie : discuter, acheter des vêtements, aller au cinéma, au restaurant, se maquiller. Le chagrin déferlait, emportant tout, des crises de larmes survenaient n'importe quand, il suffisait d'une remarque anodine, d'un mot, et aucun brise-lames intérieur ne la protégeait de l'érosion de tout ce qui caractérise une vie réussie : la confiance, la plénitude, la sérénité. Les jours se déroulaient immuablement selon le même rythme. Et puis, le sixième jour, elle avait lu le troisième livre que Paul Vély avait choisi : *L'écriture ou la vie* de Jorge Semprun. Une phrase avait été soulignée au stylo noir : *La vie était encore vivable. Il suffisait d'oublier, de le décider avec détermination, brutalement.*

5

Osman a conservé son poste de secrétaire d'État, Sonia a accouché d'une petite fille, mais ce n'est rien face à l'adversité intime, cette culpabilité mortifère, le sentiment de défaillance et d'échec, la perte de confiance – définitive. Osman pensait que ça passerait avec le travail, l'attachement, un dénouement favorable, la naissance de son enfant. Ça ne passait pas. Sonia ne supportait plus son indifférence et son apathie, et quelques semaines après la naissance, elle lui avait demandé de quitter leur domicile, il ne s'y était pas opposé, leur vie conjugale n'avait été qu'un lent processus de délitement sentimental. Corsini avait mis à la disposition d'Osman un petit studio dans le VIIe arrondissement de Paris, un meublé d'une vingtaine de mètres carrés situé rue de Lille dans un immeuble de quatre étages à la façade blanc crème. Osman avait appelé ses parents pour les informer de sa nouvelle situation, ils n'avaient formulé aucun commentaire et étaient passés dans l'après-midi pour lui déposer des draps propres et des affaires de toilette qu'ils avaient achetées au Lidl de l'avenue d'Ivry. Ils lui avaient suggéré d'occuper une chambre dans leur appartement mais Osman avait répondu qu'il se sentait bien ici et qu'il finirait par déménager dans un endroit plus grand où il pourrait recevoir sa fille. Depuis quelques semaines, il allait mal malgré la prise régulière d'antidépresseurs et les consultations chez un psychanalyste parisien. Il y avait une distorsion évidente entre ce qu'il était publiquement – une personnalité populaire, un homme politique médiatique et influent – et ce qu'il percevait : cette lente désagrégation de soi.

Ce soir-là, en sortant de son bureau du Quai d'Orsay, Osman chancelle, un officier de sécurité lui vient en aide, lui propose d'appeler un chauffeur qui le raccompagnera. Non, ça va, il rentrera chez lui à pied. Il va bien, c'est ce qu'il dit, s'éloigne pour rejoindre les quais de Seine, mais arrivé au niveau du pont des Arts, nouvelle pulsion : EN FINIR. « Je veux des gens HEUREUX autour de moi », avait dit le Président, et lui ne l'est plus. On lui demandait d'être fort quand on le fragilisait, puissant quand on cherchait à le faire ployer – *ces têtes que nos pères avaient courbées jusqu'à terre par la force* –, docile. Sentiment de vide total – *avec vos origines noires.* La guerre est déclarée – *les Noirs, vous ne les laissez pas entrer en groupe.* Tuer ou être tué. Mordre avant d'être mordu – *on se croirait à Barbès* – c'est l'insurrection intime – *tu seras chapeauté* –, à distance du jeu social – *vous n'êtes pas sur la liste* –, il avait échoué, ils avaient échoué, le monde avait produit ses propres monstres – *nous aurons la peau des intégrationnistes comme toi* – et dans les dix années à venir, on se demanderait *comment ?* Sa vie n'aura été qu'une histoire empêchée, un apprentissage de la violence et de l'humiliation – *des hommes comme vous* –, leur clémence n'est qu'une autre forme de VIOLENCE. Devant les autres, tout sourire, ça va, ça va aller, besoin de changer de vie, trop de pression

– *la férocité d'un monde qu'il déteste* –, ça saigne en lui, hémorragie interne – *c'est la guerre* –, AVC programmé par la société elle-même qui classe et hiérarchise, sépare et exclut – *paranoïaque !* Déclencher sa propre mort, en finir avec les castes, les clans, les identités mortifères – *qui suis-je ? Qui sommes-nous dans ce monde blanc ?* –, en finir avec soi, se conformer au projet sociétal : te rendre invisible. Il est là, droit et immobile, il fixe la Seine – *une vague de tristesse a failli l'entraîner au loin* – se représentant le moment où il passerait par-dessus la rambarde et se laisserait couler dans l'eau noire – *pas une ligne dans les rubriques nécrologiques* ; il ne faiblirait pas cette fois, le pont est désert, c'est le signe qu'il est définitivement seul ; passer à l'acte – *Osman a la banane !* – alors il s'avance en fermant les yeux, une pluie fine gifle son visage, la douleur est si forte, ça l'encage – *troisième personnalité préférée des Français* –, il inspire une dernière bouffée d'air frais – *j'ai besoin d'hommes comme toi* –, s'arc-boute vers l'avant – *ton impulsivité, ta susceptibilité* – compter jusqu'à trois et sauter, ne penser à rien – *les blessures d'humiliation sont les pires* –, ne pas reculer, il n'y a pas d'issue possible, plus rien à espérer, il a perdu la guerre sociale – *ne peut s'incliner que devant une plus grande violence* –, quelle plus grande violence que de se donner la mort puisque c'est ce qu'ils veulent, te mettre hors champ, hors jeu – *à part être noir, quel est l'atout politique d'Osman Diboula ?* Il enjambe la rambarde, regarde l'eau sombre – *Crève !* – mais soudain se fige, son téléphone vibre dans sa poche, il le cherche, ne le trouve pas, l'attrape enfin, pourquoi répondre ? À quelle injonction sociale, encore ? LA RÈGLE, C'EST LA TRAHISON. Mais non, c'est son père, il attend depuis trente minutes devant la porte de son nouvel immeuble, il a fait le marché, il est allé à celui d'Aligre dès l'aube, il a acheté tout ce qu'il aimait – des mangues, des ananas, des figues de barbarie, des noix de cajou, de la menthe fraîche – son caddie est plein, il est venu en métro, l'escalator était en panne, il est épuisé, il pleut, il n'a pas le code de l'immeuble, un voisin a refusé de le laisser entrer, qui pourrait lui ouvrir la porte ? Osman dit qu'il sera là dans dix minutes – *va au café, papa, ne reste pas dans la rue, il fait froid* – puis il s'éloigne de la rambarde, traverse le pont en courant, son téléphone à la main. *J'arrive.*

6

Romain était incapable de rester concentré plus de quelques minutes sur une tâche quelconque, il se voyait sombrer, tomber ; il ne s'était finalement résolu à sortir de chez lui que pour se rendre aux « rencontres militaires blessures et sport » organisées près de Bourges sur une grande zone d'activités ; c'est lui qui avait encouragé Farid à y participer. Il était arrivé en car dans la matinée avec d'autres blessés de guerre. Ils étaient une dizaine ce jour-là dans des situations proches de la sienne : deux hommes avaient sauté sur des mines en Kapisa ; un autre était défiguré après l'explosion d'une bombe devant son véhicule ; deux soldats souffraient de dépression – ils avaient assisté au suicide de l'un de leurs compagnons, un jeune sergent qui s'était tiré une balle dans le cou. Il y avait également un tireur d'élite âgé d'une vingtaine d'années qui était revenu traumatisé d'une mission au cours de laquelle on racontait qu'il avait été contraint de tirer sur un enfant. Ils craignaient tous une initiative artificielle, ils se trompaient : dans le car, déjà, c'était gai, joyeux, léger – pas de jugement, pas d'affectivité démonstrative, rien que des hommes et des femmes unis par un désir de partager une expérience commune.

Ils s'étaient réunis dans le hall principal où avaient pris place les différents intervenants – membres du corps médical et militaire mais aussi entraîneurs sportifs avec lesquels les soldats allaient effectuer les activités organisées. « Vous avez tous vécu des choses éprouvantes. Ici, vous êtes venus pour faire du sport et vous reconstruire », avait dit un représentant militaire. Ils le regardaient tous avec méfiance. Du sport ? Vraiment ? Dans leur état ? C'était une blague ? Non. « Vous allez faire de l'escalade, de l'équitation, de l'aviron, de la sarbacane et même descendre un fleuve en canoë. — Du kayak ? Vous m'avez vu ? demanda Farid. — Oui, vous allez en faire. — OK, et c'est moi qui tiens les pagaies ? » Puis, se tournant vers Romain, il ajouta qu'il regrettait d'être venu – « Servir de caution morale à un programme orchestré par les services de communication des armées, non merci ». Son scepticisme céda quand deux heures plus tard, il se retrouva installé sur une coque placée à l'intérieur du kayak, engoncé dans un gilet de sauvetage jaune fluo. Avant la traversée, le psychiatre de Romain à l'hôpital Percy, qui faisait partie du voyage, s'adressa à eux : « La plupart des gens pensent, à tort, que le corps est le seul support de l'autonomie. Mais la liberté, c'est aussi dans la tête. Ici, on tient compte de la vulnérabilité de chacun, on vous montre que les choses sont possibles. » La tête de Farid s'animait sur son corps inerte. Romain était assis à l'arrière du kayak. On donna le départ. Le kayak dérivait assez vite, on entendait des cris de joie. Farid décrivait ses sensations : le souffle du vent sur son visage ; les éclats d'eau qui jaillissaient ; la chaleur du soleil sur son front. Il fermait les yeux, comme enivré. Ça vibrait à l'intérieur. Quand ils eurent fini leur traversée, Farid dit qu'il s'était senti heureux pour la première fois depuis des mois.

Ils prirent le déjeuner à l'extérieur, sur une immense terrasse aménagée. Un grand buffet avait été dressé. Certains hommes racontaient ce qui leur était arrivé, d'autres se taisaient. Les médecins avaient demandé à chacun de ne pas donner de détails morbides pour ne pas perturber les plus sensibles. L'après-midi, des groupes avaient été formés : Farid participait à un cours de sarbacane sportive avec d'autres tétraplégiques ; ceux qui souffraient d'un syndrome de stress post-traumatique ou portaient des prothèses s'étaient réunis dans un gymnase pour faire de l'escalade. Romain mena le groupe avec les entraîneurs. En tant que chasseur alpin, il était en terrain conquis, mais plusieurs participants étaient amputés. Il les observait tandis qu'ils ajustaient leurs prothèses et prenaient d'assaut la façade – des types de vingt-cinq ans qui ne se plaignaient jamais et riaient à la moindre blague.

Le soir, Romain resta dans sa chambre, il était épuisé. Il avait apporté le livre de Marion qu'il avait emprunté à la bibliothèque de l'hôpital des mois auparavant. La lecture ranimait le désir et l'amour, il avait l'impression de l'entendre, de la sentir, il avait envie de la retrouver, il étouffait. Il lui envoya un message, il voulait la revoir, elle lui manquait. Puis il posa le livre et sortit. Il était près de minuit, tous les soldats étaient dans leur chambre. Seul, au milieu du hall désert, le psychiatre de Romain déambulait en téléphonant. Romain s'assit sur l'un des fauteuils. Quand le médecin eut fini sa conversation, il le rejoignit.

« Vous n'avez pas sommeil ?

— Non.

— Alors, qu'avez-vous pensé de cette journée ?

— C'était bien. On sent que tout est fait pour nous aider à nous en sortir.

— Vous avez l'air contrarié, pourtant. »

Romain ne répondit pas, il leva les yeux vers le médecin comme s'il attendait que ce dernier insistât, mais l'homme n'ajouta rien.

« Je vais fumer dehors, dit finalement le médecin en sortant un paquet de cigarettes de la poche de sa veste. Je sais, je ne donne pas le bon exemple à mes patients.

— Je viens avec vous. »

Ils sortirent, allumèrent une cigarette. L'air était doux.

« Je suis désolé d'avoir abandonné mes séances, d'être parti comme ça, en Irak, quasiment sur un coup de tête.

— Vous aviez sans doute vos raisons. On aide ses patients, on cherche à leur donner un certain réconfort, pas à les infantiliser.

— Vous vous souvenez au cours de l'une de nos séances, je vous avais dit que j'avais rencontré une femme à Paphos. »

Le psychiatre acquiesça.

« Je voudrais la retrouver.

— Qu'est-ce qui vous retient ? Vous êtes séparé de la mère de votre fils maintenant.

— C'est une femme qui a vécu un drame.

— Ce n'est pas nécessairement un obstacle.

— J'ai peur.

— De quoi ?

— De m'exposer. Plus que tout, je crains qu'elle ne me repousse, qu'elle ne soit froide ou pire : amicale. Je vais un peu mieux aujourd'hui mais si je tombe, je ne suis pas sûr d'avoir la force de me relever, je me sens vulnérable. »

Romain sentit son téléphone vibrer dans sa poche, il le saisit, vit le prénom de Marion s'afficher mais n'osa pas lire le message. Le psychiatre écrasa sa cigarette. « La plupart des gens préfèrent le confort à la prise de risque, dit-il enfin, parce qu'ils ont peur du changement et de l'échec, alors que la plus grande des peurs devrait être celle d'une vie gâchée. »

7

Blessés mais vivants, bien vivants, corps puissants entrelacés, s'aimant et jouissant, muscles tendus, voix vibrantes, cheveux et membres emmêlés, activant leur propre renaissance, le rythme s'accélère, il y a eu le ralentissement puis l'arrêt et ça revient, ils le sentent, ça flue et reflue, ils retrouvent le désir et le souffle, le rire et l'élan, ça monte, c'est la vie qui pulse et gagne, remplit et comble, les mots roulent, la phrase s'étire, on a de l'espace, on va plus vite, le rythme de la langue s'adaptant à celui de cette nouvelle libération – l'espoir. Au-dehors, le soleil se couche sur un paysage ultramontain, éclats lamés diaprant le ciel – poésie alpine. Les blocs talqués de neige se détachent encore dans l'obscurité naissante, noir et blanc se fondent jusqu'à prendre cette teinte mélanique qui annonce la douceur de l'aube à venir. À travers la fenêtre de leur chambre, à quelques mètres d'un lac de montagne cristallin, là où la beauté du paysage défie la peur, Romain et Marion perçoivent les rais de lumière diffractée qui filtrent à travers les stores. Ils ont passé la journée au lit. Au bord du précipice, ils se tiennent, ils sont ensemble, serrés l'un contre l'autre, dans le silence profond de la montagne, indifférents à l'agitation du monde, aux cris vibrants de la ville, et le voilà qui se plaque contre elle, corps incandescent, combustible inflammable, se détache un peu pour la regarder, caresse ses seins, son ventre, ses hanches – *je t'aime, je t'aime si fort* –, saisit sa tête entre ses mains pour l'embrasser avec une intensité redoublée tandis que Marion se répète mentalement ces mots comme une litanie rédemptrice : *il faut vivre, il faut vivre, il faut vivre.*

8

Ce n'était pas une décharge de chevrotine, ils ne sont pas morts mais fêlés, disloqués – explosion intime, fracture interne, invisible, la radiologie ignore la géographie de la douleur morale ; ils continueraient à se lever, se coucher, ils se surprendraient à rire, ils feraient l'amour et ils aimeraient peut-être, mais ils ne seraient plus jamais ces jouisseurs adonisés, ces frondeurs, ils ne seraient plus ces ambitieux – ils oublieraient le temps où ils rêvaient d'un poste, d'un titre, d'une gloire honorifique, le temps de la compétition sociale où briller comptait plus que vivre – ils ont traversé l'épreuve, immobiles et figés, statufiés par la peur, puis alertes, réactifs, fuyant l'horreur, visage halluciné face à l'irrémissible, cœur percuté, corps terrassé, surpris par la violence de l'attaque – la défection du bonheur n'est précédée d'aucune annonce. Une part d'eux-mêmes est définitivement perdue. Une forme de légèreté. Ce qui restait d'enfance. L'insouciance.

REMERCIEMENTS

Je remercie Antoine Gallimard pour sa confiance. Merci au professeur Franck de Montleau, chef du service psychiatrie à l'hôpital d'instruction des Armées Percy dont l'humanité a été une source d'inspiration. Je remercie également mon éditeur, Ludovic Escande, pour sa lecture exigeante et sa présence bienveillante à tous les stades d'élaboration de ce roman.

Je remercie pour leur aide précieuse et le temps qu'ils m'ont consacré : le caporal-chef Yannick Boulet, Luc Bronner, le caporal Thierry Dorothée, Jérôme Fritel, Jean-Philippe Lafont, l'adjudant-chef Éric Nagel, Sampath Pannagas (de l'hôpital Percy), le caporal-chef Michel Petitguyot, Thierry Queffelec, le sergent Frédéric Rivette, l'adjudant Claude Salesse, le sergent-chef Jocelyn Truchet et Maxime Tandonnet.

Merci également à Anne-Sophie Chassagnette, Jacky Cukier, Sylvain Deletang, le lieutenant-colonel Nicolas Fouilloux, Annie Lucas (Cellule d'aide aux blessés de l'armée de terre), Laurine Marius, Isaure Mercier, Christelle Murhula.

Je remercie aussi ceux qui ont accepté de me rencontrer mais qui, pour des raisons de confidentialité, ne peuvent pas être cités. Ils se reconnaîtront.

Merci à François Samuelson pour son soutien et sa présence amicale.

Merci enfin à mes parents et, en particulier, à ma mère ainsi qu'à Ariel, Jérémy, Taly et Raphaël. Ce livre leur doit beaucoup.

Certains livres, articles ou documentaires ont été une source d'information pour moi. Je voudrais notamment citer : *Engagé,* du lieutenant Nicolas Barthe, *Comédie française* de Georges-Marc Benamou, *Dix semaines à Kaboul* de Patrick Clervoy, *La guerre en montagne* des lieutenants-colonels Hervé de Courrèges, Pierre-Joseph Givre, Nicolas Le Nen, *Big boys. Les mercenaires d'Irak*, de Steve Fainaru, *La guerre sans fin* de Dexter Filkins, *De bons petits soldats* de David Finkel, *Mercenaire de la République* de Franck Hugo et Philippe Lobjois, *Sous la plume. Petite exploration du pouvoir politique* de Marie de Gandt, *Mourir pour l'Afghanistan* de Jean-Dominique Merchet, *Afghanistan. La guerre inconnue des soldats français* de Nicolas Mingasson, *La condition noire* de Pap Ndiaye, *Bagdad, zone rouge*, d'Anne Nivat, *197 jours. Un été en Kapisa* de Julien Panouillé, *Scènes de la vie quotidienne à l'Élysée* de Camille Pascal, *Un cœur invaincu* de Mariane Pearl, *Paroles de soldats* d'Hubert le Roux et Antoine Sabbagh, *Dirty Wars. Le nouvel art de la guerre* de Jeremy Scahill, *Casier politique* d'Ali Soumaré, *Haute tension. Des chasseurs alpins en Afghanistan,* de Sylvain Tesson, Thomas Goisque et Bertrand de Miollis, *Journal d'un soldat français en Afghanistan* du sergent Christophe Tran Van Can.

Trois documentaires passionnants m'ont été très utiles : *Of Men and War* de Laurent Bécue-Renard, *L'embuscade. Retour dans l'enfer d'Uzbin* de Jérôme Fritel et *Let There Be Light* de John Huston.

RETOUR D'AFGHANISTAN 17
L'AFFAIRE 189
IRAK 391
LA FIN DE L'INSOUCIANCE 497

DU MÊME AUTEUR

Aux Éditions Gallimard

L'INSOUCIANCE, 2016 (Folio n° 6458, 2018).

Aux Éditions Grasset

L'INVENTION DE NOS VIES, 2013 (Le Livre de Poche, 2014).

SIX MOIS, SIX JOURS, 2010 (Le Livre de Poche, 2011).

LA DOMINATION, 2008 (Le Livre de Poche, 2010).

DOUCE FRANCE, 2007 (Le Livre de Poche, 2008).

QUAND J'ÉTAIS DRÔLE, 2005 (Le Livre de Poche, 2008).

TOUT SUR MON FRÈRE, 2003 (Le Livre de Poche, 2005).

Aux Éditions Plon

DU SEXE FÉMININ, Plon, 2002 (Pocket, 2004).

INTERDIT, Plon, 2001 (Pocket, 2003), rééd. Grasset, 2010 (Le Livre de Poche, 2012).

POUR LE PIRE, Plon, 2000 (Pocket, 2002).

COLLECTION FOLIO

Dernières parutions

6501. Douglas Coupland	*Toutes les familles sont psychotiques*
6502. Elitza Gueorguieva	*Les cosmonautes ne font que passer*
6503. Susan Minot	*Trente filles*
6504. Pierre-Etienne Musson	*Un si joli mois d'août*
6505. Amos Oz	*Judas*
6506. Jean-François Roseau	*La chute d'Icare*
6507. Jean-Marie Rouart	*Une jeunesse perdue*
6508. Nina Yargekov	*Double nationalité*
6509. Fawzia Zouari	*Le corps de ma mère*
6510. Virginia Woolf	*Orlando*
6511. François Bégaudeau	*Molécules*
6512. Élisa Shua Dusapin	*Hiver à Sokcho*
6513. Hubert Haddad	*Corps désirable*
6514. Nathan Hill	*Les fantômes du vieux pays*
6515. Marcus Malte	*Le garçon*
6516. Yasmina Reza	*Babylone*
6517. Jón Kalman Stefánsson	*À la mesure de l'univers*
6518. Fabienne Thomas	*L'enfant roman*
6519. Aurélien Bellanger	*Le Grand Paris*
6520. Raphaël Haroche	*Retourner à la mer*
6521. Angela Huth	*La vie rêvée de Virginia Fly*
6522. Marco Magini	*Comme si j'étais seul*
6523. Akira Mizubayashi	*Un amour de Mille-Ans*
6524. Valérie Mréjen	*Troisième Personne*
6525. Pascal Quignard	*Les Larmes*
6526. Jean-Christophe Rufin	*Le tour du monde du roi Zibeline*
6527. Zeruya Shalev	*Douleur*
6528. Michel Déon	*Un citron de Limone* suivi d'*Oublie...*

6529. Pierre Raufast — *La baleine thébaïde*
6530. François Garde — *Petit éloge de l'outre-mer*
6531. Didier Pourquery — *Petit éloge du jazz*
6532. Patti Smith — *« Rien que des gamins ». Extraits de Just Kids*
6533. Anthony Trollope — *Le Directeur*
6534. Laura Alcoba — *La danse de l'araignée*
6535. Pierric Bailly — *L'homme des bois*
6536. Michel Canesi et Jamil Rahmani — *Alger sans Mozart*
6537. Philippe Djian — *Marlène*
6538. Nicolas Fargues et Iegor Gran — *Écrire à l'élastique*
6539. Stéphanie Kalfon — *Les parapluies d'Erik Satie*
6540. Vénus Khoury-Ghata — *L'adieu à la femme rouge*
6541. Philippe Labro — *Ma mère, cette inconnue*
6542. Hisham Matar — *La terre qui les sépare*
6543. Ludovic Roubaudi — *Camille et Merveille*
6544. Elena Ferrante — *L'amie prodigieuse (série tv)*
6545. Philippe Sollers — *Beauté*
6546. Barack Obama — *Discours choisis*
6547. René Descartes — *Correspondance avec Élisabeth de Bohême et Christine de Suède*
6548. Dante — *Je cherchais ma consolation sur la terre...*
6549. Olympe de Gouges — *Lettre au peuple et autres textes*
6550. Saint François de Sales — *De la modestie et autres entretiens spirituels*
6551. Tchouang-tseu — *Joie suprême et autres textes*
6552. Sawako Ariyoshi — *Les dames de Kimoto*
6553. Salim Bachi — *Dieu, Allah, moi et les autres*
6554. Italo Calvino — *La route de San Giovanni*
6555. Italo Calvino — *Leçons américaines*
6556. Denis Diderot — *Histoire de Mme de La Pommeraye* précédé de l'essai *Sur les femmes.*

6557. Amandine Dhée — *La femme brouillon*
6558. Pierre Jourde — *Winter is coming*
6559. Philippe Le Guillou — *Novembre*
6560. François Mitterrand — *Lettres à Anne. 1962-1995. Choix*
6561. Pénélope Bagieu — *Culottées Livre I – Partie 1. Des femmes qui ne font que ce qu'elles veulent*
6562. Pénélope Bagieu — *Culottées Livre I – Partie 2. Des femmes qui ne font que ce qu'elles veulent*
6563. Jean Giono — *Refus d'obéissance*
6564. Ivan Tourguéniev — *Les Eaux tranquilles*
6565. Victor Hugo — *William Shakespeare*
6566. Collectif — *Déclaration universelle des droits de l'homme*
6567. Collectif — *Bonne année ! 10 réveillons littéraires*
6568. Pierre Adrian — *Des âmes simples*
6569. Muriel Barbery — *La vie des elfes*
6570. Camille Laurens — *La petite danseuse de quatorze ans*
6571. Erri De Luca — *La nature exposée*
6572. Elena Ferrante — *L'enfant perdue. L'amie prodigieuse IV*
6573. René Frégni — *Les vivants au prix des morts*
6574. Karl Ove Knausgaard — *Aux confins du monde. Mon combat IV*
6575. Nina Leger — *Mise en pièces*
6576. Christophe Ono-dit-Biot — *Croire au merveilleux*
6577. Graham Swift — *Le dimanche des mères*
6578. Sophie Van der Linden — *De terre et de mer*
6579. Honoré de Balzac — *La Vendetta*
6580. Antoine Bello — *Manikin 100*
6581. Ian McEwan — *Mon roman pourpre aux pages parfumées* et autres nouvelles
6582. Irène Némirovsky — *Film parlé*
6583. Jean-Baptiste Andrea — *Ma reine*

6584. Mikhaïl Boulgakov *Le Maître et Marguerite*
6585. Georges Bernanos *Sous le soleil de Satan*
6586. Stefan Zweig *Nouvelle du jeu d'échecs*
6587. Fédor Dostoïevski *Le Joueur*
6588. Alexandre Pouchkine *La Dame de pique*
6589. Edgar Allan Poe *Le Joueur d'échecs de Maelzel*
6590. Jules Barbey d'Aurevilly *Le Dessous de cartes d'une partie de whist*
6592. Antoine Bello *L'homme qui s'envola*
6593. François-Henri Désérable *Un certain M. Piekielny*
6594. Dario Franceschini *Ailleurs*
6595. Pascal Quignard *Dans ce jardin qu'on aimait*
6596. Meir Shalev *Un fusil, une vache, un arbre et une femme*
6597. Sylvain Tesson *Sur les chemins noirs*
6598. Frédéric Verger *Les rêveuses*
6599. John Edgar Wideman *Écrire pour sauver une vie. Le dossier Louis Till*
6600. John Edgar Wideman *La trilogie de Homewood*
6601. Yannick Haenel *Tiens ferme ta couronne*
6602. Aristophane *L'Assemblée des femmes*
6603. Denis Diderot *Regrets sur ma vieille robe de chambre*
6604. Edgar Allan Poe *Eureka*
6605. François de La Mothe Le Vayer *De la liberté et de la servitude*
6606. Salvatore Basile *Petits miracles au bureau des objets trouvés*
6607. Fabrice Caro *Figurec*
6608. Olivier Chantraine *Un élément perturbateur*
6610. Roy Jacobsen *Les invisibles*
6611. Ian McEwan *Dans une coque de noix*
6612. Claire Messud *La fille qui brûle*
6613. Jean d'Ormesson *Je dirai malgré tout que cette vie fut belle*
6614. Orhan Pamuk *Cette chose étrange en moi*
6615. Philippe Sollers *Centre*

6616. Honoré de Balzac — *Gobseck* et autres récits d'argent

6618. Chimamanda Ngozi Adichie — *Le tremblement* précédé de *Lundi de la semaine dernière*

6619. Elsa Triolet — *Le destin personnel* suivi de *La belle épicière*

6620. Brillat-Savarin — *Dis-moi ce que tu manges, je te dirai ce que tu es*

6621. Lucrèce — *L'esprit et l'âme se tiennent étroitement unis. De la nature, Livre III*

6622. La mère du révérend Jôjin — *Un malheur absolu*

6623. Ron Rash — *Un pied au paradis*

6624. David Fauquemberg — *Bluff*

6625. Cédric Gras — *La mer des Cosmonautes*

6626. Paolo Rumiz — *Le phare, voyage immobile*

6627. Sebastian Barry — *Des jours sans fin*

6628. Olivier Bourdeaut — *Pactum salis*

6629. Collectif — *À la table des diplomates. L'histoire de France racontée à travers ses grands repas. 1520-2015*

6630. Anna Hope — *La salle de bal*

6631. Violaine Huisman — *Fugitive parce que reine*

6632. Paulette Jiles — *Des nouvelles du monde*

6633. Sayaka Murata — *La fille de la supérette*

6634. Hannah Tinti — *Les douze balles dans la peau de Samuel Hawley*

6635. Marc Dugain — *Ils vont tuer Robert Kennedy*

6636. Collectif — *Voyageurs de la Renaissance. Léon l'Africain, Christophe Colomb, Jean de Léry et les autres*

6637. François-René de Chateaubriand — *Voyage en Amérique*

6638. Christelle Dabos	*La Passe-miroir, Livre III. La mémoire de Babel*
6639. Jean-Paul Didierlaurent	*La fissure*
6640. David Foenkinos	*Vers la beauté*
6641. Christophe Honoré	*Ton père*
6642. Alexis Jenni	*La conquête des îles de la Terre Ferme*
6643. Philippe Krhajac	*Un dieu dans la poitrine*
6644. Eka Kurniawan	*Les belles de Halimunda*
6645. Marie-Hélène Lafon	*Nos vies*
6646. Philip Roth	*Pourquoi écrire ? Du côté de Portnoy – Parlons travail – Explications*
6647. Martin Winckler	*Les Histoires de Franz*
6648. Julie Wolkenstein	*Les vacances*
6649. Naomi Wood	*Mrs Hemingway*
6650. Collectif	*Tous végétariens ! D'Ovide à Ginsberg, petit précis de littérature végétarienne*
6651. Hans Fallada	*Voyous, truands et autres voleurs*
6652. Marina Tsvétaïéva	*La tempête de neige – Une aventure*
6653. Émile Zola	*Le Paradis des chats*
6654. Antoine Hamilton	*Mémoires du comte de Gramont*
6655. Joël Baqué	*La fonte des glaces*
6656. Paul-Henry Bizon	*La louve*
6657. Geneviève Damas	*Patricia*
6658. Marie Darrieussecq	*Notre vie dans les forêts*
6659. Étienne de Montety	*L'amant noir*
6660. Franz-Olivier Giesbert	*Belle d'amour*
6661. Jens Christian Grøndahl	*Quelle n'est pas ma joie*
6662. Thomas Gunzig	*La vie sauvage*
6663. Fabrice Humbert	*Comment vivre en héros ?*

6664. Angela Huth	*Valse-hésitation*
6665. Claudio Magris	*Classé sans suite*
6666. János Székely	*L'enfant du Danube*
6667. Mario Vargas Llosa	*Aux Cinq Rues, Lima*
6668. Alexandre Dumas	*Les Quarante-Cinq*
6669. Jean-Philippe Blondel	*La mise à nu*
6670. Ryôkan	*Ô pruniers en fleur*
6671. Philippe Djian	*À l'aube*
6672. Régis Jauffret	*Microfictions II. 2018*
6673. Maylis de Kerangal	*Un chemin de tables*
6674. Ludmila Oulitskaïa	*L'échelle de Jacob*
6675. Marc Pautrel	*La vie princière*
6676. Jean-Christophe Rufin	*Le suspendu de Conakry. Les énigmes d'Aurel le Consul*
6677. Isabelle Sorente	*180 jours*
6678. Victor Hugo	*Les Contemplations*
6679. Michel de Montaigne	*Des Cannibales / Des coches*
6680. Christian Bobin	*Un bruit de balançoire*
6681. Élisabeth de Fontenay et Alain Finkielkraut	*En terrain miné*
6682. Philippe Forest	*L'oubli*
6683. Nicola Lagioia	*La Féroce*
6684. Javier Marías	*Si rude soit le début*
6685. Javier Marías	*Mauvaise nature.* Nouvelles complètes
6686. Patrick Modiano	*Souvenirs dormants*
6687. Arto Paasilinna	*Un éléphant, ça danse énormément*
6688. Guillaume Poix	*Les fils conducteurs*
6689. Éric Reinhardt	*La chambre des époux*
6690. Éric Reinhardt	*Cendrillon*
6691. Jean-Marie Rouart	*La vérité sur la comtesse Berdaiev*
6692. Jón Kalman Stefánsson	*Ásta*
6693. Corinne Atlan	*Petit éloge des brumes*

6694. Ludmila Oulitskaïa — *La soupe d'orge perlé* et autres nouvelles
6695. Stefan Zweig — *Les Deux Sœurs* précédé d'*Une histoire au crépuscule*
6696. Ésope — *Fables* précédées de la *Vie d'Ésope*
6697. Jack London — *L'Appel de la forêt*
6698. Pierre Assouline — *Retour à Séfarad*
6699. Nathalie Azoulai — *Les spectateurs*
6700. Arno Bertina — *Des châteaux qui brûlent*
6701. Pierre Bordage — *Tout sur le zéro*
6702. Catherine Cusset — *Vie de David Hockney*
6703. Dave Eggers — *Une œuvre déchirante d'un génie renversant*
6704. Nicolas Fargues — *Je ne suis pas une héroïne*
6705. Timothée de Fombelle — *Neverland*
6706. Jérôme Garcin — *Le syndrome de Garcin*
6707. Jonathan Littell — *Les récits de Fata Morgana*
6708. Jonathan Littell — *Une vieille histoire.* Nouvelle version
6709. Herta Müller — *Le renard était déjà le chasseur*
6710. Arundhati Roy — *Le Ministère du Bonheur Suprême*
6711. Baltasar Gracian — *L'Art de vivre avec élégance. Cent maximes de L'Homme de cour*
6712. James Baldwin — *L'homme qui meurt*
6713. Pierre Bergounioux — *Le premier mot*
6714. Tahar Ben Jelloun — *La punition*
6715. John Dos Passos — *Le 42ᵉ parallèle. U.S.A. I*
6716. John Dos Passos — *1919. U.S.A. II*
6717. John Dos Passos — *La grosse galette. U.S.A. III*
6718. Bruno Fuligni — *Dans les archives inédites du ministère de l'Intérieur. Un siècle de secrets d'État (1870-1945)*
6719. André Gide — *Correspondance. 1888-1951*

6720. Philippe Le Guillou	*La route de la mer*
6721. Philippe Le Guillou	*Le roi dort*
6722. Jean-Noël Pancrazi	*Je voulais leur dire mon amour*
6723. Maria Pourchet	*Champion*
6724. Jean Rolin	*Le traquet kurde*
6725. Pénélope Bagieu	*Culottées Livre II-partie 1*
6726. Pénélope Bagieu	*Culottées Livre II-partie 2*
6727. Marcel Proust	*Vacances de Pâques* et autres chroniques
6728. Jane Austen	*Amour et amitié*
6729. Collectif	*Scènes de lecture. De saint Augustin à Proust*
6730. Christophe Boltanski	*Le guetteur*
6731. Albert Camus et Maria Casarès	*Correspondance. 1944-1959*
6732. Albert Camus et Louis Guilloux	*Correspondance. 1945-1959*
6733. Ousmane Diarra	*La route des clameurs*
6734. Eugène Ébodé	*La transmission*
6735. Éric Fottorino	*Dix-sept ans*
6736. Hélène Gestern	*Un vertige* suivi de *La séparation*
6737. Jean Hatzfeld	*Deux mètres dix*
6738. Philippe Lançon	*Le lambeau*
6739. Zadie Smith	*Swing Time*
6740. Serge Toubiana	*Les bouées jaunes*
6741. C. E. Morgan	*Le sport des rois*
6742. Marguerite Yourcenar	*Les Songes et les Sorts*
6743. Les sœurs Brontë	*Autolouange* et autres poèmes
6744. F. Scott Fitzgerald	*Le diamant gros comme le Ritz*
6745. Nicolas Gogol	*2 nouvelles de Pétersbourg*
6746. Eugène Dabit	*Fauteuils réservés* et autres contes
6747. Jules Verne	*Cinq semaines en ballon*
6748. Henry James	*La Princesse Casamassima*
6749. Claire Castillon	*Ma grande*

Composition Nord compo
Impression Maury Imprimeur
45330 Malesherbes
le 3 mars 2020
Dépôt légal : mars 2020
1er dépôt légal dans la collection : mars 2018.
Numéro d'imprimeur : 244162

ISBN 978-2-07-276338-0. / Imprimé en France.

377077